Maya Banks

Auteur prolifique, elle figure en tête de liste des best-sellers du *USA Today* et s'est spécialisée dans l'écriture de romances contemporaines et historiques aux accents érotiques. Sa plume sensuelle a conquis le cœur de nombreuses lectrices à travers le monde. Très remarquée par la critique, elle obtient en 2009 le prix Romantic Times de la meilleure romance pour *Sweet persuasion*.

Le Highlander
qui ne voulait plus aimer

Maya

BANKS

Les McCabe – 3

Le Highlander qui ne voulait plus aimer

Traduit de l'anglais (États-Unis)
par Lionel Évrard

AVENTURES
&PASSIONS

Vous souhaitez être informé en avant-première
de nos programmes, nos coups de cœur ou encore
de l'actualité de notre site *J'ai lu pour elle* ?

Abonnez-vous à notre *Newsletter* en vous connectant
sur **www.jailu.com**

Retrouvez-nous également sur Facebook
pour avoir des informations exclusives :
www.facebook/pages/aventures-et-passions
et sur le profil *J'ai lu pour elle*.

Titre original
NEVER LOVE A HIGHLANDER

Éditeur original
Ballantine Books, an imprint of The Random House Publishing Group,
a division of Random House, Inc., New York

Pour Telisa

Remerciements

Je dois tant de choses à ma famille, et en particulier à mon mari qui s'est occupé de la lessive, de la cuisine et de la plus grande part des tâches ménagères pour que je puisse tenir mes délais.

Mon agent, Kim Whalen, est une partenaire inestimable, qui n'hésite pas à me remettre dans le droit chemin et à me motiver, et qui ne s'offusque pas de mes coups de barre.

D'autres personnes, telles que Jaci Burton, Laurie K., Vicki L. et Shannon Stacey, m'ont aidée à tenir le coup et m'ont offert une richesse inappréciable : l'amitié. Merci à vous.

L'écriture a beau être une activité solitaire, les gens qui m'entourent ont su rendre mon travail plus facile et plus gratifiant. Je ne voudrais surtout pas le faire sans eux.

1

Il avait fait un temps splendide lors du premier mariage de Rionna McDonald. Ce jour de janvier aussi plaisant qu'un jour de printemps avait constitué un vrai miracle. À peine avait-il soufflé une douce brise pour menacer sa coiffure savamment arrangée. On aurait dit que le monde s'était tenu tranquille pour écouter deux êtres se donner l'un à l'autre.

À ce souvenir, un petit rire passa ses lèvres, suscitant un haussement de sourcils réprobateur de celui qui était sur le point de devenir son époux.

Le temps qu'il avait fait pour ses deuxièmes noces, annulées elles aussi ? Froid et pluvieux. Une tempête venue de l'ouest avait balayé un paysage déjà marqué par le gel, les bourrasques charriant d'opaques rideaux de pluie. Cette fois, on aurait dit que le monde partageait ses doutes concernant l'homme à qui elle s'apprêtait à jurer fidélité.

Un frisson remonta l'échine de Rionna, en dépit du feu ardent brûlant dans l'âtre.

Caelen se rembrunit et se rapprocha d'elle, comme pour la protéger des courants d'air qui parvenaient à passer les fourrures masquant les fenêtres. Le voyant faire, elle esquissa un geste de recul, vite réprimé.

L'homme la rendait nerveuse, elle qui ne se laissait pourtant jamais intimider.

Sa réaction lui valut un froncement de sourcils, puis le jeune marié reporta son attention sur le prêtre.

D'un rapide coup d'œil, Rionna vérifia que nul n'avait surpris son attitude. Cela n'arrangerait pas ses affaires que les gens croient qu'elle avait peur de son nouveau mari, même si c'était le cas.

Ewan McCabe, l'aîné de la fratrie et le premier homme qu'elle avait failli épouser, se tenait au côté de son frère. Les bras croisés sur son torse puissant, il paraissait pressé que l'affaire se conclue.

Alaric McCabe, celui avec qui elle avait failli se marier quand Ewan avait épousé Mairin Stuart, semblait lui aussi impatient et ne cessait de jeter des regards en direction de l'escalier, comme s'il lui tardait de s'éclipser. Rionna ne pouvait l'en blâmer. Sa nouvelle épouse, Keeley, récupérait à l'étage d'une blessure qui avait failli lui coûter la vie.

En somme, un charmant troisième mariage, non ?

Pour l'occasion, le roi avait préféré s'asseoir près du feu plutôt que de rester debout. L'air satisfait, David regardait le prêtre ânonner le rituel. Autour de lui, également assis, se tenaient les nombreux lairds des domaines environnants. Tous attendaient impatiemment l'alliance entre les McDonald et les McCabe, qui serait scellée ce jour par le mariage de Rionna avec Caelen, le plus jeune – et le dernier – des frères McCabe.

Ce détail n'était pas sans importance, car si une fois de plus cette union était annulée au dernier moment, il n'y aurait plus d'autre candidat à lui proposer.

Délaissant le groupe formé par le roi et les lairds, Rionna laissa son regard dériver jusqu'à son père.

À l'écart de tous les autres, il subissait la cérémonie avec une mine renfrognée.

L'espace d'un instant, leurs regards se croisèrent et elle vit ses lèvres se retrousser en une grimace sarcastique. Elle ne l'avait pas soutenu dans sa tentative pour conserver son titre, ce qui était probablement déloyal de sa part. Elle n'était pas certaine que Caelen McCabe serait un meilleur laird, mais il était sûrement moins détestable que lui.

Rionna prit soudain conscience que tous les regards avaient convergé sur elle. Jetant un coup d'œil nerveux au prêtre, elle réalisa que celui-ci attendait qu'elle prenne la parole. Elle n'avait aucune idée de ce qu'il venait de dire.

— C'est ici que vous devez jurer de m'obéir et de m'être fidèle, précisa Caelen d'une voix traînante.

Ces paroles piquèrent Rionna au vif. En lui rendant son regard courroucé, elle demanda :

— Et vous, que me promettez-vous, au juste ?

Ses pâles yeux verts la détaillèrent de pied en cap avant de revenir à son visage, comme si cet examen ne lui avait rien révélé d'important. Rionna n'apprécia pas ce regard qui la rejetait comme quantité négligeable.

— Vous y gagnerez ma protection et le respect dû à une dame de votre rang, répondit-il.

— C'est tout ?

Ces mots lui avaient échappé dans un murmure. Elle aurait préféré ne pas les avoir prononcés, mais il n'était pas étonnant qu'elle attende davantage d'un mariage. Ewan McCabe adorait manifestement son épouse, Mairin, et Alaric venait de défier son roi pour garder la femme qu'il aimait, écartant ce faisant Rionna.

Non que cela la rendît amère. Elle avait une sincère affection pour Keeley, qui méritait d'être heureuse. Qu'un homme aussi séduisant qu'Alaric ait pu proclamer publiquement son amour pour elle, la réjouissait.

Mais cela soulignait également à quel point son propre mariage promettait d'être vide.

Caelen manifesta son agacement et reprit :

— Et à quoi d'autre, exactement, vous attendiez-vous ?

Le menton fièrement pointé, Rionna soutint son regard sans ciller.

— À rien, dit-elle. Je me contenterai de votre respect et de votre considération. Votre protection, je n'en aurai pas besoin.

— Voyez-vous ça… s'étonna-t-il, un sourcil arqué.

— Oui. Je suis parfaitement capable d'assurer ma propre protection.

Caelen eut un petit rire moqueur.

— Contentez-vous de dire vos vœux. Nous n'allons pas y passer la journée. Les hommes ont faim. Voilà quinze jours qu'ils attendent ce banquet.

Des murmures approbateurs s'élevèrent. Rionna sentit ses joues s'empourprer. C'était le jour de ses noces, après tout, et elle ne se laisserait pas brusquer. Qu'avait-elle à faire de l'appétit des convives ?

Comme s'il avait perçu la colère qui commençait à bouillonner en elle, Caelen tendit la main, attrapa celle de Rionna et l'incita à se rapprocher de lui, jusqu'à ce que sa jambe vienne se loger dans le tissu de sa jupe.

— Père ? reprit-il avec le plus grand respect. Peut-être pourriez-vous lui répéter ce qu'elle doit dire ?

Rionna fulmina de la première à la dernière parole qu'il lui fallut prononcer. Des larmes lui brûlaient les paupières, mais elle aurait été incapable de déterminer ce qui les motivait. Ce n'était pas comme si Alaric et elle avaient été faits l'un pour l'autre, pas plus que ce n'était le cas de Caelen... C'était son père qui s'était mis en tête de lui faire épouser l'un des frères McCabe, ce dont il avait réussi à convaincre les McCabe eux-mêmes et le roi.

Entre leurs mains, elle n'était qu'un pion.

En soupirant, Rionna tenta de se convaincre qu'il était ridicule de se lamenter. Elle aurait dû se réjouir. Elle avait découvert en Keeley une sœur de cœur, et celle-ci avait conclu avec l'homme qu'elle aimait un mariage heureux, même si une longue convalescence l'attendait encore. Enfin, son père n'était plus le laird de leur clan.

Elle coula un nouveau regard dans sa direction et le vit engloutir un autre gobelet de bière. Sans doute était-il normal qu'il se réfugie dans la boisson. En un instant, tout ce qui faisait sa vie venait de lui être enlevé. Pourtant, Rionna ne parvenait pas à éprouver de regrets.

Dirigé par un bon chef, son clan pouvait devenir prospère. Son père n'avait jamais été ce chef-là. Il avait tant et si bien affaibli le nom des McDonald qu'il leur avait fallu rechercher l'alliance d'un clan plus puissant.

Sa main libre se serra en un poing vengeur à son côté. Cela avait été son rêve de restaurer leur puissance passée, de faire de leurs guerriers une formidable force de combat. À présent, c'était Caelen qui allait devoir s'en charger, et elle serait reléguée à un rôle d'observatrice.

Rionna tressaillit lorsque son nouveau mari se pencha sur elle et effleura ses lèvres du bout des siennes. Il se recula avant qu'elle ait pu réaliser ce qui se passait et elle demeura figée sur place, les yeux écarquillés, tandis que sa main tremblante se portait à sa bouche.

La cérémonie était terminée. Déjà, une file de servantes investissait la salle, apportant une profusion de mets. Suite au pari catastrophique de son père quelques mois plus tôt, c'était dans ses réserves à elle qu'il avait fallu puiser pour organiser ce festin.

Caelen l'invita d'un geste à le précéder pour rejoindre la table d'honneur. En chemin, Rionna eut la joie de voir Mairin aller retrouver son mari. Dans une mer de visages rudes et étrangers, celui de Mairin McCabe était un rayon de soleil – un peu fatigué, mais néanmoins chaleureux.

Celle-ci se précipita vers elle avec un sourire radieux.

— Rionna, vous êtes magnifique ! Il n'y a pas une femme ici qui puisse vous faire de l'ombre.

Le compliment la fit rosir de plaisir. En vérité, elle était un peu humiliée de devoir porter la même robe que celle dans laquelle elle avait failli épouser Alaric, mais le sourire sincère de Mairin lui réchauffait le cœur.

Celle-ci prit ses mains dans les siennes et s'excusa :

— J'aurais tellement voulu être là pour l'échange des vœux. J'espère que vous me pardonnerez.

— Naturellement, assura-t-elle. Comment va Keeley ?

— Venez vous asseoir, et je vous le dirai, répondit Mairin.

Rionna fut irritée de devoir quémander d'un regard l'approbation de son mari. Les dents serrées, elle rejoignit la table et s'y assit en compagnie de Mairin. Cela ne faisait pas cinq minutes qu'elle était mariée, et voilà qu'elle se conduisait déjà comme une épouse soumise.

Mais il était vrai que Caelen lui faisait peur, ce qui n'avait pas été le cas d'Alaric. Même Ewan ne l'intimidait pas comme le plus jeune des McCabe le faisait.

Rionna se glissa sur la chaise voisine de celle de Mairin, espérant que son mari lui laisserait un répit avant de venir la rejoindre. Elle n'eut pas cette chance. Caelen s'assit à côté d'elle. Leurs deux jambes étaient si proches qu'elle sentait sa cuisse contre la sienne.

Décidant qu'il serait malvenu de prendre ses distances avec lui, elle préféra l'ignorer. Son attitude n'avait rien que de très naturel à présent qu'ils étaient mariés.

Elle faillit trahir sa surprise en comprenant d'un coup ce que cela signifiait. Il allait faire valoir ses droits. La prochaine nuit serait leur nuit de noces… avec défloration obligatoire – toutes ces choses dont les femmes riaient en se cachant sous leur main lorsque les hommes n'étaient pas là.

Le problème était que Rionna avait passé son temps en compagnie des hommes et qu'elle n'avait de sa vie échangé de confidences intimes avec ses semblables. Keeley avait été séparée d'elle dès le plus jeune âge, bien avant que toutes deux aient pu s'intéresser à ces sujets.

La seule idée de… s'accoupler lui donnait la nausée.

Bien sûr, elle pouvait chercher à se renseigner auprès de Mairin ou de l'une des femmes du clan McCabe. Toutes s'étaient montrées très bien disposées envers elle. Mais l'idée d'admettre devant elles à quel point elle était ignorante en la matière lui donnait envie de se cacher sous la table.

Rionna était capable de manier une épée mieux que beaucoup d'hommes, elle savait se battre, se montrer intraitable lorsqu'on la provoquait, elle était d'une constitution solide et ne s'évanouissait pas à la vue du sang, mais elle ignorait tout des choses que mari et femme faisaient dans un lit.

— Allez-vous enfin vous décider à manger ? lança Caelen, la tirant de ses pensées.

Elle s'aperçut alors que la nourriture était servie. Son mari lui avait choisi une pièce de viande de choix.

— Oui, murmura-t-elle.

Il était vrai qu'à la réflexion, elle était affamée.

— Préférez-vous de la bière ou de l'eau ? reprit-il.

Elle n'était pas habituée à boire de l'alcool, mais en un jour tel que celui-ci, la bière était tout indiquée.

— Bière, répondit-elle.

Il lui servit un gobelet qu'elle s'apprêta à saisir mais, à sa grande surprise, il la précéda en y goûtant lui-même.

— Pas empoisonnée, décréta-t-il.

Rionna le dévisageait avec de grands yeux, incrédule.

— Mais… et si elle l'avait été ?

Il lui caressa brièvement la joue. C'était le premier geste tendre qu'il avait pour elle.

— Alors vous auriez été épargnée, répliqua-t-il. Une telle traîtrise a déjà failli occasionner une mort dans notre clan. Je ne veux pas risquer qu'il y en ait une autre.

Sa logique lui échappait.

— C'est ridicule ! protesta-t-elle. Pensez-vous vraiment qu'il aurait mieux valu que vous mouriez ?

— Rionna… je viens de prononcer des vœux sacrés par lesquels je me suis engagé à donner ma vie pour protéger la vôtre et celle de nos futurs enfants. Il y a parmi nous un traître qui a déjà failli empoisonner Ewan. À présent que nous sommes mariés, quel meilleur moyen d'empêcher l'alliance entre nos deux clans que de vous tuer ?

— Moi… ou vous, jugea-t-elle utile de préciser.

— Oui, c'est une possibilité. Mais si la seule héritière du clan McDonald disparaît, c'est ce clan lui-même qui s'effondrera et Duncan Cameron n'aura plus qu'à se baisser pour le ramasser tel un fruit mûr. Vous êtes au cœur de cette alliance, Rionna. Tout repose sur vos épaules, et je vous garantis que vous n'aurez pas la partie facile.

— Certes, reconnut-elle. Je ne me suis jamais attendue à autre chose.

Caelen fit rouler le gobelet entre ses doigts, puis il le porta doucement aux lèvres de Rionna, comme tout mari attentionné le ferait pour son aimée le jour de leurs noces.

— Buvez, dit-il. Vous paraissez épuisée, à cran. Buvez et tentez de vous détendre. Nous avons un long après-midi devant nous…

En cela, il ne mentait pas.

Assise à sa table, Rionna dut stoïquement supporter les multiples toasts qui furent portés. Il y en eut pour les McCabe, puis pour la nouvelle héritière du clan. Ewan et Mairin étaient les fiers parents d'une petite fille qui avait trouvé dans sa corbeille de naissance les plus vastes et riches domaines d'Écosse.

On porta ensuite un toast à la santé d'Alaric, et surtout de Keeley. Pour finir, les toasts à l'occasion du mariage de Caelen et Rionna purent commencer.

À un moment, ils dégénérèrent en ricanements salaces, censés honorer les prouesses sexuelles du jeune marié. Deux lairds lancèrent même un pari pour déterminer à quelle échéance la mariée serait enceinte.

Rionna commençait à avoir du mal à garder les yeux ouverts, et elle n'était pas certaine que la longueur du banquet fût seule en cause. Son gobelet avait été rempli à de nombreuses reprises. Elle le vidait mécaniquement, préférant ignorer les protestations de son ventre et le vertige qui la gagnait.

Le laird McCabe avait décrété qu'en dépit des nombreux problèmes à régler et des décisions qui devaient être prises, la journée serait consacrée à la célébration du mariage de son frère.

Rionna soupçonnait Mairin d'avoir influencé son époux en ce sens, ce qui lui paraissait bien inutile. De son point de vue, il n'y avait rien à célébrer.

Du coin de l'œil, elle vit Caelen se rasseoir et houspiller l'un des McCabe qui venait de s'en prendre à lui de manière grossière en mettant en cause sa virilité. Saisie par un frisson, Rionna préféra ignorer le trouble que l'allusion grivoise avait éveillé en elle.

Après avoir avalé une nouvelle rasade de bière, elle reposa le gobelet sur la table avec un claquement sec qui la fit grimacer. Personne ne parut rien remarquer. Pourtant, le bruit lui avait semblé assourdissant.

Elle eut l'impression que la nourriture posée devant elle ondulait sous ses yeux, et l'idée de la manger lui retourna l'estomac.

— Rionna ? Quelque chose ne va pas ?

L'inquiétude manifestée par Mairin la tira de son état nauséeux. Redressant la tête, Rionna la regarda d'un air coupable et cligna des yeux quand elle la vit se dédoubler soudain devant elle.

— J'aimerais voir Keeley, lâcha-t-elle dans un souffle.

Si la femme du laird trouva bizarre que la jeune mariée puisse avoir envie d'une telle visite au beau milieu de son banquet de noces, elle n'en montra rien.

— Je vais vous accompagner, dit-elle.

Rionna poussa un soupir de soulagement et tenta de se lever de son siège. La main de Caelen, en se refermant sur son poignet, l'en empêcha.

— Puisqu'elle n'a pu être des nôtres, expliqua-t-elle, j'aimerais aller rendre une petite visite à Keeley. Avec votre permission, bien entendu.

Elle avait failli s'étrangler sur ces derniers mots.

Son mari la dévisagea brièvement.

— Allez-y ! grogna-t-il en la lâchant.

En allant s'excuser de son absence auprès du laird, Rionna sentit sa nausée revenir. Qu'elle puisse être mariée et en position de rendre compte de ses moindres faits et gestes, avait de quoi lui soulever le cœur.

Les mains tremblantes, elle suivit Mairin jusqu'à l'escalier, qu'elles gravirent avec l'un des hommes d'Ewan sur leurs talons. La femme du laird ne se rendait nulle part sans escorte.

Devrait-elle s'habituer, elle aussi, à être menée par la bride, à ne pouvoir faire un pas sans avoir quelqu'un sur le dos ? Cette seule idée la faisait suffoquer de rage.

Une fois devant la porte de Keeley, Mairin y cogna doucement. Alaric, qui vint leur ouvrir, échangea à mi-voix quelques mots avec sa belle-sœur, avant d'acquiescer d'un hochement de tête.

— Ne vous attardez pas trop, les prévint-il. Elle se fatigue facilement.

En observant celui qui avait failli être son mari, Rionna ne put s'empêcher de faire la comparaison avec son plus jeune frère, qui l'était devenu ce jour-là.

Tous deux étaient de fiers guerriers, mais Alaric était moins… froid que Caelen, moins… indifférent. Son nouvel époux avait dans le regard quelque chose qui la mettait mal à l'aise. En sa présence, elle se sentait aussi démunie qu'une proie face à un prédateur.

— Rionna… la salua Alaric avec un hochement de tête. Toutes mes félicitations pour votre mariage.

Une certaine culpabilité voilait encore son regard. Quant à elle, Rionna ne lui en voulait vraiment pas qu'il n'ait pas voulu l'épouser.

— Merci, murmura-t-elle.

Elle attendit qu'Alaric soit sorti pour entrer à la suite de Mairin dans la chambre de Keeley.

Celle-ci reposait sur son lit, calée contre une abondance d'oreillers, le visage pâle, marqué par la fatigue. Pourtant, quand leurs regards se croisèrent, elle parvint à lui sourire faiblement.

— Je suis désolée d'avoir raté ton mariage, dit-elle.

Rionna lui rendit son sourire et alla se percher au bord de son lit, en prenant garde à ne pas lui occasionner de souffrance supplémentaire.

— Tu n'as rien raté, assura-t-elle en prenant sa main dans la sienne. C'est à peine si je m'en souviens moi-même.

Un rire secoua son amie, vite interrompu par une grimace de douleur.

— Il fallait que je te voie, reprit Rionna sur le ton de la confidence. Il y a quelque chose… Je voudrais un conseil.

Les yeux de Keeley s'agrandirent sous l'effet de la surprise. Elle chercha le regard de Mairin.

— Bien sûr… répondit-elle. Faut-il que nous soyons seules ? J'ai toute confiance en Mairin.

Rionna jeta par-dessus son épaule un coup d'œil hésitant à l'intéressée, qui suggéra :

— Je pourrais descendre nous chercher un peu de bière. Cela vous donnerait le temps de parler librement.

— Inutile, dit Rionna en soupirant. J'aurai peut-être également besoin de vos conseils. Keeley est une jeune mariée, après tout.

Tandis que l'intéressée rougissait de manière charmante, Mairin se mit à rire et conclut :

— Je vais charger quelqu'un d'autre d'aller chercher de la bière, dans ce cas. Et vous avez ma parole que rien de ce qui se dira ici ne passera le seuil de cette chambre.

Rionna adressa un sourire reconnaissant à Mairin, qui alla à la porte échanger quelques mots avec Gannon, celui que son mari avait chargé de sa protection. Rionna en profita pour demander tout bas à son amie :

— Tu es sûre qu'on n'entend pas à travers la porte ?

— Je peux te l'assurer, répliqua Keeley, amusée. À présent, de quel mystère voulais-tu m'entretenir ?

Rionna attendit que Mairin les ait rejointes. Avec l'impression d'être la plus idiote des femmes de devoir confier son ignorance.

— C'est au sujet de ce qui se passe... dans le lit conjugal.

L'expression de Mairin se fit plus douce. Toute trace d'amusement disparut de ses yeux. Elle couvrit la main de Rionna et expliqua :

— Je dois vous avouer qu'il y a peu, je me suis retrouvée dans la même position que vous. J'ai dû aller demander conseil à quelques aînées du clan. Elles m'ont bien ouvert les yeux, croyez-moi...

— Oui, moi de même, renchérit Keeley. Aucune de nous trois n'a eu de mère pour la guider.

Lançant un regard d'excuse à Rionna, elle s'empressa d'ajouter :

— Du moins, je présume que ta mère n'a jamais discuté de sujets aussi délicats avec toi.

Un ricanement caustique échappa à Rionna qui confia :

— Elle a désespéré de moi dès l'instant où mes seins ont commencé à pousser.

— Tes seins ont poussé ? s'étonna Keeley en arquant un sourcil.

Rionna rougit et baissa les yeux sur sa poitrine. Si son amie avait pu savoir ce qui se cachait là-dessous... Son mari le découvrirait bien assez vite, à moins qu'elle ne trouve un moyen pour consommer leur union en ne quittant pas ses vêtements.

Avec un sourire confiant, Mairin assura :

— Ce n'est pas si difficile, vous savez. Ce sont les hommes qui font tout... du moins au début. Une fois que vous serez habituée, vous pourrez prendre des initiatives et faire... toutes sortes de choses.

— Alaric est formidable au lit ! commenta Keeley avec un soupir rêveur.

Les joues de Mairin se colorèrent.

— Je dois avouer que j'ai d'abord cru qu'Ewan n'était pas très expérimenté. Notre nuit de noces a été écourtée par le fait que les armées de Duncan Cameron fondaient sur nous. Une occasion manquée à laquelle Ewan s'est fait un devoir de remédier ensuite. Et avec de très satisfaisants résultats, je dois dire...

En écoutant les deux jeunes femmes, Rionna sentit elle aussi ses joues s'échauffer. Leurs regards s'étaient faits rêveurs dès qu'elles avaient mentionné leurs époux. Elle ne pouvait imaginer avoir un jour pareille réaction en évoquant Caelen. Difficile d'idéaliser quelqu'un qui lui semblait tellement... sévère.

Quelques coups frappés à la porte interrompirent leur discussion. À peine Mairin eut-elle répondu que son garde du corps entra dans la pièce, une moue réprobatrice sur le visage.

— Merci, Gannon… dit-elle en le regardant déposer sur une petite table un pot en terre et des gobelets. Tu peux nous laisser, maintenant.

Il manifesta son mécontentement par une grimace, mais sortit sans protester. Étonné de voir Mairin supporter un tel comportement, Rionna lui lança un regard interrogateur. Mairin sourit d'un air mutin en faisant le service :

— Il estime que nous en prenons à notre aise et cela le met en colère de ne pouvoir s'y opposer.

Elle tendit à Rionna un gobelet. En acceptant le sien, Keeley commenta :

— Voilà qui va endormir la douleur…

— Désolée de te déranger, s'excusa Rionna. Veux-tu qu'on s'en aille ? Je m'en voudrais de te causer la moindre souffrance supplémentaire.

Keeley prit le temps de siroter sa bière et de se renfoncer dans ses oreillers avec un soupir, avant de protester :

— Surtout pas ! Je vais devenir folle à rester séquestrée dans ma chambre. Et nous devons apaiser tes craintes concernant la nuit de noces.

Rionna vida son gobelet d'un trait et le tendit à Mairin pour qu'elle le remplisse à nouveau. Quelque chose lui disait qu'elle n'allait pas aimer ce qui allait suivre.

— Il n'y a rien à craindre, assura Mairin. Je ne doute pas que Caelen prendra grand soin de vous.

Après avoir froncé le nez, elle poursuivit :

— Estimez-vous heureuse qu'une armée ne soit pas lancée à vos trousses. Je ne vous mentirai pas : je n'ai pas un grand souvenir de ma nuit de noces.

Rionna sentit le sang refluer de son visage.

— Tais-toi donc ! gronda Keeley. Tu ne l'aides pas.

Mairin tapota gentiment la main de Rionna :

— Tout se passera bien, vous verrez.

— Mais… que devrai-je *faire*, au juste ?

— Que sais-tu de ce que tu devras *faire*, au juste ? demanda Keeley. Commençons par là…

Rionna ferma les yeux pour masquer sa détresse et vida son gobelet.

— Rien, avoua-t-elle.

— Oh, mon Dieu ! s'exclama Mairin. Il est vrai que j'étais ignorante, mais les nonnes à l'abbaye m'avaient tout de même dégrossie un peu.

— Tu devrais avouer honnêtement tes craintes à Caelen, suggéra Keeley. S'il est à moitié aussi doué qu'Alaric, il ne prendra pas son plaisir sans te donner le tien.

Cette fanfaronnade suscita un petit rire nerveux de la part de Mairin. Rionna tendit son gobelet à remplir.

La dernière chose dont elle avait envie, c'était de parler à Caelen de ses craintes de vierge inexpérimentée. Sans doute allait-il lui rire au nez ou, pire encore, lui lancer ce regard qui lui donnait l'impression d'être totalement insignifiante.

— Ça fait mal ? demanda-t-elle, la gorge serrée.

Mairin plissa les lèvres et se plongea dans ses réflexions. Keeley fronça les sourcils d'un air ennuyé.

— Il est vrai que ça n'a rien d'excessivement plaisant, dit-elle enfin. Au début. Mais la douleur passe rapidement si l'homme est doué. Et à la fin… cela devient merveilleux.

Mairin lança un rire strident et renchérit :

— Encore une fois, tant que vous n'avez pas une armée qui vous fonce dessus.

— Oh ! Assez avec ton armée ! s'énerva Keeley. Ils n'ont aucune armée aux trousses... D'accord ?

Les deux femmes se dévisagèrent un moment, puis éclatèrent de rire, jusqu'à ce que la blessée se laisse aller contre ses oreillers. Rionna les regarda avec inquiétude. Elle était de moins en moins sûre d'avoir la force de se plier à ce rituel de la nuit de noces.

Un bâillement retentissant lui échappa, et elle eut la surprise de voir la pièce se mettre à tourner autour d'elle. Sa tête lui donnait l'impression de peser lourdement, et ses jambes semblaient ne plus vouloir la porter.

Au prix d'un gros effort, elle parvint à se lever et à marcher vers la porte, dégoûtée par sa propre couardise. Qu'est-ce qui lui prenait de se conduire ainsi, comme une... comme une... eh bien... comme une *femme* ?

En se retrouvant devant la fenêtre au lieu de la porte qu'elle avait eue en ligne de mire, Rionna se sentit plus perplexe encore. Une saute de vent glacée, soulevant le rideau de fourrures, vint lui fouetter le visage.

— Faites attention... murmura Mairin à son oreille, en l'attrapant par les coudes.

Rionna se laissa guider jusqu'à un fauteuil installé dans un coin de la pièce.

— Peut-être vaut-il mieux que vous vous reposiez un moment ici, conseilla Mairin. Vous n'êtes pas en état de descendre cet escalier.

Rionna hocha mollement la tête. Effectivement, elle se sentait un peu bizarre. Il valait sans doute mieux qu'elle attende que la pièce cesse de tourner autour d'elle...

Caelen lança un regard en direction de l'escalier pour ce qui lui semblait être la centième fois. Ewan perdait patience, lui aussi. Cela faisait longtemps que Rionna et Mairin s'étaient absentées. La nuit était déjà avancée et il était pressé d'en terminer avec ces célébrations qui n'avaient de fête que le nom.

Sa femme s'était montrée raide et distante durant toute la cérémonie et ensuite, elle s'était murée dans un silence hautain pendant que les convives festoyaient autour d'elle.

S'il fallait en juger par son attitude, Rionna était encore moins enthousiasmée que lui par cette union, mais leurs réticences importaient peu. L'un comme l'autre, ils se trouvaient contraints par le sens du devoir. Et pour l'heure, le devoir de Caelen consistait à consommer son mariage.

Le brusque accès de désir que cette perspective suscita en lui le laissa perplexe. Cela faisait longtemps que les charmes d'une femme ne l'avaient pas fait réagir ainsi. Cette attirance physique pour Rionna s'était manifestée dès le premier jour où il avait posé les yeux sur elle.

Parce qu'elle l'incitait à convoiter la promise de son frère, sa réaction lui avait fait honte. Il était déloyal et irrespectueux d'entretenir de telles envies.

Mais il avait eu beau se morigéner, cela n'avait rien changé au fait que dès qu'elle se trouvait dans la même pièce que lui, son corps le trahissait.

Et à présent, Rionna était à lui...

Une fois encore, il jeta un coup d'œil à l'escalier, avant d'adresser à Ewan un regard éloquent. Le temps était venu d'aller récupérer sa femme et de l'emmener au lit.

Après avoir hoché la tête, son frère se leva. Le roi était encore en train de s'amuser, mais peu leur importait. En quelques mots, Ewan annonça que les festivités touchaient à leur fin et que chacun était invité à aller dormir.

Au petit matin, tous se retrouveraient et les palabres débuteraient. Ewan avait un patrimoine à récupérer pour le compte de sa fille, et pour ce faire une guerre devait être menée contre Duncan Cameron.

Caelen suivit son frère à l'étage où ils retrouvèrent Gannon.

— Lady McCabe a regagné sa chambre, annonça celui-ci à Ewan. Il y a à peu près une heure, quand le bébé s'est réveillé pour sa tétée.

— Et ma femme ? demanda Caelen.

— Toujours avec Keeley. Alaric a trouvé refuge dans l'ancienne chambre de son épouse, mais il perd patience et voudrait bien la retrouver.

— Tu peux lui dire que Rionna sera partie dans la minute, déclara Caelen en se dirigeant vers la porte.

Uniquement parce qu'il ne voulait pas alarmer Keeley, il se résigna à s'annoncer. Ce fut à peine s'il l'entendit lui répondre, et quand il entra, il la découvrit effondrée sur ses oreillers, à deux doigts de glisser hors du lit.

Caelen se précipita à son chevet. Des cernes sombres marquaient ses yeux fatigués, et elle grogna de douleur lorsqu'il l'aida à se redresser.

— Désolé, marmonna-t-il.

— Ce n'est rien, assura-t-elle avec un sourire crispé.

— Je suis venu chercher Rionna.

Il se rembrunit en découvrant qu'apparemment elle ne se trouvait pas dans la pièce. D'un signe de tête, Keeley désigna le coin le plus sombre :

— Elle se repose là-bas.

Caelen pivota sur ses talons et découvrit sa femme avachie dans un fauteuil. Profondément endormie, elle avait la tête rejetée en arrière et la bouche ouverte. Sur une table, il avisa une pinte de bière et trois gobelets. Une inspection plus poussée lui confirma ses doutes : la pinte était vide.

D'un air soupçonneux, il se tourna vers Keeley, qui avait toutes les peines du monde à garder les yeux ouverts. En reportant son attention sur sa femme qui n'avait pas bougé d'un pouce, il se remémora toute la bière qu'elle avait bue à table, alors qu'elle n'avait quasiment rien mangé.

— Vous êtes soûles ! lança-t-il d'un ton accusateur.

— Peut-être un peu, marmonna Keeley.

Caelen grimaça, dépité. Ces femmes n'avaient donc rien dans la tête ?

Il se dirigeait d'un bon pas vers Rionna lorsque la supplique de Keeley le figea sur place :

— Caelen… sois gentil avec elle. Elle est effrayée.

Lentement, il pivota.

— C'est donc la cause de tout ça ? Elle s'est soûlée parce qu'elle a peur de moi ?

Keeley secoua négativement la tête.

— Pas de toi précisément, rectifia-t-elle. Enfin… il doit y avoir quand même un peu de ça. Mais vois-tu… si elle a si peur… c'est qu'elle est ignorante de…

Sans finir sa phrase, Keeley s'empourpra violemment.

— Je comprends ce que tu veux dire, assura Caelen rudement. N'en prends pas ombrage, Keeley, mais cette affaire ne regarde que ma femme et moi. Je vais l'emmener, à présent. Quant à toi, tu devrais te reposer, plutôt que de boire des quantités déraisonnables de bière.

— Personne ne t'a jamais suggéré d'être un peu moins rigide, dans la vie ? grommela-t-elle.

Sans lui répondre, Caelen glissa un bras sous les épaules de sa femme, l'autre sous ses genoux. Ce fut sans la moindre difficulté qu'il la souleva. Elle ne pesait quasiment rien et, à sa grande surprise, il aimait la sentir dans ses bras. La porter était plutôt... agréable.

Arrivé devant la porte, il aboya à Gannon qui se trouvait de l'autre côté l'ordre de lui ouvrir. Rapidement, celui-ci s'exécuta et, dans le corridor, Caelen retrouva Alaric.

— Occupe-toi de ta propre femme ! conseilla-t-il en réponse au regard inquisiteur que son frère lançait à Rionna. Elle est dans les vapes, elle aussi.

— Quoi ! s'étrangla-t-il.

Caelen l'ignora et poursuivit sa route jusqu'à sa chambre, dont il repoussa la porte entrouverte avec l'épaule. En douceur, il déposa sa charge sur le lit et recula d'un pas pour observer sa femme endormie.

Ainsi, songea-t-il, l'indomptable guerrière était terrifiée. Et pour lui échapper, elle n'avait rien trouvé de mieux que de s'abrutir dans les vapeurs de l'alcool. Ce n'était pas pour le flatter, mais sans doute ne pouvait-il l'en blâmer. Il n'avait pas été... eh bien, il y avait beaucoup de choses qu'il n'avait pas été avec elle.

Secouant la tête, il entreprit de lui ôter ses vêtements, ne lui laissant que ses dessous. Et si ses mains tremblèrent ce faisant, il s'ingénia à ne pas y penser.

Il ne pouvait voir ses seins, mais elle était une femme élancée qui ne pouvait avoir une forte poitrine. Son corps était mince et tonique.

Il dut lutter contre l'envie de relever sa chemise, petit à petit, jusqu'à ce que son corps soit nu sous ses yeux. N'était-ce pas son droit, après tout ? Rionna était sa femme.

31

Pourtant, il ne put se résoudre à le faire.

Il aurait pu également la réveiller et exiger qu'elle accomplisse son devoir conjugal, mais l'envie le tenaillait soudain de lire au fond de ses yeux un désir comparable au sien. Il voulait entendre ses cris de plaisir émerveillés, non les plaintes d'une femme apeurée.

En souriant, Caelen se déshabilla à son tour. Le lendemain, elle aurait une migraine de tous les diables, et elle serait incapable de se souvenir de ce qui s'était passé.

Sa conscience le forçait à attendre qu'elle soit prête à se livrer à lui, mais cela ne signifiait pas pour autant qu'elle devait le savoir tout de suite.

Il se glissa dans le lit à côté d'elle et tira les fourrures sur eux. Aussitôt, l'odeur des cheveux de Rionna lui titilla les narines et sa chaleur se communiqua à lui.

Marmonnant un juron, il se tourna sur le côté pour ne plus lui faire face.

Il ouvrit des yeux ronds en l'entendant derrière lui marmonner quelque chose dans son sommeil. Et en sentant ce corps aux courbes féminines se blottir étroitement contre lui, Caelen devina que la nuit serait très, très longue.

2

Quelque chose – ou quelqu'un ? – était assis sur la tête de Rionna. Elle gémit sourdement et tenta de chasser de la main ce qui la gênait, mais ne rencontra que le vide.

Étonnée, elle se força à ouvrir les paupières... et le regretta aussitôt. Bien qu'il fît encore nuit, ses yeux la brûlaient.

Bientôt, d'autres éléments se signalèrent à elle. Par exemple, ce corps si chaud, si ferme, qui reposait tout à côté du sien, ou le fait qu'elle n'avait sur elle que ses sous-vêtements.

D'elle-même, sa main s'envola jusqu'à sa poitrine. Elle fut rassurée de sentir sous ses doigts le bandage de lin qui lui comprimait les seins. S'il était toujours en place, cela signifiait que son mari ne s'était pas montré trop intrusif.

Mais à quoi bon s'en inquiéter, puisqu'il était de toute façon destiné à savoir à quoi s'en tenir ?

Rionna eut beau fouiller sa mémoire, elle n'y découvrit pas le plus petit souvenir de ce qui s'était passé entre eux cette nuit-là. La dernière chose qu'elle se rappelait, c'était de s'être tenue, chancelante, devant la fenêtre de Keeley.

Et voilà que, sans transition, elle se retrouvait au lit avec Caelen.

Pouvait-on considérer le mariage comme consommé, si l'épouse n'en gardait aucun souvenir ? N'aurait-elle pas dû être, au moins, un peu plus dévêtue ? Keeley et Mairin n'étaient pas entrées dans ces détails. Rionna songea que si elle ne gardait aucun souvenir de... la chose, c'était parce qu'elle n'avait pu être traumatisante, après tout.

Un sentiment de honte lui empourpra les joues. Et si, sans le savoir, elle s'était conduite comme une catin ? Et si, au contraire, elle l'avait déçu ? Ou peut-être – pire encore – son manque d'expérience l'avait-il dégoûté ?

Faisant fi de la migraine qui lui vrillait le crâne et de la nausée qui lui retournait l'estomac, Rionna se leva, frissonnant sous la morsure du froid. La présence de Caelen avait suffi à répandre dans le lit une douce chaleur.

Dieu merci, elle n'avait pas eu l'occasion de le voir, mais leur proximité lui avait permis de comprendre qu'il ne portait pas grand-chose sur lui. Peut-être même... Peut-être même dormait-il complètement nu ?

Rionna se sentit partagée entre le désir de quitter cette pièce le plus vite possible et celui de succomber au besoin absurde d'aller jeter un coup d'œil sous les fourrures.

Ce dilemme l'amena à prendre conscience qu'elle se trouvait dans la chambre de Caelen, pas dans celle qu'on lui avait fournie en tant qu'invitée.

Puis elle trébucha sur sa robe de mariée négligemment abandonnée sur le sol, et sa confusion atteignit de nouveaux sommets. S'était-elle déshabillée elle-même, ou s'en était-il chargé ?

Ramassant le vêtement, elle le passa rapidement avant d'aller entrouvrir la porte pour jeter un coup d'œil dans le corridor. Encore éclairé par des chandelles, celui-ci paraissait vide.

Rionna fonça jusqu'à sa chambre, où elle se débarrassa de sa robe et enfila les vêtements les plus confortables qu'elle put trouver : un pantalon chaud, une tunique usée, des bottes en cuir. À présent, elle avait grand besoin de se rafraîchir les idées. Et pour cela, en dépit de son horrible migraine, elle ne connaissait qu'un moyen.

En s'éveillant, Caelen découvrit son lit vide et ses parties intimes exposées aux courants d'air. Après avoir rabattu les fourrures sur lui en jurant tout bas, il laissa son regard courir dans la pièce, à la recherche de sa femme.

Ne pas l'y découvrir l'irrita davantage encore. Où qu'il se trouve, il était toujours le premier levé. Même Ewan, qui se couchait tard et se levait tôt, ne le précédait jamais.

Il en était venu à apprécier ce temps de solitude. Pendant que le reste du château dormait, il commençait sa journée, parfois en nageant dans le loch, la plupart du temps en s'exerçant au combat.

Après avoir écarté les fourrures, il se leva d'un bond. Nu sur les dalles glacées, il s'étira et laissa la fraîcheur du petit matin le réveiller. Son sang se rua dans ses veines, dissipant les dernières brumes du sommeil.

Versant l'eau du broc dans la cuvette, il s'aspergea le visage puis se rinça la bouche en réfléchissant à la situation. Soit sa femme était mortifiée, soit elle lui envoyait un message clair sur sa façon d'appréhender leur mariage. Dans les deux cas, il lui fallait mettre les choses au point. Il devait signifier à sa nouvelle épouse sa façon de penser.

Dès qu'il l'aurait retrouvée...

Après s'être habillé, Caelen se glissa dans le corridor. En temps normal, il ne se serait pas donné la peine d'être discret, mais la présence du roi et le coucher tardif de toute l'assemblée l'incitèrent à faire le moins de bruit possible. De plus, il ne tenait pas spécialement à ce que tout le monde apprenne que sa femme avait déserté son lit.

En s'arrêtant devant sa porte, il se renfrogna et renonça à s'annoncer. Au diable les politesses ! Vivement, il ouvrit la porte, mais ne trouva de l'autre côté que le froid et l'obscurité. Aucune flamme ne brillait dans l'âtre.

Le lit n'était pas défait et il distingua sur une chaise la robe qu'il lui avait enlevée la veille. Où avait-elle pu aller ?

Un soupçon se fit jour en lui, qui lui tordit le ventre. Sa femme n'aurait tout de même pas eu l'audace de quitter le lit conjugal pour celui d'un amant la nuit de ses noces ? Quelle autre raison aurait pu la pousser à s'éclipser ainsi, alors que le jour n'était pas levé ?

Peut-être avait-elle eu un problème ? Mais, dans ce cas, elle aurait dû le réveiller.

Plus il y réfléchissait, plus la colère flambait en lui. De vieilles trahisons le hantaient encore.

Il était difficile d'effacer ce qu'Elsepeth avait fait, changeant la destinée du clan McCabe. Le mariage auquel il avait dû consentir était la conséquence directe de cette trahison. C'était ainsi qu'il avait cherché à remédier aux folies de sa jeunesse. Il y avait un prix à payer quand on laissait ses émotions prendre le pas sur la raison.

Pendant des années, son clan avait lutté pour survivre face à Duncan Cameron. Il n'y avait que quelques mois, grâce au mariage d'Ewan avec Mairin suivi de la naissance d'Isabel, que la situation avait commencé à s'améliorer pour les siens.

Mais qu'il n'ait eu d'autre choix que d'épouser Rionna McDonald ne l'obligeait pas pour autant à accepter que sa femme le fasse cocu, ou qu'elle échappe à tout contrôle.

Que cela lui plaise ou non, il était à présent son seigneur et maître.

Un faible bruit d'épées s'entrechoquant attira soudain son attention en direction de la fenêtre. Haussant un sourcil, il alla soulever les fourrures barrant celle-ci. La chambre de Rionna donnait sur la cour du château, mais qui pouvait s'y entraîner à cette heure-ci ?

Penché au-dessus de l'appui, il découvrit en contrebas un cercle de torches au centre duquel deux hommes croisaient furieusement le fer. S'ils ne se calmaient pas, l'un de ces deux fous allait y laisser sa peau. Alors que le plus enragé des deux faisait volte-face, Caelen vit une mèche de cheveux blonds voler, découvrant une bouche éminemment féminine crispée par la concentration.

Bon sang !

L'un des deux fous était une femme – *sa* femme !

Laissant retomber le rideau de fourrures, il se rua hors de la chambre et dévala l'escalier. En débarquant en trombe dans la grande salle, il vit Cormac se joindre à lui et allonger le pas pour le suivre.

— Savais-tu que Rionna s'entraîne dehors à l'épée ? demanda Caelen d'une voix grondante.

Les yeux de Cormac s'agrandirent sous l'effet de la surprise. Il parut tout penaud.

— Non, répondit-il. Je viens juste de me lever.

— Serais-tu en train de t'amollir ? répliqua Caelen en lui lançant un regard de dégoût.

Un petit sourire ourla les lèvres de Cormac.

— Non, répéta-t-il sans se formaliser. Mais à présent que j'ai une femme douce et chaude dans mon lit chaque nuit, il me devient plus difficile de le quitter.

À cela, Caelen répondit par un grognement.

— La bonne question à poser, enchaîna Cormac, serait de se demander pourquoi ta femme est hors de ton lit de si bon matin le lendemain de vos noces. Certains pourraient en tirer d'intéressantes conclusions.

Caelen le gratifia d'un regard assassin. Nullement impressionné, Cormac poursuivit :

— De plus, le fait qu'elle ait la force de se dépenser autant pourrait laisser croire que tu n'as pas… fait ce qu'il fallait.

Ces piques malicieuses avaient fait naître un rictus mauvais sur les lèvres de Caelen, qui menaça :

— Crois-tu que Christina se formaliserait de retrouver son mari avec quelques dents en moins ?

Cormac dressa les mains devant lui en guise de reddition, mais pas un instant son sourire narquois ne quitta ses lèvres tandis qu'ils gagnaient l'extérieur.

Caelen accueillit avec soulagement la brise fraîche qui lui fouetta le visage. Elle était pour lui un rappel qu'il valait mieux ne pas se laisser aller au confort, ne jamais baisser sa garde. Quand les hommes commençaient à profiter de l'existence, c'était le début de leur fin.

Une telle mésaventure ne lui arriverait pas. Il allait y veiller.

— Elle est douée, fit remarquer Cormac.

Caelen se rembrunit davantage encore tandis qu'ils s'approchaient du cercle de torches.

— Rionna ! aboya-t-il sèchement.

Sa femme tourna la tête vers lui alors que la lame de son adversaire fondait sur elle – droit sur son cou exposé.

Caelen eut juste le temps de dégainer son arme pour parer le coup fatal. Rionna écarquilla les yeux en découvrant la pointe de l'épée si près de sa gorge.

D'une torsion de poignet, Caelen désarma l'autre homme et lui jeta un regard si noir que celui-ci se hâta de battre en retraite.

S'il s'était attendu à ce que sa femme soit effrayée, honteuse ou reconnaissante qu'il lui ait sauvé la vie, il en aurait été pour ses frais. Elle était tout simplement furieuse.

La lueur des torches allumait des reflets démoniaques au fond de ses yeux. Les poings serrés, elle se rua vers lui avec l'apparence d'une chatte en furie.

— Mais qu'est-ce qui vous prend ! hurla-t-elle. Vous auriez pu me faire tuer ! Vous ignorez qu'il ne faut surtout pas déranger deux adversaires qui s'entraînent à l'épée ?

Les narines palpitantes, Caelen la toisa. Comment osait-elle s'adresser ainsi à lui ?

— Vous vous imaginez peut-être que les distractions n'existent pas sur un champ de bataille, Rionna ? Vous vous imaginez que dans le feu de l'action, personne ne vous criera jamais dessus ? Un guerrier n'est fort que s'il l'est dans sa tête. C'est vous laisser distraire au combat qui pourrait vous coûter la vie.

Elle s'empourpra violemment et détourna le regard, mal à l'aise, l'épée en berne.

— Je vous déconseille également de baisser votre épée, poursuivit-il du même ton tranchant. Quoi qu'il arrive. Telle que vous êtes là devant moi, rien de plus facile que de vous pourfendre !

Une moue boudeuse joua sur ses lèvres, et elle se força à le regarder avant de répliquer :

— Votre leçon a porté, *cher époux*.

— Vraiment ? Je ne le crois pas. La leçon commence à peine. Vous allez rentrer de ce pas et vous ne vous livrerez plus jamais à de telles activités. Me suis-je fait clairement comprendre ?

Elle en resta bouche bée. Ses yeux dorés s'agrandirent, et il y vit passer ce qui ressemblait à de la rage – ou de l'humiliation ?

— Lorsque vous vous présenterez à table pour le petit déjeuner, enchaîna-t-il néanmoins, vous vous rappellerez que c'est aux McCabe que vous le devez. Et vous seriez également inspirée de montrer au roi et au laird le respect qui leur est dû.

Rionna plissa les lèvres, le visage crispé. Caelen fit un nouveau pas vers elle, tant et si bien qu'ils se retrouvèrent nez à nez. Il ne l'aurait admis pour rien au monde, mais la voir ainsi, les cheveux défaits et les joues rougies par l'effort et le grand air, lui procurait une émotion que seule sa tunique retombant sur son bas-ventre lui permettait de dissimuler.

D'un geste de la main, il lui signifia qu'elle pouvait prendre congé. En la voyant tourner les talons, il lui donna le coup de grâce.

— Rionna, j'oubliais… Demandez qu'on vous prépare un bain. Vous puez.

3

Le rustre ! Il avait osé prétendre qu'elle puait !
Rionna s'enfonça dans son bain. Rien que d'y penser, elle avait le rouge aux joues, et les rires des
hommes qui l'avaient regardée entrer dans le château lui résonnaient encore aux oreilles.

Son mari l'avait humiliée. Il avait souligné sa sottise, et par sa faute elle avait commis l'erreur de se
déconcentrer.

Tout ce qu'il lui avait dit, elle le savait. Rionna
n'était pas une idiote. Elle se débrouillait mieux que
bien d'autres avec une épée, mais dès l'instant où elle
avait pris conscience de sa présence, elle avait perdu
ses moyens.

Quelques coups frappés contre sa porte la tirèrent
de ses pensées. Elle se laissa glisser dans la cuve
jusqu'à ce que seuls ses yeux et ses narines dépassent
de l'eau. Un instant plus tard, la porte s'entrebâilla et
la tête de Maddie apparut.

— Ah, vous voilà... lança-t-elle. Caelen pensait que
vous pourriez avoir besoin d'aide. Il vous attend dans
la grande salle dans une demi-heure au plus tard
pour le petit déjeuner.

Rionna fit émerger sa bouche et marmonna :

— Il m'attend, hein ? Grand bien lui fasse !

— Laissez-moi vous aider pour vos cheveux, reprit Maddie. Ça ne va pas être une mince affaire de sécher toute cette masse. Quelle magnifique chevelure ! On dirait une aurore sur le loch...

Le compliment remonta quelque peu le moral en berne de Rionna, même si elle savait à quoi s'en tenir quant à sa beauté. Keeley était belle, mais elle... Certes, c'était en partie de sa faute. Dans son enfance, elle n'avait pas fait le nécessaire pour paraître plus féminine.

À présent, son corps avait perdu les douces rondeurs de la jeunesse et gagné quelques muscles qu'une femme n'aurait jamais dû posséder. Elle avait les jambes et les bras fermes, la taille fine, et rien ne venait arrondir ses hanches. En fait, sa sveltesse confinait à la maigreur...

Tout ce qu'il y avait de féminin en elle, c'étaient ses seins, qui faisaient son désespoir tant ils ne s'harmonisaient pas au reste de sa personne. C'était la raison pour laquelle elle les maintenait bandés. Ainsi, ils ne la gênaient pas dans ses mouvements et n'attiraient pas l'attention.

En certaines occasions, lorsque les McDonald avaient reçu des hôtes de qualité, son père avait insisté pour qu'elle porte une toilette féminine. Pour ce faire, il avait fallu retoucher une robe de sa mère, mais le corset était demeuré trop étroit, mettant si bien sa poitrine en valeur que tous les convives masculins n'avaient cessé de loucher sur son décolleté.

Les hommes étaient tellement ridicules... Il suffisait de leur montrer un sein pour les transformer en idiots baveurs.

Et s'il était un idiot qu'elle craignait plus que les autres, c'était bien son mari. Au moins pouvait-elle échapper à son attention tant qu'elle parviendrait à garder à ses yeux une apparence aussi peu féminine que possible.

— Eh bien ? s'impatienta Maddie. Avez-vous l'intention de rester figée dans ce bain jusqu'à ce qu'il devienne glacé, ou allez-vous m'autoriser à vous laver les cheveux pour ne pas vous mettre trop en retard ?

De mauvaise grâce, Rionna se redressa et acquiesça d'un hochement de tête. Maddie referma la porte et alla chercher un seau près de la fenêtre. Quand elle la rejoignit près de la cuve, ses yeux s'arrondirent.

— Eh bien ! Où cachiez-vous donc tout ça ?

Rionna baissa les yeux et rougit en réalisant que Maddie observait ses seins. Gênée de les voir pointer hors de l'eau, elle les cacha sous son bras.

— À votre place, je les montrerais fièrement ! déclara Maddie en riant. J'en connais beaucoup qui se damneraient pour avoir une poitrine pareille... Votre mari sait-il la chance qu'il a ?

Rionna se renfrogna, ce qui fit rire Maddie.

— Je prends ça pour un « non », dit-elle. Alors il est bon pour une sacrée surprise...

— S'il n'en tient qu'à moi, il ne les verra pas de sitôt.

Maddie rit de plus belle. En vidant sur la tête de Rionna le contenu de son seau, elle assura :

— Vous ne pourrez pas les lui cacher éternellement. Quand vous vous déciderez à consommer votre union...

— Comment sais-tu que...

Maddie l'interrompit d'un claquement de langue.

— Allons, allons... Hier soir, vous étiez aussi soûle qu'un charretier au retour de la foire, et ce matin, pas la moindre trace de sang sur vos draps. Vous n'allez tout de même pas prétendre que vous n'êtes plus vierge…

Rionna s'empourpra jusqu'à la racine des cheveux. Maddie avait la langue bien pendue.

— Rassurez-vous, vous avez la vie devant vous pour réchauffer le lit de votre mari, conclut-elle avec assurance. En attendant, je vous conseille de lui donner un aperçu de ce qu'il a manqué cette nuit. Sa langue va traîner jusqu'à terre quand ces seins seront mis en valeur comme ils le méritent.

Rionna secoua la tête tristement et murmura :

— Ce n'est pas la réaction de mon mari qui m'inquiète.

— Vous imaginez-vous que Caelen laisserait un autre homme manquer de respect à son épouse ? Allons… Vous n'avez plus à vous en faire pour ça. Si une femme ne peut se montrer sous son meilleur jour le lendemain de ses noces, quand le pourra-t-elle ? Il faudrait qu'un homme soit suicidaire pour lorgner sur vous alors que votre mari se trouve dans les parages.

— Qu'as-tu en tête ? s'enquit prudemment Rionna.

Commençant à lui savonner les cheveux, Maddie lui adressa un sourire malicieux.

— Faites-moi confiance.

Caelen sentait monter sa colère de minute en minute. Le roi avait déjà pris place à table pour le petit déjeuner, mais il leur fallait encore attendre l'arrivée de Rionna. Même Mairin, encore affaiblie par son accouchement et occupée par l'allaitement, était assise à côté de son époux.

Il s'apprêtait à aller lui-même chercher sa femme lorsqu'un grand silence se fit dans l'assemblée. Un silence si absolu qu'un frisson d'appréhension lui remonta l'échine.

Voyant que tous les regards étaient braqués dans cette direction, Caelen reporta son attention sur l'entrée de la salle. En découvrant son épouse qui venait d'y apparaître, sa colère première qu'elle se soit fait attendre céda le pas à la stupéfaction.

Il n'avait jamais fait l'ombre d'un doute pour lui qu'elle était une jolie femme. La couleur de ses yeux, notamment, était inhabituelle. On aurait dit qu'y brûlait un feu d'ambre et d'or. De même ses cheveux, qui n'étaient ni tout à fait roux ni complètement blonds. Leur couleur dépendait de la façon dont la lumière du soleil jouait avec eux.

Elle aurait même pu être une très belle femme, si elle avait cessé de s'habiller comme un homme et d'avoir plus souvent qu'à son tour le visage et les mains sales. Mais telle qu'elle lui apparaissait à présent, ce qui le stupéfiait le plus…

Bon sang ! Qui aurait pu imaginer que Rionna puisse avoir de si beaux seins ? En les découvrant, il dut ravaler sa salive. Aux yeux de tous, il était censé avoir découvert ce délicieux détail la nuit dernière, en consommant leur mariage.

Mais comment avait-elle fait pour dissimuler ces appas ?

Et surtout, pourquoi l'avait-elle fait ?

La jolie robe qu'elle avait revêtue lui sembla familière. En jetant un coup d'œil dans la direction de Mairin, il réalisa que c'était l'une des siennes. Sur elle, l'effet était déjà saisissant, mais sur Rionna, il était spectaculaire…

Ainsi vêtue, elle paraissait… délicate. Un qualificatif, la concernant, qui ne lui serait jamais venu à l'esprit. Elle semblait même d'une fragilité éminemment féminine. Sa chevelure avait été rassemblée au sommet de son crâne, et des mèches glissaient le long de son cou comme des coulées de soleil.

Plus frappant encore était le manque de confiance qu'elle affichait. Sourcils froncés, Caelen dévisagea sa petite guerrière, intrigué. Celle qu'il connaissait se serait laissé trancher la gorge plutôt que de montrer sa peur.

Pourtant, par deux fois en moins d'un jour, il l'avait vue trahir une certaine angoisse qui lui avait donné envie de tout faire pour la protéger, pour la rassurer, y compris les choses les plus folles.

Comme par exemple de rester allongé toute la nuit contre elle, sans bouger, par crainte de l'effrayer en lui prenant son hymen.

Il en aurait ricané de dégoût envers lui-même. De toutes les choses stupides qu'il se sentait prêt à faire pour elle, celle-ci était probablement la pire. Si ses hommes l'avaient appris, ils se seraient bien moqués de lui.

C'était précisément pour cela qu'il devait faire comme si le soudain étalage de ces charmes féminins ne le surprenait en rien.

Il foudroya du regard ceux qui louchaient ouvertement sur elle, puis se leva pour aider Rionna à prendre place à table. Son visage devait trahir sa mauvaise humeur, car elle se renfrogna en le rejoignant.

Caelen aurait voulu lui dire qu'elle était jolie et qu'il approuvait cette métamorphose, mais les paroles qu'il s'entendit prononcer furent bien différentes.

— Pourquoi vous être attifée ainsi ? C'est indécent !

Rionna lui retira vivement son bras, le gratifia d'un regard glacial, puis elle s'assit avec élégance, le laissant se débrouiller avec l'impression de s'être conduit en tyran.

Voyant que les hommes continuaient à la reluquer comme s'ils n'avaient jamais posé les yeux sur une femme, Caelen les toisa de plus belle.

— Vous êtes magnifique, Rionna ! lança Mairin, de l'autre côté de la table.

Caelen sentit la culpabilité lui ronger le cœur. Cela aurait dû être à lui de reconnaître à quel point sa femme resplendissait.

Et pourtant, il lui fut impossible d'ouvrir la bouche pour réparer son erreur.

— Jamais vu une aussi belle mariée, intervint le roi avec un regard appréciateur.

Tout roi qu'il était, Caelen le défia lui aussi du regard, ignorant la mine réprobatrice de son frère Ewan. David, lui, réagit en souriant et s'attaqua de bon appétit à la nourriture.

— Je crois que nous avons bien travaillé, Ewan ! se félicita-t-il en s'essuyant la bouche d'un revers de manche.

Caelen aurait aimé être aussi sûr de la nécessité de ce mariage. Pourtant, son frère paraissait plus détendu qu'il ne l'avait été au cours de tous ces mois passés à s'inquiéter pour Mairin et pour Isabel à cause des visées de Duncan Cameron. Alaric, quant à lui, semblait... content. Pendant trop longtemps, il avait été tourmenté par un choix impossible à faire entre la femme qu'il aimait et la fidélité qu'il devait à son clan.

Tout le monde autour de lui se révélant heureux de la situation, il lui aurait été difficile d'élever le moindre doute ou la moindre protestation. Et tant pis si Rionna et lui étaient les seuls à ne pas s'en satisfaire.

Après lui avoir lancé un regard de biais, Ewan reporta son attention sur le roi.

— Oui, approuva-t-il. Nous avons bien fait.

— Dès que le bébé sera en état de supporter le voyage, reprit David, il vous faudra aller prendre possession de Neamh Alainn. Il est important de sécuriser ce dernier maillon de notre dispositif militaire.

Puis, s'adressant à Caelen :

— Je n'ignore pas qu'une tempête menace, mais il est tout aussi important que vous regagniez sans tarder le château des McDonald. L'alliance a été conclue, mais je ne fais pas confiance au précédent laird. Garder ce clan sous contrôle et veiller à ce qu'il honore ses engagements envers les McCabe sera de votre ressort.

Rionna se raidit sous l'insulte en foudroyant le roi du regard. Caelen lui serra la main en une mise en garde muette et répondit :

— Auriez-vous oublié que je suis moi-même un McCabe ? Imaginez-vous que je pourrais trahir les miens, mon propre frère ?

Il devait lutter pour garder sa colère sous contrôle. Sa femme et lui consentaient à de grands sacrifices pour le bien de leurs clans.

— Un mouton noir ne fait pas le troupeau, ajouta-t-il sèchement. Le déshonneur du précédent laird ne touche que lui-même, pas son clan.

À côté de lui, il sentit Rionna se détendre. Lorsqu'elle tourna vers lui ses yeux emplis d'or liquide, il y découvrit de la gratitude.

— Je ne voulais pas me montrer désobligeant, assura David d'un ton conciliant. Mais le fait est que vous n'aurez pas la tâche facile. Les McDonald ne vous accepteront pas facilement comme leur nouveau laird. Il vous faudra rester sur vos gardes à tout instant. Duncan Cameron ne reculera devant rien pour affaiblir notre alliance. De cette vipère, on ne se débarrassera qu'en l'écrasant sous le talon.

— Je ne doute pas que mon frère fera le nécessaire pour faire des McDonald une redoutable armée, intervint Ewan. Leur invincibilité, c'est en grande partie à lui que les McCabe la doivent. Le perdre ne sera pas facile pour moi, même si j'y gagne un allié de poids.

— Tu ne me perds pas, frère… assura Caelen en lui souriant. Nous serons voisins, désormais.

Alaric, qui avait gardé jusque-là le silence, regarda alternativement ses deux frères, la mine soucieuse.

— Que vas-tu faire, Ewan ? demanda-t-il enfin. Tu ne peux être en deux endroits à la fois. Neamh Alainn devra être défendu et Mairin et Isabel devront être protégées à tout prix, mais tu ne peux pour autant négliger notre forteresse et notre clan.

Ewan lui rendit son sourire et échangea avec le roi un regard complice avant de lui répondre :

— Tu as raison, Alaric. Quant à toi, tu es le dernier des McCabe à n'avoir ni terres ni titre. C'est pourquoi il m'a semblé que tu serais le plus indiqué pour prendre le commandement de la forteresse des McCabe quand Mairin et moi irons nous installer à Neamh Alainn.

La nouvelle stupéfia Alaric, qui secoua la tête.

— Je… Je ne comprends pas.

— C'est pourtant simple, reprit Ewan. Je ne peux rester laird plus longtemps.

Il se tourna vers Mairin et lui adressa un regard empli d'amour avant de poursuivre :

— Tu pourras le comprendre aisément. Depuis qu'Isabel est née, mon devoir principal est de la protéger et de veiller à ses intérêts. De ce fait, je ne me sens plus en capacité d'assumer pleinement mes devoirs envers mon clan. C'est la raison pour laquelle je m'efface à ton profit.

Alaric passa une main nerveuse dans ses cheveux et dévisagea Ewan avec incrédulité.

— Je ne sais que te dire, Ewan… avoua-t-il enfin. Tu *es* le laird, depuis la mort de notre père. C'est ainsi. Je n'ai jamais envisagé qu'il puisse en être autrement.

Le roi haussa un sourcil et demanda :

— Êtes-vous en train de nous dire que vous devez y réfléchir ?

— Certainement pas ! répondit-il vivement. Je ferai tout ce qu'il faudra pour assurer la sécurité et l'avenir de mon clan.

— À part m'épouser, apparemment, marmonna Rionna pour elle-même.

Mais Caelen avait entendu et il lui lança un regard noir. Il n'avait pas envisagé qu'elle ait pu nourrir de tendres sentiments pour Alaric. Ils n'étaient pas restés ensemble longtemps. Mais qui pouvait se vanter de savoir ce qui se passait dans l'esprit d'une femme ?

Alaric n'était pas aussi froid que lui. Son frère était davantage en phase avec les dames. Toutes l'adoraient et le trouvaient beau.

Au fond d'elle-même, Rionna était-elle mécontente de n'avoir pas épousé le McCabe qu'elle aurait souhaité ? Cette idée ne lui plaisait pas du tout.

— L'affaire est donc réglée ! se réjouit le roi en posant son gobelet. Ewan pourra faire de son frère le nouveau laird du clan McCabe.

— Qu'adviendra-t-il de nos hommes ? s'enquit Alaric en s'adressant à Ewan.

Caelen, aussi concerné qu'eux par cette question, se pencha pour mieux entendre. Les McCabe disposaient d'une force armée conséquente, mais ces arrangements signifiaient qu'elle devrait être scindée, ce qui ne faisait l'affaire de personne.

Ewan fit la grimace.

— Je vais devoir emmener avec moi un contingent important, pour assurer la sécurité de Mairin et Isabel. Une fois que nous serons à Neamh Alainn, si la garde du roi là-bas est suffisante, je pourrai vous rendre une bonne partie de ces hommes.

S'adressant à Caelen, Ewan ajouta :

— Je pensais laisser Cormac ici, puisqu'il vient de se marier. Je ne peux pas te laisser d'hommes à nous, mais je peux t'envoyer Gannon pour t'aider à entraîner les guerriers du clan McDonald.

Caelen ne chercha pas à dissimuler sa surprise.

— Mais… Gannon est ton bras droit, celui en qui tu as toute confiance pour protéger ta femme et ton enfant.

— C'est bien pourquoi je veux qu'il t'accompagne, répondit Ewan tranquillement. Tu vas avoir besoin d'un allié fidèle et d'un homme d'expérience à tes côtés.

Ce disant, il adressa à Rionna un regard d'excuse. Quant à elle, elle gardait les yeux fixés sur les tapisseries murales, le visage fermé, sans manifester la moindre émotion. Mais soudain, elle reporta son attention sur la tablée, comme si elle daignait enfin s'intéresser aux hommes assis autour d'elle. Avec un petit reniflement si féminin qui ne lui ressemblait guère, elle prit la parole :

— C'est à s'étonner que vous acceptiez de vous unir à une engeance aussi vile que les McDonald ! Pourquoi rechercher l'alliance d'un clan aussi clairement inférieur au vôtre et aussi peu digne de confiance ?

Les narines palpitant d'indignation, Caelen pressa entre ses doigts ceux de sa femme et faillit la réprimander pour avoir parlé en ces termes à son frère et au roi. Quelque chose, dans son regard, l'en empêcha pourtant. Pas tant la colère qu'il y découvrit que la trace laissée par une peine intense. Elle disparut si vite qu'il se demanda s'il ne l'avait pas imaginée.

Le roi émit un petit rire amusé. Ewan fit la grimace.

— Rionna, je réalise que tout ceci n'est pas facile à entendre, dit-il. Je m'en excuse auprès de vous. Mais je ne peux envoyer mon frère dans un environnement hostile sans prendre les précautions nécessaires pour le protéger.

— Il est davantage protégé par le fait d'être mon mari que par n'importe lequel de vos hommes, répliqua-t-elle. Vous devriez peut-être prendre un peu plus garde à ne pas m'insulter, *moi*.

Cette menace à peine voilée fit se rembrunir Ewan. Caelen, lui, manifesta un certain amusement.

— Allons, allons, Rionna… feignit-il de protester. Vous ne voudriez pas que mon frère puisse craindre que vous me tranchiez la gorge dans mon sommeil ?

Penché vers elle, Caelen passa une main derrière la nuque de Rionna et fit ce qu'il mourait d'envie de faire depuis qu'elle était apparue dans la salle : sans ménagement, il lui prit la bouche, ses lèvres s'écrasant avec fougue sur les siennes. Cela n'avait rien d'un baiser de séduction, accompagné de gestes tendres et de mots doux. Ainsi lui donnait-il sans appel l'ordre de se taire, de céder à son autorité, de se souvenir qui était le seigneur et maître.

L'audacieuse petite fripone lui mordit la lèvre. À la saveur incomparable de sa bouche se mêla sur la langue de Caelen le goût du sang. Contrairement à ce qu'elle espérait sans doute, il ne battit pas en retraite.

Il approfondit encore le baiser, de manière qu'elle puisse goûter elle aussi à son sang. Et quand elle tenta de s'écarter, il la maintint contre lui fermement, jusqu'à sentir son ample poitrine contre son torse.

Caelen ne mit un terme à ce baiser que lorsqu'il sentit sa femme renoncer à lutter et se détendre contre lui. Après s'être lentement écarté d'elle, il s'essuya la bouche d'un revers de main sans la quitter des yeux.

— Tu vois, Ewan, dit-il. Elle est parfaitement inoffensive. Il suffit de savoir comment la mater.

Rionna se dressa d'un bond sur ses jambes. Ses yeux lançaient des éclairs.

— Vous n'êtes qu'un âne ! s'exclama-t-elle avec fureur. La pire espèce d'âne bâté !

En la voyant faire volte-face et s'éloigner à grands pas, en une sortie théâtrale, Caelen réprima un sourire. Rionna se rendait-elle compte que la longue robe qui froufroutait à ses pieds rendait ridicule son habituelle démarche de petite guerrière décidée ?

Ainsi habillée, elle ressemblait simplement à une femme piquant une crise de nerfs. Et si elle l'avait su, nul doute que cela l'aurait rendue plus furieuse encore.

4

— Doux Jésus, Rionna ! s'exclama Keeley. Qu'est-ce que c'est que ça ?

Rionna referma la porte de la chambre et baissa les yeux en comprenant ce que son amie fixait ainsi.

— Ça ne se voit pas ? maugréa-t-elle. Ce sont des seins.

— Tu ne m'apprends rien, répliqua Keeley en souriant. Ce qui m'intrigue, c'est de savoir comment ils ont pu pousser en une nuit.

Rionna la dévisagea longuement, avant d'éclater de rire. C'était cela ou pleurer, et elle aurait préféré s'arracher les yeux plutôt que de se laisser aller à verser des larmes.

Keeley la rejoignit dans son hilarité et la regarda avec affection s'asseoir sur le lit près d'elle.

— C'est un… C'est un… commença Rionna sans pouvoir conclure.

— Oui, Rionna ? C'est un quoi ?

— Un rustre ! Un pompeux, un prétentieux…

— Je constate que ton vocabulaire manque cruellement d'insultes fleuries, fit remarquer Keeley. Toute une éducation à refaire.

— J'essayais de rester polie, marmonna Rionna.

— Je présume que tu faisais référence à ton nouveau mari ?

Dans un soupir, Rionna répondit :

— Ça ne marchera jamais entre nous, Keeley. Quand je vous regarde, toi et Alaric... quand je vois comment Ewan se comporte avec Mairin... et quand je constate que Caelen...

Le visage de Keeley s'assombrit. Ce fut d'une voix qui trahissait son inquiétude et sa tristesse qu'elle demanda :

— Tu penses donc être condamnée à être malheureuse avec lui ?

Rionna sentit la culpabilité l'assaillir. Keeley récupérait d'une terrible blessure et, ayant épousé Alaric à sa place, elle devait se sentir responsable de son malheur.

— Ne t'inquiète pas pour moi, répondit-elle. En vérité, je n'aurais pu me satisfaire d'épouser *aucun* des frères McCabe. Au moins, l'une de nous deux est heureuse, et mon cœur déborde de joie de savoir que tu vas vivre avec un homme qui t'aime tendrement.

— Comment était-ce... la nuit dernière ? s'enquit prudemment Keeley.

Rionna plissa les yeux et dut admettre :

— Je l'ignore. La dernière chose dont je me souviens, c'est d'avoir marché jusqu'à la fenêtre de ta chambre. Ce matin, je me suis réveillée près de Caelen, dans son lit, habillée seulement de mes sous-vêtements. Cela ne doit pas avoir été si terrible que ça, puisque je ne me rappelle rien.

— Tu étais toujours habillée ? s'étonna Keeley.

— Oui. Enfin... je n'étais pas entièrement nue, si c'est le sens de ta question.

Son amie rit doucement.

— Il ne s'est rien passé, assura-t-elle. Ton mari ne t'a pas pris ta virginité. Tu dormais à poings fermés dans ce fauteuil, près de la fenêtre, quand il est venu te chercher. Il t'a prise dans ses bras et t'a emmenée, mais il a dû se contenter de te déshabiller en partie et de te mettre au lit.

Les épaules de Rionna s'affaissèrent. Un gémissement lugubre lui échappa.

— J'avais espéré en avoir terminé avec ça, reconnut-elle. À présent, je vais de nouveau m'attendre au pire.

Keeley lui tapota gentiment la main.

— Tu t'en fais beaucoup trop. Ce n'est rien qu'un mauvais moment à passer, que vient effacer ensuite beaucoup de plaisir.

Rionna n'était pas convaincue, mais elle n'avait pas envie d'en discuter.

— À présent, dis-moi tout... reprit son amie, excitée. Comment as-tu fait pour avoir tout à coup une poitrine aussi... opulente ?

— Je l'ai toujours bandée, expliqua-t-elle en levant les yeux au plafond. Quand ils ont commencé à pousser, mes seins ont pris toute la place. On ne voyait plus qu'eux. Je ne pouvais plus manier une épée correctement, feinter et conserver ma liberté de mouvements avec ces... trucs qui s'agitaient sur ma poitrine. Comme le dit Caelen, c'est obscène de les exhiber ainsi.

Keeley porta la main à sa bouche, les yeux ronds.

— Il a dit ça ? s'étrangla-t-elle.

— Il a marmonné quelque chose à propos de ma tenue qui selon lui n'était pas correcte. Je dois dire que je ne suis pas loin d'être d'accord avec lui.

— Tu as raison : c'est un rustre.

Cela fit sourire Rionna, qui précisa en soupirant :

— Pour tout te dire, je me sens un peu stupide dans cette robe. Je crois que je vais aller me changer et peut-être prendre l'air. J'ai l'impression que ces murs vont se refermer sur moi.

— Tu t'es toujours sentie plus à l'aise à l'extérieur, commenta Keeley en souriant. Vas-y... Je ne dirai pas à Caelen que je t'ai vue, s'il me demande où tu es.

Rionna se pencha pour embrasser son amie sur la joue. L'envie de lui annoncer qu'Alaric était le nouveau laird la démangeait, mais elle préférait laisser celui-ci s'en charger. Après les épreuves qu'ils venaient de traverser, ces deux-là avaient besoin de tous les bons moments qu'ils pourraient passer ensemble.

— Je reviendrai te voir bientôt, promit-elle. Repose-toi maintenant, petite sœur de mon cœur...

Keeley lui adressa un sourire malicieux.

— La prochaine fois, je te raconterai tout ce que j'ai appris des délices de la chair. Tu n'imagines pas ce qu'une femme peut obtenir du plus bourru des hommes quand elle ne rechigne pas à lui donner quelques caresses et à faire un usage... créatif de sa bouche.

Rionna sentit ses joues s'embraser et plaqua ses mains sur ses oreilles pour ne plus entendre.

Keeley se laissa retomber sur ses oreillers en souriant.

— Je suis si heureuse que tu sois là, murmura-t-elle. Tu m'as manqué.

— Toi aussi, tu m'as manqué.

Rionna regagna sa chambre et lutta pour se débarrasser aussi vite que possible de son encombrante robe. La colère le disputait en elle à l'humiliation. Comment avait-elle pu laisser Maddie interférer ?

Revêtir de belles toilettes pour briller en société était l'apanage des jolies femmes qui connaissaient sur le bout des doigts les convenances, qui savaient comment parler et bouger en toute occasion, se tenir tranquilles et ne dire que ce que l'on attendait d'elles. En somme, tout ce qu'elle-même n'était pas, tout ce qu'elle ne savait pas faire.

En se conduisant comme elle l'avait fait, elle s'était rendue plus ridicule encore. Qui plus est, elle avait donné à Caelen une autre occasion de l'humilier.

Elle le détestait.

Comme s'il ne suffisait pas qu'il s'imagine être un héros pour s'être sacrifié en épousant la promise rejetée par son frère, il fallait en plus qu'il soit un imbécile autoritaire.

Si seulement elle avait eu une sœur pour prendre sa place… Elle aurait pu alors continuer à s'habiller comme elle le voulait, faire ce que bon lui semblait, se battre à l'épée si cela lui chantait.

Réalisant soudain qu'elle restait nue à broyer du noir au centre de la pièce et qu'elle commençait à avoir froid, Rionna s'empressa d'enfiler le pantalon élimé qu'elle préférait et de passer sa tunique favorite. Ses bottes aussi étaient vieilles, tellement usées que l'une d'elles était trouée au talon. Pourtant, elle ne se décidait pas à s'en séparer. Elles lui allaient parfaitement et lui avaient toujours rendu de grands services.

Après avoir pris le temps de tresser ses cheveux, Rionna glissa son épée dans son fourreau et apprécia le bonheur de se sentir de nouveau elle-même.

Puis, sans perdre davantage de temps, elle se rua hors de la chambre, bien décidée à n'en faire qu'à sa tête.

Caelen McCabe pouvait aller au diable ! Ils pouvaient tous, autant qu'ils étaient, aller au diable ! Le clan dont elle était issue n'était peut-être pas le plus prestigieux ni le plus avisé, ses guerriers n'étaient sans doute pas les plus habiles du royaume, mais ce clan était le sien et elle ne permettrait pas qu'on en dise du mal. Son père – cet arrogant salaud – s'était déjà suffisamment chargé de couvrir de honte les McDonald.

Rionna se glissa sans bruit dans l'escalier, espérant que les hommes seraient toujours occupés par leurs discussions. Arrivée au bas des marches, elle tendit l'oreille et perçut venant de la grande salle un brouhaha de voix qui la rassura. Bien vite, elle prit la direction opposée et sortit dans la cour du château par une porte latérale.

Des guerriers venus de tous les clans du voisinage s'y entraînaient dans une bonne humeur générale. L'odeur de la sueur et le bruit métallique des épées s'entrechoquant l'accueillirent, familiers.

Pourtant, tournant le dos à cette scène rassurante, elle préféra se diriger à travers les arbres vers le loch.

— Rionna !

Elle fit volte-face pour voir qui l'appelait et vit son père, les bras croisés et le visage maussade. D'un geste de la main, il lui ordonna de venir le rejoindre.

Rionna envisagea de l'ignorer, mais le moment n'était pas encore venu de lui désobéir. Il était toujours laird, jusqu'à ce que Caelen endosse officiellement le titre. Hélas, elle n'était pas certaine de moins redouter son mari que son père dans ce rôle.

Les mâchoires serrées, elle s'approcha.

— Oui, père ?

— Je dois te parler. Nous ne pouvons permettre que Caelen McCabe s'empare de notre clan.

— Je crains que nous n'ayons pas le choix, répondit-elle prudemment. Soit nous acceptons de nous allier aux McCabe, soit il nous faudra affronter seuls Duncan Cameron.

— Non, objecta-t-il. Ce n'est pas notre seul choix.

Rionna haussa un sourcil et répliqua :

— Ne croyez-vous pas qu'il est un peu tard pour m'en faire part ? Vous n'auriez pas pu venir me présenter cette solution miracle *avant* que j'épouse Caelen McCabe ?

— Boucle-la ! s'exclama-t-il d'une voix grondante de colère. Je suis toujours ton laird, et Dieu m'est témoin que je ne tolérerai pas plus longtemps ton insolence !

Rionna lança un regard de défi à l'homme pour qui elle avait perdu tout respect des années plus tôt. Le fait d'être laird – et son père, qui plus est – ne l'empêchait pas d'être le plus triste sire qu'elle ait connu. Les hasards de la naissance les avaient liés, mais elle aurait grandement préféré qu'il en soit autrement.

— Expliquez-moi, père… reprit-elle avec une docilité feinte. Quel plan avez-vous conçu pour nous sauver à la fois des McCabe et de Duncan Cameron ?

Le sourire féroce qu'il lui adressa fit frissonner Rionna.

— Un homme qu'on ne peut vaincre, il faut s'allier à lui. J'ai en tête un marché qu'il serait possible de conclure avec Cameron : il me permet de rester laird, et je l'aide à arriver à ses fins.

Rionna sentit le sang refluer de son visage.

— Vous voudriez trahir…

— Tais-toi donc ! siffla son père, affolé. Tu vas nous faire repérer.

— Vous n'êtes qu'un imbécile, répliqua-t-elle sèchement. Je suis déjà mariée et vous n'y pourrez rien changer. Duncan Cameron n'a pas d'honneur. Vous ne pouvez sérieusement envisager une alliance avec lui.

La gifle qu'il lui assena réduisit Rionna au silence. La main posée sur sa joue, elle recula d'un pas. Puis elle se ressaisit et la rage fit irruption en elle, tel un flot de lave brûlante.

Dégainant son épée, elle bondit vers son père et la pointa au creux de son cou. La tête relevée, il la regarda avec des yeux exorbités que hantait la peur.

— Vous ne me toucherez plus jamais ! s'écria-t-elle d'une voix que la colère faisait trembler. Si vous vous avisez de lever encore une fois la main sur moi, je vous arracherai le cœur et le donnerai à manger aux buses !

Son père éleva lentement deux mains qui tremblaient comme feuilles en automne.

— Pas de paroles inconsidérées, Rionna… Réfléchis à ce que tu dis.

— C'est tout réfléchi ! Je ne vous laisserai pas jeter le déshonneur sur notre clan plus que vous ne l'avez déjà fait. Et je ne me laisserai pas entraîner dans vos manigances. Nous ne conclurons aucune alliance avec Cameron. Et nous ne trahirons pas celle qui nous lie au clan McCabe.

Sur ce, elle recula d'un pas et baissa son arme.

— Hors de ma vue ! conclut-elle. Vous me rendez malade.

Une grimace de dégoût déforma le visage du laird.

— Tu as toujours été une grande déception pour moi, Rionna. Tu n'as rien d'une femme, sans être devenue pour autant ce que tu aimerais tant être. Il ne suffit pas de porter la culotte pour être un homme.

— Allez au diable !

Son père tourna les talons et s'éloigna, la laissant seule à grelotter dans le froid.

Lentement, elle reprit la direction du loch, au bord duquel elle se promena. Le vent fouettait la surface par rafales, soulevant des vagues qui venaient se briser sur la rive.

Rionna sentait encore sur sa joue le coup que venait de lui porter son père. Jamais encore il n'avait osé la frapper ainsi. C'était pour d'autres raisons qu'elle l'avait toujours redouté. En fait, elle l'avait évité autant que possible, et jusqu'à ce qu'elle devienne un pion intéressant dans son jeu, son père l'avait ignorée aussi.

Son regard se perdit à la surface des flots, et pour la première fois depuis que toute cette histoire avait débuté, elle sentit le désespoir s'appesantir sur ses épaules.

Ce qu'une épouse devait être pour un homme, songea-t-elle, au fond elle n'en savait rien.

Elle baissa les yeux pour observer sa tenue. Caelen McCabe avait réussi ce que personne d'autre n'avait accompli avant lui. Il l'avait rendue honteuse de ce qu'elle était, et cela la rendait plus furieuse encore contre lui.

Rionna frotta ses mains l'une contre l'autre, puis les glissa sous l'ourlet de sa tunique afin de les réchauffer. Dans sa précipitation à fuir la forteresse, elle avait oublié de se munir de gants.

Pourtant, le vent cinglant et le froid n'auraient pu la convaincre de chercher refuge à l'intérieur, où ne l'attendait qu'un triste avenir aux côtés d'un homme aussi glacial que la brume se levant sur le loch.

— Rionna, vous ne devriez pas rester ainsi dehors.

Elle se raidit, mais prit garde de ne pas se retourner pour réagir à la réprimande de son mari.

— Vous allez attraper froid, insista celui-ci.

Il vint se placer près d'elle et laissa lui aussi son regard divaguer sur les eaux grises.

— Êtes-vous venu me présenter vos excuses ? s'enquit-elle en lui jetant un regard de biais.

L'air surpris, il tourna la tête vers elle et demanda, un sourcil arqué :

— Des excuses ? Mais de quoi faudrait-il que je m'excuse ?

— Si vous posez la question, c'est que je ne dois pas attendre d'excuses sincères.

Un petit rire caustique échappa à Caelen.

— Je ne m'excuserai pas pour vous avoir embrassée.

Rionna rougit et maugréa :

— Ce n'était pas à ça que je pensais, mais il est vrai que vous n'aviez pas à faire quelque chose d'aussi intime devant tout le monde.

— Vous êtes ma femme, rétorqua-t-il tranquillement. Je fais comme je l'entends.

— Vous m'avez humiliée. Non pas une fois, mais deux ce matin.

— Vous vous êtes humiliée vous-même, Rionna. Vous n'avez aucune discipline, aucune retenue.

Les poings serrés, elle pivota vers lui. Oh, comme elle aurait aimé le frapper ! Mais sans doute se ferait-elle seulement mal aux mains.

À défaut de l'atteindre avec ses poings, elle ouvrait la bouche pour l'agresser verbalement quand son expression la figea sur place.

Une envie de meurtre s'affichait clairement sur le visage de son mari. Les yeux plissés, les mâchoires serrées, il rugit une question qui la fit sursauter.

— Qui vous a frappée ?

La main de Rionna vola jusqu'à sa joue et elle recula d'un pas. Mais il la rejoignit et s'empara de sa main, qu'il ôta fermement de sa joue meurtrie. Puis il effleura la trace du coup qu'elle avait reçu.

— Qui a osé lever la main sur vous ? insista-t-il.

Rionna déglutit et détourna les yeux.

— Cela importe peu, assura-t-elle.

— Cela importe plus que tout ! Dites-moi qui vous a fait ça, que j'aille tuer ce salaud.

Lorsqu'elle soutint enfin son regard, Rionna fut effarée de ce qu'elle y découvrit. Une rage phénoménale.

— Est-ce votre père ? suggéra-t-il.

Son regard dut trahir sa surprise, mais elle pinça les lèvres pour ne pas lui répondre.

— Cette fois, je vais le tuer… murmura Caelen.

— Non ! Il ne mérite pas votre colère. Et cela ne se reproduira plus.

— Et comment ! Il ne manquerait plus que ça…

— J'ai réglé le problème moi-même. Je n'ai pas besoin de votre protection.

Caelen l'agrippa aux épaules et la fixa au fond des yeux.

— Personne ne touche à ce qui est à moi, dit-il d'un ton sans réplique. Et nul ne s'en prend aux miens sans en subir les conséquences. Vous pouvez vous imaginer que vous n'avez pas besoin de ma protection, mais par tout ce qui est saint, vous en bénéficierez quand même. Vous avez pris l'habitude de n'en faire qu'à votre tête, Rionna, mais c'est à présent terminé. Nous devons vous et moi assumer nos responsabilités vis-à-vis de notre clan.

— Nos responsabilités… répéta-t-elle d'un ton moqueur. Et selon vous, quelles sont les miennes, cher mari ? Jusqu'à présent, j'ai cru comprendre que vous attendiez de moi que je m'habille et me conduise comme une femme, que je ne m'avise pas de vous contredire, et que je passe aux yeux des autres pour une écervelée.

Les yeux réduits à deux fentes, Caelen rectifia :

— Votre responsabilité première est d'abord et avant tout de m'être loyale. Vous serez également un modèle pour votre clan et pour le mien. Vous me donnerez des héritiers. Acquittez-vous de ces devoirs, et vous verrez que je suis un homme auprès de qui il est aisé de vivre.

— Vous ne voulez pas de moi, murmura-t-elle d'une voix dangereusement proche du sanglot. Vous voulez pour femme celle que je ne peux pas être.

— Ne vous engagez pas dans un bras de fer avec moi, femme. Vous ne pourriez qu'en sortir meurtrie et vaincue.

— Pourquoi faudrait-il en faire un bras de fer ? Et si vous m'acceptiez plutôt telle que je suis ? Pourquoi devrais-je changer alors que vous continuez comme avant ?

Les narines de Caelen frémirent. Ses mains retombèrent le long de ses flancs. Il se détourna d'elle et resta quelques instants, campé sur ses jambes, à observer le lac.

— Vous vous imaginez donc que rien n'a changé pour moi ? reprit-il enfin. Je suis désormais un homme marié, Rionna... Et je n'avais aucune envie de l'être. Je n'étais pas préparé à le devenir, en tout cas pas si vite. Je suis un guerrier. Me battre est ce que je sais faire de mieux. Je ne vis que pour protéger mon clan. Maintenant, me voilà obligé de quitter les miens pour m'attacher à un autre clan. On attend de moi que je dirige des gens dont je ne sais rien, et qui ne me feront pas davantage confiance que je ne leur accorderai la mienne. Comme si cela ne suffisait pas, Cameron ne rêve que de voir mon frère mort. Il veut

Mairin pour lui, et la vie d'Isabel, ma nièce, est menacée depuis l'instant où elle a commencé à grandir dans le ventre de sa mère. Il a essayé de tuer Alaric. Il a réussi à introduire des traîtres jusqu'au cœur de notre clan. C'est ici qu'il me faudrait être, là où je pourrais protéger ma famille.

— Je n'ai pas eu davantage le choix que vous, fit valoir Rionna.

— Je le sais, mais là n'est pas le problème. C'est notre devoir qui nous oblige.

Rionna ferma les yeux et se détourna à son tour, de manière que leurs regards ne risquent plus de se croiser.

— Pourquoi l'avez-vous fait, Caelen ? demanda-t-elle enfin. Vous auriez pu garder le silence. Qu'est-ce qui vous a poussé à vous engager à m'épouser si c'était une telle épreuve pour vous ?

Caelen demeura silencieux un long moment avant de se décider à répondre :

— Je ne supportais pas de voir mon frère vous épouser alors qu'il en aimait une autre.

Rionna sentit une brusque douleur lui transpercer le cœur.

— J'espère qu'un jour votre réponse sera différente, dit-elle simplement.

Puis elle se mit en route vers le château.

5

Il était tard lorsque Caelen gravit l'escalier pour rejoindre sa chambre. Il avait dressé des plans avec ses frères jusque dans la nuit et, dès le lendemain matin, il devait rejoindre avec sa nouvelle épouse la forteresse des McDonald afin d'y prendre ses responsabilités de laird.

De manière prévisible, Gregor McDonald avait décampé en compagnie d'une dizaine de ses meilleurs hommes. Des hommes dont Caelen ne pouvait pourtant se passer.

L'ancien laird s'était éclipsé comme le couard qu'il était. Il n'avait même pas pris la peine de faire ses adieux à sa fille. Ce qui n'était pas pour déplaire à Caelen. Il ne voulait plus voir cette brute près de Rionna.

Tout compte fait, cette désertion pouvait être une bonne chose pour le clan McDonald. Restait à savoir si celui-ci le comprendrait et accepterait Caelen à sa tête. Quelques-uns s'y feraient sans doute, mais rien ne garantissait qu'ils seraient les plus nombreux. Caelen lui-même imaginait fort bien comment il réagirait si du jour au lendemain on plaçait à la tête de son clan un nouveau laird qu'il ne connaissait ni d'Ève ni d'Adam.

Il n'avait jamais considéré qu'il était destiné à devenir laird un jour. Dans son esprit, cette charge revenait à Ewan et ensuite à ses héritiers. En tant que troisième fils, son devoir avait toujours été d'apporter au laird un soutien loyal, d'accepter de sacrifier sa vie s'il le fallait pour le protéger, ainsi que son épouse et ses enfants.

Une tâche intimidante l'attendait, et il n'était pas sûr d'être de taille à la mener à bien. Et s'il venait à décevoir non seulement son nouveau clan, mais aussi son frère et son roi, sans parler de sa femme ?

Caelen n'avait jamais avoué à quiconque le manque d'assurance qui le rongeait. Il avait beau ne pas être sûr d'être le mieux placé pour diriger les McDonald, ceux-ci n'en sauraient jamais rien. Le moindre signe de faiblesse de sa part serait interprété comme une preuve qu'il n'était pas de taille à être laird.

Il devait être fort et résolu, ne montrer aucune faiblesse dès le départ. Il était impératif pour lui de gagner le respect des McDonald, car il avait devant lui la tâche difficile de faire d'eux une force militaire aussi redoutable que l'étaient les McCabe.

À sa grande surprise, en ouvrant la porte de sa chambre, il découvrit Rionna à l'intérieur, toujours éveillée. Elle était assise près du feu. Ses cheveux dénoués cascadaient jusqu'à sa taille. Les flammes de l'âtre faisaient briller sa chevelure d'or filé et l'animaient de reflets changeants.

Caelen s'était attendu à ce qu'elle aille trouver refuge dans sa propre chambre.

Rionna ne l'entendit pas entrer, ce qui lui offrit l'opportunité d'étudier sa mince silhouette tout à son aise. Il trouvait amusant qu'elle ait cru utile de bander de nouveau ses seins, et il s'étonnait qu'elle parvienne par ce biais à gommer ses courbes à ce point. C'était presque un péché de dissimuler aux regards tant de beauté.

Comme si elle avait senti son regard peser sur elle, Rionna tourna lentement la tête vers lui.

— Vous devriez être couchée, lui reprocha-t-il d'un ton bougon. Il est tard et nous partons au petit jour.

— Si vite que ça ?

— Oui, nous devons nous hâter.

— Mais… il neige, et la tempête est forte.

Caelen acquiesça d'un hochement de tête, alla s'asseoir au bord du lit et retira ses bottes.

— Il va sans doute neiger toute la nuit, reconnut-il. Cela ne va pas faciliter notre voyage, mais si nous attendons que le temps s'améliore, nous serons encore là au printemps.

Rionna s'immobilisa totalement. Le trouble qui l'agitait se lisait au fond de ses yeux. Les lèvres serrées, elle hésitait à parler, comme si un rude débat se livrait en elle.

Caelen attendit qu'elle se décide. Il ne tenait pas à faire quoi que ce soit qui les aurait de nouveau opposés l'un à l'autre. Chaque fois qu'il ouvrait la bouche pour lui parler, des horreurs en sortaient contre son gré pour l'agresser.

— Voulez-vous… qu'on en termine ce soir ? s'enquit-elle.

Les sourcils froncés, il la dévisagea un instant avant de s'étonner :

— Qu'on en termine avec quoi ?

D'un geste, elle désigna le lit. Ses joues avaient pris une teinte rose foncé qui le fascinait. En comprenant enfin où elle voulait en venir, il fut surpris de constater à quel point il était sensible aux hésitations de sa femme. Il n'aurait rien fait pour la brusquer.

— Venez ici, Rionna… murmura-t-il.

Il craignit d'abord qu'elle ne lui désobéisse, mais il la vit bientôt soupirer et se lever pour le rejoindre. Quand elle fut suffisamment proche, il l'attira entre ses jambes et prit ses mains dans les siennes.

— Comme je souhaite que vous passiez à cheval toute la journée de demain, je ne ferai rien ce soir qui puisse vous rendre ce voyage plus pénible.

Rionna devint plus rouge encore et baissa les yeux pour éviter son regard. Pressant ses mains entre les siennes, il l'incita à redresser la tête.

— Quoi qu'il en soit, reprit-il, quand nous en viendrons à consommer notre mariage, je vous garantis que vous n'aurez rien à craindre de moi. Je ne ferai rien qui puisse vous effrayer ou vous faire du mal.

Cela n'eut pas l'air de la convaincre entièrement. Nerveuse, elle passa la langue sur sa lèvre inférieure, la laissant humide et luisante à la lueur des flammes.

Incapable de résister à cette invite inconsciente, Caelen la fit s'asseoir sur sa cuisse. Puis, avec une gentillesse qu'il ignorait posséder, il caressa la joue de Rionna et immisça la main dans la masse de ses cheveux.

Chauffés comme ils l'avaient été par la chaleur venue de l'âtre, ils lui donnèrent l'impression de plonger les doigts dans un rayon de soleil. Envoûté par cette sensation et par la vue de ces mèches glissant sur sa peau comme de la soie liquide – sans doute n'avait-il jamais rien touché d'aussi doux –, Caelen attira Rionna à lui jusqu'à ce que leurs bouches ne soient plus qu'à un souffle l'une de l'autre.

— Embrassez-moi ! lança-t-il d'une voix qu'il ne reconnut pas.

Cet ordre la déstabilisa quelque peu. Figée sur place, elle adopta une immobilité de pierre. Caelen vit ses yeux se poser sur lui, puis sur sa bouche. Une nouvelle fois, elle se passa la langue sur les lèvres, prolongeant son agonie.

Seigneur !

Son membre viril était dressé, et il dut changer de position afin d'éviter de l'effrayer. Mais à chaque geste qu'il faisait, la conscience qu'il tenait serrée contre lui une belle et farouche jeune femme devenait plus aiguë. Une femme à qui il venait de jurer qu'ils ne consommeraient pas leurs noces cette nuit.

Idiot...

Sûrement aurait-il pu chevaucher avec elle sur la même monture, afin de minimiser son inconfort. Mais, à la réflexion, la perspective de passer une journée serré contre elle sans pouvoir la toucher lui était insupportable.

Il lui fallait donc se résigner à une nuit de torture. Il ne coucherait pas avec elle, mais il ne lui permettrait pas non plus d'aller dormir dans sa propre chambre.

Ses frères ne passaient jamais une nuit loin de leur épouse. Il ne leur donnerait pas à penser que de son côté il manquait à ses devoirs.

Enfin, timidement, Rionna pressa ses lèvres contre les siennes. Ce fut à peine un frôlement, mais il fit à Caelen l'effet d'un coup de tonnerre.

Il lui fallut faire appel à tout son sens de la discipline pour ne pas renverser Rionna sur le lit et l'embrasser à en perdre haleine. Cette patience qui ne lui ressemblait pas et qu'il s'était juré de garder avec elle pour ne pas l'effrayer, lui semblait à présent la chose la plus insensée du monde.

Elle se recula aussitôt, les yeux écarquillés, le rouge aux joues. Puis elle fit lentement remonter une main le long de son torse, jusque derrière son épaule. Ce faisant, elle ne le quittait pas des yeux, comme si elle redoutait qu'il ne la morde pour la punir de tant d'audace. Quant à lui, il se sentait presque prêt à la supplier de le toucher…

Caelen sentit les doigts de Rionna se refermer sur sa nuque et, de nouveau, elle porta précautionneusement ses lèvres à la rencontre des siennes. Mais cette fois, elle ne se retira pas et se fit un devoir d'explorer sa bouche… avec la langue.

Sainte mère de Dieu !

En se pressant plus étroitement contre lui, elle frissonna. Ses lèvres douces et brûlantes se faisaient de plus en plus curieuses, de plus en plus téméraires.

Caelen sentit le désir le transpercer, mais il se retint, par peur de gâcher la douceur de l'offrande qu'elle lui faisait. Sous ses airs de garçon manqué, malgré les allures de guerrière indomptable qu'elle se donnait, Rionna était l'innocence personnifiée. Elle méritait toute la patience et toute la gentillesse qu'il pourrait lui offrir. Elle méritait d'être courtisée. Mais Dieu lui était témoin qu'il gagnerait l'auréole des saints avant d'être parvenu à ses fins avec elle…

— Ce n'était pas déplaisant, ce baiser… murmura-t-elle quand leurs lèvres se séparèrent.

— Non, reconnut-il. Pas déplaisant du tout. Qui vous a fait croire qu'un baiser pouvait l'être ?

Rionna s'écarta de lui, les yeux brillants, un peu rêveurs.

— Personne. Je n'avais encore jamais embrassé qui que ce soit ainsi. En fait… je ne savais pas comment m'y prendre.

Caelen réprima un grognement de satisfaction. Cela lui plaisait d'être le premier homme à goûter ses baisers. Si toutefois elle lui disait la vérité... Mais une telle virginale fraîcheur pouvait-elle être feinte ? Non, sûrement pas, décida-t-il. Il se laissait influencer par les trahisons du passé, ce qui n'était pas juste vis-à-vis d'elle.

L'entendre déplorer son manque d'expérience lui donnait envie de rire. La diablesse était une tentatrice-née. Elle embrassait avec un mélange d'effronterie et de douce innocence qui suscitait en lui des réactions contradictoires. Un baiser avait suffi pour le subjuguer.

— Il me semble que vous vous y prenez plutôt bien, assura-t-il à mi-voix. Mais si par chance il vous prend l'envie de vous entraîner, n'hésitez pas à faire appel à moi.

Un rire nerveux la secoua, carillonnement de cloches cristallines.

— Lorsqu'il est correctement donné, un baiser peut être une chose merveilleuse, ajouta-t-il.

Tout en disant cela, Caelen songea que cela faisait très longtemps qu'il n'avait pu apprécier quelque chose d'aussi tendre et d'aussi simple qu'un baiser.

— Correctement ? répéta-t-elle avec étonnement.

— Oui.

— Montrez-moi.

Dans un sourire, Caelen la renversa un peu plus dans ses bras et baissa la tête pour embrasser le pouls qu'il voyait battre follement à la naissance de son cou. Rionna sursauta, puis émit un petit soupir étranglé avant de se laisser aller complètement contre lui. Sans cesser de l'embrasser, il se fraya un chemin jusqu'à son oreille, dont il lécha le lobe comme s'il s'agissait d'une friandise.

Il sentit les doigts de Rionna s'enfoncer dans la chair de ses bras. Dans cette position, sa poitrine bandée s'écrasait contre son torse. Sachant à présent ce qu'il en était de ses seins, Caelen mourait d'envie d'y goûter.

— Oh, oui ! murmura-t-elle d'un ton rêveur. C'est fou ce qu'un baiser peut faire comme effet...

Au point où il en était, Caelen se sentait incapable de passer la nuit dans le même lit que sa femme sans rien entreprendre. Il s'était juré qu'il ne ferait rien qui puisse la choquer ou lui compliquer le voyage du lendemain, mais cela ne signifiait pas pour autant qu'il ne pouvait goûter au festin de chair soyeuse que si généreusement elle lui offrait.

Doucement, il tira sur les manches de sa robe jusqu'à dénuder ses épaules. Rionna se figea, puis se redressa en le repoussant, lèvres pincées. Le regard sévère, elle ouvrit la bouche pour protester mais se ravisa lorsque leurs regards se croisèrent.

— Je veux juste vous regarder, précisa-t-il. Ensuite, je vous montrerai qu'il y a plus d'une façon d'embrasser... et bien plus d'un endroit où recevoir des baisers.

— Oh !

En s'exclamant ainsi, elle avait l'air plus excitée qu'effrayée. Caelen vit ses pupilles se dilater, puis une rougeur subite gagner sa gorge et ses joues.

— Que voulez-vous que je fasse ? demanda-t-elle dans un souffle.

Il sourit.

— Rien du tout. Laissez-moi faire. Tout ce que je vous demande, c'est de vous allonger et d'apprécier.

6

Rionna ne put s'empêcher de réagir à la voix caressante de Caelen. Un frisson la parcourut, suscitant en elle une délicieuse attente. Caelen se leva, la souleva dans ses bras et la reposa à terre devant lui.

Dès que le contact fut rompu entre eux, elle fut assaillie par un surprenant sentiment de perte. Caelen ne lui laissa pas le temps de s'y attarder. Empoignant le tissu de sa robe, il la fit remonter le long de ses jambes, dénudant ses chevilles, puis ses genoux.

L'impression d'être une dévergondée s'empara d'elle mais, à sa grande surprise, ce fut loin de lui déplaire. Qui aurait pu la soupçonner d'être une femme sensuelle, prompte à faire tourner la tête à un homme ?

La chair de poule hérissa sa peau nue tandis que l'ourlet de la robe remontait lentement le long de son ventre. Cela également lui plaisait... Ce n'est que lorsque Caelen fit passer le vêtement par-dessus sa tête que la panique la gagna.

Elle n'était plus vêtue que de ses sous-vêtements, qui n'offraient qu'une barrière symbolique au regard perçant de son mari. Une brusque chaleur embrasa sa peau nue. Elle se sentit rougir jusqu'à la racine des cheveux. À cette minute, il la regardait comme s'il avait envie de la manger tout entière. Le regard qui s'appesantissait sur elle était celui d'un prédateur guettant sa proie. Elle aurait dû s'en effrayer mais, tout au contraire, elle ne ressentait qu'une certaine forme... d'impatience.

— Je devrais faire ceci plus lentement, dit-il, afin de savourer votre beauté tout à mon aise, mais je suis homme de peu de patience et ne peux résister plus longtemps. J'ai tellement envie de vous caresser, de vous toucher, que j'en tremble.

Rionna n'avait jamais été femme à se pâmer. Pourtant, ses jambes semblaient sur le point de la lâcher et la tête lui tournait tant qu'elle craignit de tomber.

Elle avait l'impression de flotter dans un rêve délicieux, dont elle aurait voulu ne jamais se réveiller. Mais aucun de ses rêves ne lui avait paru aussi érotique, et aucun guerrier tel que celui qu'elle avait sous les yeux n'était venu l'y visiter. Il la regardait comme si nulle autre femme n'existait à ses yeux.

Avec une impatience qu'il avait su juguler jusque-là, il la débarrassa du peu de vêtements qui lui restaient. Soudain, elle n'eut plus sur elle que le bandage qui lui comprimait les seins. Même s'il ne faisait pas froid, un frisson la secoua.

Caelen garda les yeux fixés sur sa poitrine un instant, avant de la regarder dans les yeux.

— Quel dommage de cacher de tels trésors, murmura-t-il. En auriez-vous honte ?

Plus rouge que jamais, Rionna s'efforça de répondre.

— Non. Je veux dire... oui. Enfin... peut-être. C'est plutôt... qu'ils me gênent dans mes mouvements.

Caelen se mit à rire et commenta d'un air amusé :

— Je suis partagé entre l'envie de vous interdire de les cacher, et celle de vous y autoriser à condition de ne les révéler qu'à moi.

— Vous... Vous les aimez ?

— Et comment ! Nous autres hommes sommes friands de poitrines généreuses. Voilà pourquoi je ne peux supporter plus longtemps de voir la vôtre maltraitée ainsi.

Passant dans le dos de Rionna, Caelen défit le nœud qui maintenait le bandeau en place. Puis, repassant de l'autre côté, il entreprit de dérouler la bande de tissu, jusqu'à ce que ses seins libérés pointent fièrement.

Sans la moindre gêne, il la regarda tout à son aise, même s'il ne se focalisa pas sur ses seins. À présent qu'elle était entièrement nue devant lui, il la détailla des pieds à la tête, avant que ses yeux reviennent se river aux siens. Un long soupir tremblant lui échappa.

— Vous êtes magnifique, murmura-t-il enfin.

Ses paumes glissaient sur elle, la caressaient avec révérence. Rionna sentit les mains de Caelen soupeser ses seins et, aussitôt, les pointes de ceux-ci durcirent et se dressèrent, affamés de ses caresses.

Et lorsque du bout des doigts il les titilla, lui coupant le souffle, des élancements d'un plaisir exquis se répandirent dans son abdomen et jusqu'au plus intime d'elle-même, où elle devint brûlante.

Caelen baissa la tête et ses lèvres se refermèrent autour d'un mamelon dressé. Dans un petit cri, Rionna sentit ses jambes se dérober sous elle. Son mari la rattrapa dans ses bras et la porta jusqu'au lit. Après l'avoir étendue, il s'allongea au-dessus d'elle.

Sa bouche s'empara de la sienne. Il l'embrassa avec tant de fougue que lorsque leurs lèvres se séparèrent, ils avaient tous deux perdu le souffle. Puis, sans lui laisser le temps de retrouver ses esprits et sans cesse de l'embrasser, Caelen descendit le long de sa gorge jusqu'à ses seins, dont il suçota voracement l'une des pointes dressées.

Chaque nouvelle succion lui arrachait un gémissement de plaisir et faisait croître le désir qui lui mordait les entrailles. Caelen passait d'un sein à l'autre. Il la titilla ainsi jusqu'à la faire se tordre de plaisir et d'impatience sous ses caresses.

Il avait la gourmandise d'un homme affamé, et pourtant il parvenait à demeurer extrêmement doux et prévenant.

Rionna avait besoin de plus encore. Mais ce qu'elle voulait… elle n'aurait su dire ce que c'était.

Caelen fit le tour de son sein du bout de la langue, puis revint par en dessous en dessiner le galbe, jusqu'à ce que la pointe dressée vienne buter sur sa lèvre. Alors il fondit sur celle-ci et l'aspira goulûment, la suçotant si bien que, les doigts enfoncés dans ses larges épaules, elle s'écria :

— Caelen, s'il vous plaît ! Ayez pitié !

Lentement, il redressa la tête. Elle vit les flammes du feu danser dans ses yeux.

— Pitié ? s'étonna-t-il. Je n'en ai aucune. Et qui plus est, je suis sûr que ce n'est pas ce que vous attendez. Vos mots disent « assez ! » mais votre corps proclame « encore ! ».

Il embrassa le creux entre ses seins et ajouta dans un murmure, tout contre sa peau :

— Vous êtes belle, Rionna. Ne cachez plus ce que Dieu vous a donné.

Les paroles de Caelen lui allèrent droit au cœur, lui apportant un réconfort dont elle n'avait pas réalisé avoir besoin. Comment un homme capable de se montrer si dur et inflexible pouvait-il avoir une âme de poète ? Elle avait épousé un guerrier intraitable, prompt à critiquer et à proférer des paroles blessantes. Jusque-là, jamais il n'avait partagé ses sentiments avec elle. Pourtant, n'était-il pas en train de la courtiser comme le plus amoureux des hommes courtise son amante adorée ?

Ses baisers se firent légers, descendirent le long de son ventre, jusqu'à son nombril. Sa langue s'attarda un instant dans le creux formé par celui-ci, il mordilla doucement la chair sensible de son ventre, puis il reprit sa lente et méthodique descente.

La peau couverte de chair de poule, Rionna retint son souffle, tétanisée par son audace.

Avec une ferme douceur, Caelen lui écarta les jambes et se positionna de manière que sa bouche surplombe son pubis. Les yeux agrandis par la stupeur, elle le vit baisser la tête. Sa confusion atteignit de nouveaux sommets. Il n'allait tout de même pas…

Seigneur ! Si !

Elle le sentit écarter du bout des doigts les plis de son intimité où brûlait le désir qu'il avait si bien su allumer en elle. Sitôt après, il y déposa un baiser. Rionna était tellement stupéfaite qu'elle ne put élever la moindre objection.

Des tremblements incontrôlables la secouaient tout entière. Ses genoux s'agitaient en l'air. Son ventre frémit. Ses seins pointèrent vers le haut. L'excitation qui la gagnait était si grande qu'elle aurait voulu pouvoir se glisser hors d'elle-même pour y échapper un instant.

Ce fut pire – ou meilleur – encore quand il fit passer sa langue sur toute la longueur de son sexe livré à lui, de la base au sommet, où il s'attarda sur l'éminence ultrasensible.

Caelen y déposa un petit baiser avant de suçoter sans merci le bourgeon de chair dressé, jusqu'à la faire haleter de plaisir.

Il ne lui avait pas menti en affirmant qu'il y avait plus d'une façon d'embrasser, et plus d'un endroit où recevoir des baisers...

Rionna sentit monter en elle un sentiment d'urgence incompréhensible. Tout son être se tendait peu à peu comme la corde d'un arc que l'on bande. Le plaisir que lui procurait Caelen devenait presque insoutenable.

Et chaque fois qu'elle pensait ne plus pouvoir supporter une seconde de plus cette délicieuse torture, la pression exercée sur elle augmentait, repoussant plus loin les limites de la frénésie sensuelle dans laquelle elle avait glissé.

— Caelen ! gémit-elle, n'en pouvant plus. Je vous en prie... Je... Je ne sais pas quoi faire.

Au-dessus de son ventre, elle le vit redresser la tête, les yeux brillants d'une lueur dangereuse.

— Laissez-vous aller, Rionna... Vous luttez contre l'inévitable. Je ne vous ferai aucun mal, je vous le jure. Cela vous fera même beaucoup de bien. À présent, laissez-moi vous aimer.

Ses paroles la détendirent. Elles semblèrent se frayer un chemin en elle pour apaiser ses nerfs et ses muscles. Et lorsque la langue de son mari reprit sa sarabande au plus intime d'elle-même, Rionna frissonna, ferma les yeux et sentit la pression s'accentuer de nouveau en elle, menaçant de tout emporter.

— Vous avez le goût du miel, susurra-t-il. Je n'ai jamais rien goûté d'aussi doux. Vous me rendez fou de désir. Vous êtes tout ce qu'une femme doit être, Rionna. Ne cherchez plus à le cacher et n'en ayez plus honte.

Des larmes s'accumulaient derrière ses paupières closes. Elle tremblait comme une feuille, non seulement à cause du plaisir qui la tenaillait, mais aussi des émotions qui se bousculaient en elle.

Ce soir, elle se sentait vraiment femme. Elle se sentait belle et désirée, comme une jeune épousée doit l'être. Elle ressentait ce qu'elle aurait dû ressentir le jour de ses noces, au lieu d'avoir l'impression d'être un choix imposé, de piètre qualité.

La langue de Caelen, après avoir longuement titillé le sommet de son sexe, glissa soudain dans ses profondeurs. L'intensité de la sensation acheva de briser ses dernières résistances. Arc-boutée sur le lit, elle sentit enfin l'insupportable pression du plaisir se rompre et la submerger tel un raz-de-marée.

Jamais elle n'avait rien connu d'aussi fort, ni d'aussi bouleversant. Après avoir fusé vers le ciel, elle avait l'impression étonnante de flotter comme une plume pour redescendre lentement sur terre.

Les yeux clos, allongée de tout son long et positivement comblée, Rionna avait la sensation de ne plus faire qu'un avec le lit. Il lui aurait été impossible de bouger le petit doigt.

Son sang courait plus vite dans ses veines. Il y avait toujours entre ses jambes une sorte de pulsation lente, une sensibilité légèrement douloureuse, qui lui rappelaient que les caresses prodiguées par Caelen avec sa bouche n'étaient pas un rêve.

Jamais elle n'aurait imaginé pareille chose. Était-ce même normal ? Elle n'avait entendu aucune femme évoquer un tel phénomène. Son mari n'avait pas fait que l'embrasser, comme il l'avait promis, il l'avait également léchée, suçotée, dévorée…

À n'en pas douter, un homme ne pouvait accomplir acte plus intime avec son épouse. Une intense satisfaction baignait tout son être. Elle s'émerveilla de la joie qu'elle éprouvait à cet instant. Quoi que puisse lui apporter le lendemain, elle chérirait toujours le souvenir de ce qui venait de se passer.

Rionna sentit Caelen quitter le lit, mais elle ne put rassembler l'énergie nécessaire pour ouvrir les yeux et voir ce qu'il faisait. Un instant plus tard, il tira les fourrures sur elle et vint se glisser à son côté. La chaleur de son corps contre le sien fut un choc pour elle.

N'ayant aucune expérience en la matière, elle ignorait comment elle devait se comporter. Elle n'avait jamais vu son père et sa mère dormir dans la même chambre, et dans le même lit moins encore. Elle savait cependant que Keeley et Mairin partageaient la couche de leur mari chaque nuit. Ceux-ci n'auraient pas accepté qu'il en soit autrement, mais il était manifeste qu'elles y consentaient avec joie. Peut-être s'agissait-il d'une coutume propre aux McCabe ? Peut-être se montraient-ils si possessifs – ou protecteurs – envers leurs épouses qu'ils ne pouvaient supporter d'être séparés d'elles.

Rionna décida que peu lui importait. D'instinct, elle se retourna pour lui faire face et se pelotonna contre lui. L'espace d'un instant, elle crut avoir commis une bourde car il se figea et retint son souffle. Graduellement, cependant, il se détendit. Bientôt, il enroula un bras autour de sa taille et l'attira plus près encore, tant et si bien que la joue de Rionna reposa bientôt contre son torse.

— Caelen ? glissa-t-elle.

— Oui ?

— Vous aviez raison.

— À quel sujet ?

— Le baiser… Une merveilleuse chose.

Il ne répondit pas, mais elle devina qu'il souriait.

— Vous aviez également raison sur un autre point, reprit-elle. Il y a tellement d'autres... endroits où l'on peut recevoir des baisers.

Cette fois, un petit rire le secoua.

— Dormez, à présent, conseilla-t-il contre son oreille. Nous devons nous lever tôt demain. Un rude voyage nous attend.

Rionna soupira et ferma les yeux. Elle se sentit dériver, et juste avant de sombrer dans l'inconscience, elle songea que l'on faisait tout une affaire de la nuit de noces. Ce n'était pas si terrible, après tout.

7

Caelen était d'humeur massacrante. Il n'avait pas fermé l'œil de la nuit. Il avait finalement renoncé à chercher le sommeil quand il n'avait pu supporter une minute de plus la torture que lui infligeait le corps nu de Rionna pressé contre le sien.

Même après s'être éclipsé du lit pour soulager lui-même l'érection monumentale qui le tourmentait, il n'avait ressenti aucune satisfaction.

Il avait toujours sur le bout de la langue le goût de ses sucs intimes. Son odeur délicieuse emplissait encore ses narines. Son corps mince aux courbes pourtant si féminines le hantait. Il avait beau fermer les yeux ou les garder ouverts, il ne pouvait se débarrasser des images de son sexe offert, tout contre sa bouche.

— Doux Jésus ! murmura-t-il en un vain exorcisme.

Se laisser obséder par une femme lui avait déjà valu – ainsi qu'à son clan – une infinité de problèmes.

Aussitôt qu'ils seraient parvenus à la forteresse des McDonald, décida-t-il, ils consommeraient leur union. Ainsi pourrait-il mettre Rionna à distance. Une bonne partie de jambes en l'air : voilà ce dont il avait besoin ! Quoi de plus normal, après s'être tenu si longtemps éloigné des femmes ? Oui, à bien y réfléchir, c'était la solution. Une fois soulagé, il retrouverait ses esprits et pourrait agir sans laisser ses sens le mener par le bout du nez.

Sachant que les autres ne seraient pas levés avant un moment, Caelen quitta la chambre et descendit dans la cour du château. La neige avait formé durant la nuit des congères qui barraient les accès habituels. Un juron au bord des lèvres, il contempla le manteau blanc fraîchement tombé qui recouvrait tout.

Au moins ne neigeait-il plus et le ciel était-il dégagé. La lune et d'innombrables étoiles brillaient au firmament, illuminant si bien la neige qu'on se serait cru en plein jour.

— Bien le bonjour, Caelen.

Il se retourna pour découvrir Gannon qui l'observait à quelque distance.

— Il fait froid, Gannon... maugréa-t-il en réponse. Où sont tes fourrures ?

— Je ne veux pas qu'elles soient mouillées avant le départ, répondit Gannon en souriant. Il ne fera pas chaud sur la route qui va nous mener chez les McDonald.

Caelen dévisagea le fier guerrier qui avait si long-temps servi son frère. C'était l'homme le plus loyal qu'il ait rencontré. Il était heureux de faire équipe avec lui, mais cela ne l'empêchait pas de s'inquiéter.

— Qu'est-ce que ça t'inspire, que mon frère te demande de me suivre ? s'enquit-il.

Gannon laissa son regard courir sur la cour et le château où il s'entraînait depuis tant d'années. Ses yeux se posèrent un instant sur les pans de muraille écroulés que, grâce à la dot apportée par Mairin, on commençait à réparer.

— J'avoue que ce sera dur pour moi de partir d'ici. J'y vis depuis si longtemps... Mais les choses changent. Ewan est à présent marié et il partira bientôt pour Neamh Alainn. Alaric deviendra laird à sa place. Oui, les choses changent, et ce nouveau défi qui s'offre à moi n'est pas pour me déplaire. Te suivre dans le clan McDonald sera pour moi un nouveau départ.

— Je suis heureux que tu le prennes ainsi, répondit Caelen. Il ne sera pas facile de faire de ces McDonald des guerriers aussi redoutables que les McCabe. Nous n'avons que peu de temps pour y parvenir. Ewan est impatient de se débarrasser de Duncan Cameron une fois pour toutes.

— Tout comme notre roi.

— Oui. Pour des raisons différentes, mais il est vrai que David est pressé de s'en débarrasser, lui aussi.

— Puisque nous sommes tous deux levés, suggéra Gannon, nous pourrions peut-être préparer les chevaux pour le voyage ? J'ai demandé hier à quelques hommes de descendre autant de coffres que possible pour commencer le chargement. Veux-tu attendre que ta dame se réveille pour sonner l'heure du départ ?

Caelen se rembrunit. Sa « dame » avait dormi comme un nouveau-né toute la nuit, pendant que lui se tordait dans les affres de l'insomnie.

— J'irai la réveiller quand les voitures et les hommes seront prêts, répliqua-t-il. Elle se préparera pendant que je ferai mes adieux à mes frères et à leurs épouses.

— C'est une nouvelle page qui se tourne pour toi aussi, fit remarquer Gannon. Il y a une quinzaine, aurais-tu imaginé devenir laird après avoir épousé une belle jeune femme, pour commencer une autre vie loin des McCabe ?

Tout d'abord, Caelen fit comme s'il n'avait pas entendu, parce que la question que lui posait Gannon le dérangeait. La vérité était implacable, immuable. Elle se chargeait de se rappeler à vous aux moments les plus inopportuns.

— C'est par ma faute que nous nous sommes battus comme nous avons dû le faire durant tant d'années, dit-il enfin. Je dois à mes frères plus que je ne pourrai jamais leur revaloir. Accepter ce mariage a permis à Alaric d'obtenir ce qu'il désirait plus que tout au monde, et à Ewan d'avoir les moyens d'assurer la sécurité de sa femme et de sa fille. Si Rionna McDonald était une gueuse au visage criblé par la vérole, je l'aurais tout de même épousée, et sans jamais le regretter.

— Quelle chance que je ne sois pas une gueuse avec le visage criblé par la vérole !

Caelen fit volte-face et découvrit sa femme qui les observait, le visage impassible, à quelques pas de là. Entre ses dents, il jura tout bas pendant que Gannon poussait un gémissement étouffé.

— Rionna… commença-t-il.

Elle leva la main pour le faire taire, et il ne se rendit compte qu'elle venait de lui donner un ordre que lorsqu'il y eut obéi.

— Ne vous excusez pas d'avoir dit la vérité, cher mari ! répliqua-t-elle. Il est vrai que je n'avais pas davantage que vous envie de cette union, mais comme vous me l'avez si bien fait remarquer, nous n'avons eu le choix ni l'un ni l'autre. Cependant, peut-être vaudrait-il mieux aller de l'avant plutôt que de ressasser encore et encore les motifs de ce mariage de raison…

Caelen détestait la souffrance qu'il percevait dans ces paroles tandis qu'elle les dévisageait froidement, lui et Gannon. Son visage demeurait impénétrable, mais elle maîtrisait difficilement le ton de sa voix. Il l'avait blessée par sa déclaration intempestive, et à présent il s'en voulait. Pourquoi fallait-il qu'il se débrouille toujours pour la heurter d'une manière ou d'une autre ?

— Vous ne devriez pas sortir si peu vêtue par ce temps, lui reprocha-t-il pour masquer son embarras. Il gèle. Et que faites-vous debout à cette heure ?

Elle lui lança un regard aussi glacial que le vent qui balayait la cour. Même si elle n'était pas vêtue pour affronter ce temps, elle ne donnait pas l'impression de souffrir du froid.

— Je me suis réveillée quand vous vous êtes levé et je savais que vous vouliez partir tôt, répondit-elle. La distance à parcourir n'est pas énorme, mais la neige va nous ralentir. Je me suis dit que je pourrais aider aux préparatifs.

— Une intention tout à fait généreuse, milady... assura Gannon. Mais il est de mon devoir d'assister votre époux. Je me sentirais mieux si vous consentiez à rentrer pour vous mettre au chaud. Je m'en voudrais si vous tombiez malade.

Caelen foudroya Gannon du regard pour lui avoir ôté de la bouche ces paroles prévenantes. C'était à lui de les prononcer, pas à son lieutenant. Il lui en voulut davantage quand il vit l'effet qu'elles avaient sur Rionna. Son attitude se fit moins rigide et son regard moins glacial.

— Je vais aller faire mes adieux à Keeley, annonça-t-elle. Et je voudrais aussi saluer Mairin et le bébé.

Caelen acquiesça d'un signe de tête.

— Je vous ferai appeler le moment venu.

Elle hocha sèchement la tête elle aussi, puis tourna les talons et se dirigea vers le château. En la regardant s'éloigner, Caelen soupira et dit à Gannon :

— Il va falloir déblayer la neige dans la cour, et ce ne sera pas une mince affaire. Autant nous y mettre tout de suite.

Rionna attendit d'être sûre qu'Alaric fût debout avant de se rendre dans la chambre de Keeley. Même si les frères McCabe avaient la réputation de se contenter souvent de quelques heures de sommeil et de se lever tôt, Alaric passait le plus clair de son temps ces dernières semaines au chevet de son épouse.

Quand elle le vit regagner leur chambre, porteur d'un plateau sur lequel se trouvait le petit déjeuner de Keeley, elle attendit encore quelques instants avant de s'annoncer.

Alaric vint ouvrir. Rionna lui dit en carrant les épaules :

— J'aimerais faire mes adieux à Keeley, si elle se sent suffisamment bien ce matin pour me recevoir.

— Naturellement, répondit-il. Elle grignote en grommelant qu'on la retient captive dans cette chambre.

Le ton exaspéré qu'il avait employé la fit sourire. Elle s'avança dans la pièce et constata avec plaisir que les joues de son amie étaient un peu plus colorées que la veille.

— Je suis venue te dire adieu, annonça-t-elle.

Le visage de Keeley se rembrunit.

— Déjà ! protesta-t-elle. J'avais espéré pouvoir passer un peu plus de temps avec toi.

Rionna se percha au bord du lit et serra ses mains dans les siennes.

— Tu viendras me rendre visite quand tu iras mieux. Ou peut-être est-ce moi qui viendrai. Nous avons épousé deux frères, après tout. Nous nous reverrons souvent. Je compte sur toi pour m'aider quand je donnerai naissance à mon premier enfant. Alors sois sage, et arrange-toi pour ne pas te lancer dans quelque nouvelle folie au péril de ta vie...

Les yeux de Keeley étincelèrent joyeusement.

— Comment était-ce avec Caelen, la nuit dernière ? s'enquit-elle au bout d'un moment.

— Je le déteste ! s'exclama Rionna. Il a la langue agile et douce mais, sorti de la chambre nuptiale, il se comporte comme un goujat.

Keeley poussa un soupir.

— Donne-lui un peu de temps, Rionna. C'est un homme bien. Ne te laisse pas abuser par les apparences, et tu t'en apercevras.

Rionna fit la grimace.

— J'aimerais avoir ton optimisme, Keeley...

— Tout ce que je veux, c'est que tu sois heureuse. Promets-moi que tu lui laisseras une chance.

— Tout ce que je peux promettre, maugréa-t-elle, c'est de ne pas lui planter un couteau dans le ventre durant son sommeil.

Keeley se mit à rire.

— Je suppose que je devrai me contenter de ça. Porte-toi bien, Rionna. Et sois heureuse. Fais-moi prévenir quand vous serez arrivés. Et ne t'inquiète pas : je guetterai l'annonce de ta première grossesse.

Rionna se redressa et s'inclina pour embrasser son amie sur la joue.

— Je ne risque pas de tomber enceinte s'il n'apprend pas à se taire quand il le faut.

Le sourire de Keeley s'agrandit encore, et elle conclut :

— Ça, c'est quelque chose que bien peu d'hommes savent faire, crois-moi. Mais n'oublie pas les conseils que je t'ai donnés. Sers-toi de tes atouts typiquement féminins, et je te garantis qu'il restera coi. Au moins provisoirement.

Du haut de son cheval, Rionna observait le détachement de guerriers du clan McDonald, qui avait fondu depuis leur arrivée. Elle avait de la peine pour ceux qui avaient choisi de suivre son père. Pour avoir grandi parmi eux, elle les connaissait tous. Certains jeunes s'étaient probablement laissé convaincre par loyauté envers l'ancien laird et par méfiance envers le clan McCabe. Les plus vieux avaient sans doute été scandalisés par le traitement réservé à leur laird et avaient dû prendre son parti sans hésiter.

Elle préférait ne pas imaginer ce qui se passerait quand ils parviendraient à la forteresse des McDonald et qu'il faudrait faire accepter Caelen comme le nouveau laird. Bien sûr, tous s'attendaient à ce qu'elle se marie un jour et à ce que son mari prenne la tête du clan, mais un tel bouleversement n'était pas censé se produire du jour au lendemain.

Une bourrasque la fit frissonner. Sa fourrure était usée et les vêtements qu'elle portait dessous n'étaient guère adaptés au froid. À l'aller, ils avaient voyagé par une température clémente pour la saison. Ce n'était plus le cas au retour, et elle ne disposait pas dans sa garde-robe de ce qu'il fallait.

Caelen et son second avaient pris la tête du convoi. Rionna suivait à quelques longueurs, entourée de quatre des siens qui pataugeaient dans la neige.

Pas une fois son mari n'avait tourné la tête vers elle. Elle ne s'était pas attendue à ce qu'il le fasse, mais elle aurait pu tout aussi bien ne pas exister, étant donné le peu de cas qu'il avait fait d'elle depuis leur départ.

Depuis l'échange qu'elle avait surpris entre lui et Gannon ce matin-là, il n'avait prêté attention à elle que pour l'aider à se mettre en selle.

— Je ne l'aime pas, Rionna... marmonna James à côté d'elle.

D'un rapide coup d'œil, Rionna s'assura que son mari n'avait pas entendu ce déloyal commentaire, avant de reporter son attention sur le jeune guerrier.

— Moi non plus ! renchérit Simon, son père. Le roi et les McCabe nous ont joué un sale tour. Ce n'est pas juste, ce qu'ils ont fait à ton père.

Rionna serra les dents. Elle ne pouvait leur révéler le fond de sa pensée en leur disant qu'elle non plus ne portait pas le nouveau laird dans son cœur. Mais elle n'était pas forcée pour autant de soutenir l'ancien.

— Il vaut mieux lui laisser une chance, répondit-elle à mi-voix, sans quitter Caelen des yeux. Il semble être un homme juste et bon.

Sur l'autre flanc de Rionna, Arthur commenta d'une voix grondante de colère :

— Il ne vous traite pas avec le respect qui vous est dû !

Par-dessus son épaule, Rionna jeta un coup d'œil inquiet au reste de la troupe. Les visages étaient fermés, les regards durs. Aucun de ceux qui les suivaient ne paraissait ravi de voir l'un des McCabe les ramener chez eux.

— Il est vrai que nous ne voulions ni l'un ni l'autre de ce mariage, dit-elle. Et nous devrons faire des efforts. Il n'a jamais envisagé de devenir laird de notre clan. Imaginez comment vous réagiriez si vous vous rendiez au mariage de votre frère, pour vous retrouver finalement marié de force à celle qu'il devait épouser.

Les hommes firent la grimace. James hocha la tête pour marquer sa sympathie.

— N'empêche qu'il n'avait aucun droit de te traiter comme il l'a fait, s'entêta Simon. Les McCabe ont la réputation d'être des guerriers justes. Impitoyables, mais justes. Ta dot n'est pas négligeable. Il devrait te traiter avec autant de respect que n'importe quelle autre promise.

Rionna laissa fuser un rire sans joie.

— C'est bien là le problème : je ne suis pas n'importe quelle promise. L'aurais-tu oublié ?

Les hommes se mirent à rire. Alerté par cette soudaine agitation, Caelen leur jeta un coup d'œil par-dessus son épaule. Son regard croisa celui de Rionna et elle s'efforça de le fixer sans ciller. Pas question de lui laisser croire qu'il pouvait l'intimider.

Au bout d'un moment, il regarda de nouveau devant lui, la reléguant dans l'indifférence qu'il lui témoignait depuis le matin.

— Il va lui falloir faire ses preuves, reprit Simon. Je me fiche de ce que le roi a décidé. S'il veut devenir laird de notre clan, il devra prouver qu'il en est digne.

— Puisse-t-il s'en montrer davantage digne que mon père, murmura Rionna.

Les autres gardèrent le silence, peut-être par loyauté envers celui qui les avait dirigés durant tant d'années. Rionna avait cessé quant à elle de jouer les filles modèles, et elle avait quelques plans en tête qu'elle comptait mettre en application dès leur retour chez eux.

Que cela plaise ou non à son mari, elle avait l'intention d'être partie prenante dans la nécessaire transformation de leur clan. Les siens avaient trop souffert des décisions lamentables d'un pauvre fou avide et agressif.

Peut-être accepteraient-ils de tourner la page ? Difficile de le savoir. Rionna espérait simplement que Caelen se révélerait être un homme de valeur, et un guerrier plus valeureux encore.

La guerre était imminente. Ewan McCabe se préparait à affronter Duncan Cameron, et c'était la quasi-totalité des Highlands qu'il allait entraîner dans la bataille derrière lui.

Rionna était bien décidée à ce que, dans cette affaire, son clan ne devienne pas l'agneau sacrificiel.

8

Il faisait presque noir lorsque Caelen ordonna de dresser le camp pour la nuit. Rionna était tellement frigorifiée que depuis longtemps déjà elle ne sentait plus ni ses mains ni ses pieds. Ses joues, elles aussi, étaient insensibles, et elle avait l'impression que le froid était allé se loger jusqu'au creux de ses os.

Au point où elle en était, elle doutait de pouvoir se réchauffer un jour. Même les feux de l'enfer auraient été les bienvenus.

Après avoir lâché difficilement les rênes, elle glissa ses mains sous la fourrure dans l'espoir de leur rendre quelque sensibilité. Devoir descendre de cheval lui faisait peur. Elle n'avait aucune envie d'enfoncer ses pieds dans la neige, ni de faire le moindre mouvement.

Inspirant à fond pour se donner du courage, elle s'agrippa à la selle et s'apprêta à mettre pied à terre. Caelen apparut soudain à côté d'elle pour l'aider.

Rionna lui en fut si pathétiquement reconnaissante qu'elle faillit tomber dans ses bras. Sans trop savoir comment, elle parvint à se contenter de prendre appui sur ses épaules tandis qu'il la soulevait pour la reposer à terre. Mais lorsque ses pieds touchèrent le sol, ses jambes refusèrent de la porter et elle s'effondra dans la neige.

Caelen se porta immédiatement à son secours. Quand il prit dans ses mains ses doigts glacés, il proféra tout bas un chapelet de blasphèmes.

En la soulevant dans ses bras, il aboya une série d'ordres pour que l'on allume un feu et que l'on dresse une tente sur-le-champ.

— Caelen... protesta-t-elle faiblement. Je vais bien. J'ai juste... un peu f... froid.

En toute hâte, Rionna ferma la bouche et serra les dents afin de les empêcher de claquer.

— Vous n'allez pas bien ! décréta-t-il sévèrement. Pour l'amour de Dieu, femme ! Vous cherchez donc la mort ? Pourquoi n'êtes-vous pas habillée assez chaudement ? Et pourquoi ne pas m'avoir dit que vous étiez en difficulté ?

Rionna aurait préféré se mordre la langue au sang plutôt que de se plaindre auprès de lui.

Dès que le feu de camp commença à répandre sa chaleur, Caelen s'installa avec elle sur une souche, aussi près des flammes qu'il le put sans risquer de roussir leurs vêtements.

Ouvrant sa propre fourrure, il l'installa devant lui et la serra contre sa poitrine. Dès qu'il l'eut refermée sur eux, Rionna sentit sa chaleur corporelle se communiquer à elle. Pour un peu, elle en aurait pleuré de bonheur. Du moins, dans un premier temps...

Car dès que l'engourdissement glacial se dissipa, des picotements insupportables l'assaillirent. Bientôt, elle eut l'impression que des régiments de fourmis carnivores la dévoraient. En gémissant, elle se débattit contre lui, mais Caelen la serra plus fort encore, l'immobilisant tout à fait.

— Ça fait mal... gémit-elle.

— Oui, je sais, et j'en suis désolé pour vous. Mais c'est de cette façon que votre corps se réchauffe et va retrouver ses sensations habituelles. Au lieu de vous plaindre, soyez reconnaissante qu'il puisse encore le faire...

— Ne commencez pas à me faire la leçon ! maugréa-t-elle. Ce n'est pas le moment. Attendez au moins que l'on cesse d'arracher ma chair de mes os...

Caelen émit un petit rire amusé.

— Si vous avez gardé votre langue acérée, ce ne doit pas être si grave que ça, répliqua-t-il. Et je n'aurais pas à vous faire la leçon si vous n'étiez pas butée à ce point. Si vous n'aviez pas de quoi vous vêtir correctement pour ce voyage, vous auriez pu en faire part avant notre départ. Je ne vous aurais pas autorisée à partir par ce temps sans être protégée du froid.

— Voilà que vous me faites de nouveau la leçon, grommela-t-elle. Vous ne pouvez pas vous en empêcher...

Son ton acerbe n'empêcha nullement Rionna de se blottir un peu plus contre lui pour profiter de sa chaleur. Elle s'était mise à trembler de tous ses membres, et ses dents claquaient si violemment qu'elle eut peur de les perdre.

S'efforçant de maîtriser ses tremblements, elle enfouit son visage contre le cou de Caelen.

— F... F... Froid, balbutia-t-elle. Je... Je... n'arrive pas... à me réchauffer.

— Chut... répondit-il dans un souffle chaud au creux de son oreille. Ça va aller. Restez un peu tranquille contre moi.

Rionna ne se le fit pas dire deux fois. Elle se coula sans façon contre lui, les doigts accrochés à sa tunique, la tête coincée sous son menton, inspirant avidement l'air chaud qui montait à la naissance de son cou.

Enfin, progressivement, les tremblements cessèrent. Faible et épuisée, elle se laissa aller dans les bras de Caelen.

— Êtes-vous suffisamment réchauffée pour manger un peu ? lui demanda-t-il.

Elle acquiesça d'un signe de tête, mais en vérité elle n'avait pas envie de bouger.

Avec un luxe de précautions, Caelen se leva de manière à la laisser assise sur la souche. Lui laissant sa fourrure, il en resserra les pans pour la mettre à l'abri du vent. Quand il fut satisfait et sûr qu'elle ne tomberait pas de son perchoir, il s'éloigna en direction des hommes qui achevaient de dresser les abris pour la nuit.

Quelques minutes plus tard, il revint et lui tendit un quignon de pain et un morceau de fromage. Rionna sortit les mains de leur abri et s'en saisit. Tassée sur elle-même sous la fourrure, elle entreprit d'avaler ce repas de fortune.

Dans l'état où elle était, il n'avait aucun goût pour elle, mais la sensation d'avoir l'estomac lesté la rasséréna quelque peu et lui redonna du tonus. Tout en mangeant, elle regarda les hommes s'activer à déblayer la couche neigeuse autour du feu de camp. Des tentes furent dressées, lestées de neige à leur base pour empêcher que le vent ne les emporte.

Réalimenté en bois, le feu lança bientôt ses flammes à l'assaut du ciel, répandant une vive lueur orange.

Rionna, qui avait achevé son repas, tendit les mains et se délecta de la chaleur qui lui léchait les doigts.

Puis Caelen fut debout devant elle. Sans lui adresser une parole, il la souleva dans ses bras et l'emmena jusqu'à la tente la plus proche du feu.

À l'intérieur, sur le sol, on avait installé des fourrures pour en faire une couche d'apparence confortable. Caelen se baissa pour l'y installer et entreprit de lui ôter ses bottes. Il les examina et se renfrogna.

— Ça, des bottes ? s'exclama-t-il d'un air dégoûté. Il y a plus de trous que de bon cuir, là-dedans ! Pas étonnant que vous ayez les pieds gelés...

Rionna se sentait trop fatiguée pour se disputer avec lui sur ce point.

— Demain, il nous faudra vous dénicher autre chose, poursuivit-il. Vous ne pouvez affronter l'hiver avec... ça.

Sans cesser de maugréer, il entra dans la tente dont il referma les portières et il s'allongea tout contre elle. Après l'avoir fait passer sur le flanc, en chien de fusil et face à lui, il rabattit les fourrures autour d'eux.

— Glissez vos pieds entre mes jambes, ordonna-t-il.

Rionna s'exécuta et soupira en sentant la chaleur des cuisses de Caelen se communiquer à ses pieds nus. Le feu de camp lui-même n'aurait pu mieux la réchauffer.

Elle se pelotonna dans ses bras et enfouit son visage contre sa poitrine, se délectant du bien-être qui peu à peu l'envahissait. Une douce odeur – celle de Caelen mélangée à celle du grand air et de la fumée de bois – lui assaillait les narines. Un parfum auquel il aurait été facile de s'accoutumer.

Un gémissement de pur plaisir lui échappa. Contre elle, elle sentit Caelen se raidir et jurer tout bas. Surprise, elle fronça les sourcils. Qu'avait-elle donc encore fait pour susciter son ire ?

— Caelen ? s'étonna-t-elle. Quelque chose ne va pas ?

— Tout va bien, Rionna. Dormez, à présent. Nous aurons la forteresse des McDonald en vue en début d'après-midi si nous parvenons à partir tôt.

— Mes mains sont toujours gelées, se plaignit-elle.

Caelen glissa ses mains entre eux et s'empara de celles de Rionna. Il les guida, sous sa tunique, jusqu'à son ventre chaud bardé de muscles durs et tapissé d'une douce toison.

Elles étaient glacées, mais il ne tressaillit même pas lorsqu'elle les étendit bien à plat sur ses abdominaux. Ce contact la réconfortait autant par la chaleur qu'il lui procurait que par l'intimité troublante qu'il établissait entre eux.

Dans un soupir, elle frotta sa joue contre son épaule et sentit ses paupières s'alourdir au fur et à mesure que son corps se réchauffait.

Le tapis de poils lui chatouillant les doigts, elle laissa une de ses mains s'aventurer jusqu'à sa poitrine, dont les muscles se contractèrent instantanément. Écarquillant les yeux, elle suivit le renflement d'une cicatrice.

Puis elle atteignit le disque plus doux de son aréole et, machinalement, commença à titiller le petit bouton de chair qui se dressait au centre.

— Rionna... protesta Caelen d'une voix grinçante.

Surprise, elle retira ses mains et releva si vite la tête que le sommet de son crâne vint percuter son menton.

— Désolée ! s'excusa-t-elle vivement.

Caelen réprima un soupir.

— Dormez, Rionna.

Elle se blottit de plus belle contre lui et réintroduisit ses mains sous sa tunique. Elle adorait le toucher. En plus de la merveilleuse chaleur qu'il lui prodiguait, il y avait quelque chose de fascinant dans ce corps d'homme livré à elle.

De nouveau, elle aplatit les paumes contre son ventre, mais cette fois ce fut vers le bas que sa curiosité la mena, le long d'un cordon de poils qui allait en s'amincissant.

— Pour l'amour de Dieu ! gémit Caelen.

D'autorité, il lui saisit les mains, les reposa sur sa tunique et l'attira si fort contre lui qu'elles furent coincées entre leurs deux corps.

Les bras serrés comme un étau autour d'elle, Caelen avait posé le menton au sommet de son crâne. Leurs jambes étaient à présent emmêlées, si bien que même si elle l'avait voulu, elle n'aurait pu faire un geste. Fort heureusement, elle ne le voulait pas.

Rionna bâilla longuement, songeant qu'elle voulait bien demeurer ainsi sa prisonnière tant qu'il la gardait au chaud. Alors que le sommeil la gagnait, elle réalisa que depuis qu'il l'avait si ardemment embrassée, ils n'avaient pas renouvelé l'expérience.

Ce qui était une honte. Elle aimait bien l'embrasser. Peut-être au matin, quand il serait moins grognon, pourrait-elle s'y risquer ? Oui, c'était une bonne idée.

— Demain... murmura-t-elle dans un demi-sommeil.

— Demain quoi ? s'étonna-t-il.

Les yeux fermés, à moitié inconsciente, elle eut à peine la force de bouger les lèvres pour lui répondre.

— Demain... je vous embrasserai. Oui... demain. Promis.

Le rire de Caelen, rauque et bas, se fit entendre.

— C'est ça, susurra-t-il. Vous m'embrasserez demain. Et je vous garantis que vous aurez fait bien d'autres choses encore avant que j'en aie terminé avec vous.

— Mmm... il me tarde... d'y être.

Caelen desserra légèrement les bras et vit la tête de Rionna rouler sur le côté. La bouche entrouverte, elle venait de céder au sommeil. En la contemplant, amusé, il songea qu'elle était la dormeuse la plus innocemment polissonne qui soit. Ainsi abandonnée contre lui, elle était tout à fait adorable.

Il se renfrogna soudain, secoua la tête et ferma les yeux. Ces confidences échangées sur l'oreiller et la beauté de Rionna allaient l'amollir. C'était au combat, à l'entraînement, à la tâche qui l'attendait qu'il devait avant tout penser. Si déjà au bout de deux jours, alors que leur union n'était pas encore consommée, sa femme lui ôtait tous ses moyens, elle allait finir par avoir sa peau...

9

Le lendemain, ils atteignirent la forteresse du clan McDonald en milieu d'après-midi. Pour Rionna, il était important de retrouver les siens pleinement maîtresse d'elle-même. Hélas, dans l'esprit de son mari, il semblait tout aussi important qu'elle se présente à eux comme une femme sans défense entièrement sous sa coupe...

Depuis le petit matin, elle chevauchait la même monture que lui, serrée entre ses bras. Puisqu'elle ne disposait pas d'une protection suffisante contre le froid, il avait décidé qu'il en serait ainsi.

Lorsque le château avait été en vue, Rionna avait insisté pour retrouver sa propre monture, mais Caelen l'avait simplement ignorée et avait poursuivi sa route comme si de rien n'était.

Elle redoutait la confrontation qui s'annonçait. Bien des choses avaient changé depuis qu'elle était partie, quelques semaines plus tôt. Elle revenait chez elle accompagnée d'un autre frère McCabe que celui initialement prévu, et sans son père... Un inconnu, qui plus est, qu'elle devait présenter aux membres du clan comme leur nouveau laird.

Un cri s'éleva dès que le guetteur dans sa tour eut repéré leur présence. Caelen fronça les sourcils et jeta un regard à Gannon, qui haussa les épaules.

— Qu'est-ce qu'il y a ? s'inquiéta Rionna, qui n'avait rien manqué de leur échange muet.

— Il est déplorable que nous puissions arriver si près de la forteresse sans avoir été repérés, répondit Caelen avec un dégoût manifeste. Si Duncan Cameron était à notre place, il serait déjà trop tard pour donner l'alerte.

— Peut-être serait-il préférable que vous attendiez d'avoir fait la connaissance de votre nouveau clan, avant de le critiquer ?

— Peu m'importe leur amour-propre ! répliqua-t-il sèchement. Je suis davantage concerné par leur sécurité. Et par la vôtre.

Rionna se tordit le cou pour voir ce qui les attendait lorsque la porte commença à s'ouvrir. Comme elle le redoutait, presque tous les membres du clan s'étaient rassemblés dans la cour, tant leur curiosité était grande de découvrir son nouvel époux.

— Déposez-moi à terre pour que je puisse vous présenter, ordonna-t-elle à mi-voix.

Caelen resserra ses bras autour d'elle mais ne daigna pas lui accorder un regard, préférant ne pas quitter des yeux la troupe d'hommes et de femmes qui les attendait. Quand il ne fut plus qu'à quelques pas, il fit stopper sa monture et, sans prévenir, mit pied à terre tout en s'assurant d'une main ferme que Rionna ne puisse tomber de cheval.

— Occupe-toi de ma femme, ordonna-t-il à Gannon.

Trop scandalisée pour réagir, elle laissa Gannon la soulever de selle comme si elle ne pesait rien et l'envelopper d'une fourrure après l'avoir reposée au sol. Tous deux se tinrent derrière Caelen, et Rionna ne manqua pas de noter que le second de son mari la maintenait en place d'une main posée sur son épaule.

— Je m'appelle Caelen McCabe, dit-il d'une voix calme et assurée. Je suis le mari de Rionna et votre nouveau laird.

Des cris de surprise et des exclamations retentirent. Tous se mirent à parler en même temps.

— Silence ! cria Caelen d'une voix impérieuse.

— Qu'est-il arrivé à Gregor ? s'enquit Nate McDonald, au milieu du groupe des guerriers.

Plusieurs autres lui firent écho.

— Oui, que s'est-il passé ?

Balayant la foule du regard, Caelen expliqua :

— Il n'est plus votre laird. C'est tout ce que vous avez besoin de savoir. À partir de ce jour, vous me devez allégeance et loyauté, ou il vous faudra partir. Je ne permettrai pas que mes ordres soient discutés. Nous avons énormément de travail et d'entraînement devant nous, si nous voulons l'emporter face aux troupes de Duncan Cameron. Notre alliance avec mes frères, Ewan et Alaric McCabe, aussi bien qu'avec les clans voisins, nous rendra invincibles. Si vous voulez conserver ce qui est à vous et élever vos enfants dans la paix, alors nous devrons nous battre. Et si nous devons nous battre, il faudra être prêts à le faire de notre mieux le moment venu.

Rionna vit les hommes du clan échanger des regards circonspects. Leur attention se porta sur elle, au-delà de Caelen, comme s'ils attendaient qu'elle prenne la parole à son tour. Ce qu'elle aurait fait volontiers pour apaiser leurs craintes, si Caelen ne s'était pas tourné vers elle pour lui intimer le silence d'un coup d'œil.

Pourtant, lorsqu'il se retourna, elle trouva le courage de libérer son épaule de la main de Gannon et de s'avancer vers son clan.

— Cette alliance a la faveur de notre roi, annonça-t-elle. Il a lui-même béni notre union. Il a toujours été convenu que celui que j'épouserais deviendrait laird. Mais, au lieu de prendre les rênes de notre clan à la naissance de notre premier-né, Caelen McCabe vous dirigera dès maintenant. Nous avons besoin de lui et de ses compétences, si nous voulons triompher de ceux qui prétendent s'approprier nos terres.

Caelen avait beau la foudroyer du regard, Rionna n'avait d'yeux que pour les siens, dont elle jaugeait l'indécision et les humeurs.

— Mon père s'est déshonoré, enchaîna-t-elle d'une voix claire et dépourvue d'émotion. J'ai bon espoir que sous la houlette d'un nouveau laird, nous pourrons regagner ce que nous avons perdu. La tête droite et le regard fier, nous défendrons ce qui est à nous.

— Maintenant, vous allez vous taire, lui intima Caelen d'une voix basse, que la colère faisait gronder. Et vous allez m'attendre dans le château. Immédiatement !

Le regard qu'il lui adressait aurait fait fuir le guerrier le plus endurci, mais Rionna était d'une autre étoffe. Les épaules raides, le menton pointé en avant, elle se mit en route d'un pas tranquille vers la porte principale, comme s'il avait toujours été dans son intention de rentrer chez elle après avoir achevé son discours.

Mais dès qu'elle fut à l'intérieur, ses jambes la trahirent et ce fut d'un pas beaucoup plus incertain qu'elle s'avança dans la grande salle. Sarah se précipita pour l'accueillir, écrasant si bien ses épaules entre ses mains noueuses que Rionna tressaillit.

— Dis-moi tout, ma petite... Qu'est-ce que c'est que cette histoire de mariage avec Caelen McCabe qui serait censé remplacer notre laird ? Où se trouve ton père ? Et où sont nos hommes ?

Rionna repoussa doucement les mains de Sarah et se laissa glisser avec lassitude sur un siège.

— C'est une longue histoire... répondit-elle.

— Ça tombe bien, je n'ai rien d'autre à faire pour le moment que de l'entendre. Comment t'es-tu retrouvée mariée à Caelen McCabe ? Tout le monde sait qu'il a juré de rester célibataire. Il était tout jeune quand il en a fait le vœu, après avoir été trahi par une femme qu'il aimait.

Rionna lâcha un soupir consterné. Merveilleux ! En dépit du serment qu'il avait fait de ne jamais se marier, Caelen s'était sacrifié afin de sauvegarder l'amour que se portaient Keeley et Alaric — l'amour que lui-même se refusait à connaître.

Peut-être avait-il décidé que cela importait peu, du moment qu'il ne livrait plus son cœur à aucune femme ?

— Connais-tu les détails de l'histoire ? s'enquit-elle. Pour quelle raison la femme qui l'aimait l'a-t-elle trahi ?

— Je croyais que c'était toi qui devais me raconter une histoire...

— Et je le ferai ! répliqua-t-elle impatiemment. Mais, pour l'heure, je dois savoir pour quelle raison mon époux avait fait le vœu de ne jamais se marier.

Sarah souffla bruyamment et détourna le regard.

— Très bien. Je vais te le dire. Il y a huit ans de cela, Caelen est tombé amoureux d'Elsepeth

Cameron. En vérité, c'est elle qui l'a séduit. Elle était un peu plus âgée que lui, et beaucoup plus... aguerrie, si tu vois ce que je veux dire.

Rionna ne voyait pas, mais pour rien au monde elle ne l'aurait admis.

— Dès le départ, elle était de mèche avec Duncan Cameron. C'est elle qui a drogué le vin de la garnison et ouvert nuitamment les portes de la forteresse aux hommes de son parent. Ce fut un massacre. Caelen y a perdu son père, et Ewan McCabe, sa jeune épouse. Les frères étaient absents quand l'attaque s'est produite. À leur retour, ils n'ont trouvé que mort et ruines. Un drame terrible !

— Oui, approuva Rionna. Et l'imbécile se figure à présent que les femmes ont le diable en elles. C'est pourquoi il a juré de ne plus se lier à aucune d'elles.

En roulant des yeux effarés, elle ajouta :

— Pourquoi faut-il que les hommes soient si bêtes ?

La tête rejetée en arrière, Sarah éclata de rire.

— Bonne question ! La tâche ne sera pas facile, mais si quelqu'un est de taille à le convaincre qu'on peut faire confiance à une femme, c'est bien toi. Il n'y a pas de cœur plus courageux et plus loyal que le tien.

Malheureusement, Caelen était convaincu qu'elle était le prix à payer pour garantir le bonheur de son frère et le bien-être de son clan.

— À ton tour, maintenant ! s'exclama Sarah. Raconte-moi ce qui s'est passé chez les McCabe et pourquoi ton père n'est pas revenu.

Rapidement, Rionna relata les événements qui s'étaient produits, comment Caelen avait exigé de prendre immédiatement le contrôle du clan, et le départ de l'ancien laird qui en avait résulté.

— Sans doute y aurait-il eu d'autres hommes pour le suivre s'ils n'avaient pas eu femme et enfants ici, constata-t-elle tristement. Ceux qui sont partis avec mon père étaient libres d'attaches familiales.

— Ce qui m'inquiète, c'est ce qu'ils ont en tête à présent, murmura Sarah d'un air pensif. Ton père est un homme vaniteux. Il n'est pas du genre à tolérer qu'on l'insulte sans réagir.

— C'est surtout un imbécile, rectifia sèchement Rionna. Un vieil imbécile lubrique qui a placé ses désirs au-dessus des intérêts du clan. Il ne méritait plus d'être laird.

Sarah tapota gentiment sa main.

— Du calme, ma petite... Inutile de se mettre martel en tête à cause d'un vieux fou. Son temps est terminé. Mieux vaut regarder l'avenir. Les McCabe ont la réputation d'être un clan redoutable. Il leur faudra du temps pour retrouver toute leur puissance, mais je tiens Ewan pour un homme capable, et il y a fort à parier qu'il en va de même pour ses frères. Peut-être Caelen est-il celui qu'il nous faut... si nous parvenons à surmonter les épreuves qui nous attendent.

Rionna, quant à elle, ne doutait pas que son mari puisse être l'homme de la situation. Ce farouche guerrier n'avait pas d'égal sur un champ de bataille. Il inspirait le respect aux hommes qui se battaient à ses côtés. Elle était consciente que les guerriers du clan McDonald n'étaient pas les meilleurs qui puissent exister, mais ils n'étaient pas les pires non plus. Pour avoir constaté par elle-même la suprématie militaire des McCabe, elle rêvait que ceux de son clan puissent également en disposer. Dans ce domaine, Caelen se révélait même un meilleur choix qu'Alaric.

Elle aurait simplement aimé être un peu plus sûre qu'il serait également un bon mari pour elle, et un bon père pour leurs enfants.

S'il avait décidé de barricader son cœur, quelles chances avait-elle de parvenir à s'y faire une place ?

10

Rionna ne vit pas son mari du reste de la journée. Il ne la rejoignit même pas au dîner, qu'elle prit seule dans la grande salle glaciale et déserte.

Elle détestait ne pas savoir quelle était dorénavant sa place dans son propre clan. Elle était restée claquemurée dans le château depuis que son mari lui avait ordonné de s'y rendre. Non par peur de lui, mais parce qu'elle ignorait comment se comporter avec les siens.

Sa propre couardise lui donnait la nausée.

Le désir que Caelen finisse par se montrer afin de pouvoir régler ses comptes avec lui, alternait en elle avec celui d'aller se cacher pour ne pas avoir à l'affronter. Du moins, pas tant qu'elle n'aurait pas repris un peu courage et décidé d'une conduite à tenir.

Dégoûtée par cette pusillanimité qui ne lui ressemblait guère, Rionna repoussa sa nourriture et se leva de table. Elle n'allait pas rester là à se miner pour savoir si elle avait envie ou non que son époux se montre. Il pouvait aller rôtir en enfer, peu lui importait.

La fatigue l'assaillait. Elle se sentait même épuisée. Il était temps de rejoindre son lit.

En ouvrant la porte de sa chambre, elle serra les bras contre elle pour résister au froid qui l'assaillait. Il n'y avait pas de cheminée dans cette pièce. Mais comme il n'y avait pas de fenêtre non plus, les courants d'air y étaient limités. Après avoir récupéré deux bouts de chandelle, elle retourna dans la grande salle les allumer à l'un des flambeaux alignés le long des murs.

Leur lumière chiche dissipa les ténèbres de sa chambre et lui prodigua une chaleur toute symbolique. Ces bougies à demi consumées auraient difficilement pu constituer un moyen de chauffage efficace. Pourtant, elles suffirent à la rasséréner quelque peu.

Il faisait cependant suffisamment froid pour décider Rionna à se coucher tout habillée. Elle se contenta d'ôter ses bottes, avant d'enfiler une paire de chaussettes en laine que Sarah lui avait confectionnée.

Elle soupira d'aise en sentant le tissu doux et chaud glisser sur sa peau. Les pieds bien protégés, elle remua les orteils et se glissa frileusement dans le lit, sous une pile de fourrures.

Ses yeux se fermèrent aussitôt, mais elle ne s'endormit pas pour autant. Les événements des quinze derniers jours occupaient suffisamment ses pensées pour l'empêcher de trouver le sommeil.

Pour être honnête, elle devait admettre que, davantage qu'une appréhension passagère, c'était une véritable peur pour son propre avenir et pour l'avenir de son clan qui l'assaillait.

Même si elle s'était habillée en homme et entraînée à manier l'épée pendant que les autres filles rêvaient mariage et enfants, elle n'en avait pas moins nourri quelques rêves secrets. Elle aussi s'était imaginée vêtue d'une toilette somptueuse, devant un guerrier sans pareil qui mettait un genou en terre pour lui jurer loyauté et amour éternel.

Un sourire rêveur flotta sur ses lèvres, et elle se blottit plus confortablement sous ses fourrures. Oui, c'était une agréable chimère. Ce guerrier sans pareil ne l'aurait pas seulement aimée au-delà de la raison, il lui aurait pardonné ses fautes et aurait été fier de ses talents à l'épée. Il se serait vanté auprès de ses hommes que sa femme était une redoutable princesse guerrière d'une incomparable beauté.

Ils auraient combattu côte à côte, puis seraient rentrés ensemble victorieux dans leur forteresse. Elle y aurait passé une des robes précieuses qu'il lui aurait offertes, puis lui aurait servi un repas somptueux dont elle aurait elle-même dirigé la préparation. Ensuite, ils se seraient assis près du feu pour déguster une bière fine, avant de se retirer dans leur chambre où il l'aurait serrée contre lui en susurrant des mots d'amour à son oreille.

— Tu n'es qu'une idiote ! marmonna-t-elle.

Aucun homme ne l'aurait jamais acceptée telle qu'elle était. Il fallait être une femme comme Keeley, toute en douceur et rondeurs féminines, pour se faire aimer. Une femme aimable et dévouée, passionnée par les travaux d'aiguille et les plantes médicinales. Une femme capable de tenir un château et de faire servir à sa table chaque soir un repas digne de ce nom.

Tout ce dont elle était capable, quant à elle, c'était d'infliger des blessures qui nécessitaient que des femmes aussi douées que Keeley viennent les soigner. Que cela lui plaise ou non, Rionna n'avait pas une once de douceur ou de rondeur féminine en elle.

Sans rouvrir les yeux, elle fronça les sourcils. Que lui importait de ne pas être comme les autres ? Cela ne faisait pas d'elle une femme au rabais. Simplement, elle était... différente. Une différence qu'un homme bon et aimant aurait dû apprécier. Et si Caelen McCabe n'était pas capable de le comprendre, il pouvait tout aussi bien aller s'asseoir sur son épée, et que grand bien lui fasse !

Il faisait étonnamment chaud dans la pièce. Et le lit était plus confortable que ce à quoi elle était habituée. Rionna avait conscience que quelque chose avait radicalement changé, mais elle ne trouvait pas la force de s'éveiller tout à fait pour vérifier de quoi il s'agissait.

Décidée à ne pas gâcher le rêve agréable qu'elle était en train de faire, elle se pelotonna dans le lit et soupira longuement.

Un petit rire lui répondit, qui vint réduire son euphorie à néant. Simultanément, une caresse appuyée sur l'un de ses seins la fit frissonner.

Un de ses seins ? Ne s'était-elle couchée tout habillée ? De fait, elle se rappelait parfaitement être allée au lit sans ôter ni ses vêtements ni le bandage comprimant sa poitrine, et avoir sombré dans le sommeil.

Prudemment, elle entrouvrit un œil et aperçut son mari, de dos, qui se déshabillait à deux pas du lit. Elle n'était plus dans sa chambre. Ce n'était pas non plus celle de son père. Sans doute s'agissait-il d'une des chambres réservées aux hôtes de marque, même s'ils n'avaient jamais été très nombreux à séjourner au château.

Plutôt que de jaillir du lit pour lui demander comment il se faisait qu'elle se retrouvait là, elle préféra observer en silence Caelen enlever sa tunique.

Les muscles de son dos jouèrent souplement sous sa peau quand il fit passer le vêtement par-dessus sa tête et le jeta sur une chaise. Puis, après s'être étiré un instant, il entreprit de se débarrasser de son pantalon.

Rionna sentit ses joues s'empourprer lorsque le fessier de Caelen lui apparut, dur comme fer mais suffisamment galbé pour aimanter un regard féminin. Plus pâle que le reste de son corps, il était impossible d'y trouver une once de graisse superflue. Dessous, solides comme des troncs d'arbres, ses jambes sous un semis de poils noirs et drus.

Un frisson qui ne devait rien au froid la secoua de nouveau.

Son mari était un magnifique guerrier. Tout ce qu'une femme comme elle pouvait désirer. Il n'était pas parfait, non, mais magnifique tout de même.

Des cicatrices parsemaient l'intégralité de son corps, des chevilles à la nuque. Elle se découvrit impatiente de pouvoir explorer chacune d'elles avec ses doigts... et avec sa bouche.

Apprécierait-il ces attentions autant qu'elle avait apprécié les siennes ? La perspective de l'embrasser, d'avoir le goût de son corps sur ses lèvres, réveillait des parties d'elle-même auxquelles elle n'avait pas l'habitude de prêter attention.

Rionna baissa les yeux et prit définitivement conscience que plus un seul vêtement ne la recouvrait.

La caresse sensuelle des fourrures sur sa peau nue lui parut délicieusement insupportable. C'était tout son corps qui se trouvait dans un état d'hypersensibilité. Durs et dressés, ses mamelons semblaient supplier que Caelen se décide à les embrasser.

Sous l'effet de l'impatience, Rionna faillit se laisser aller à gémir. Il était vrai que son mari avait usé sur elle de sa bouche – et de sa langue ! – d'une manière qu'elle ne risquait pas d'oublier.

À cette évocation, elle sentit sa chair s'émouvoir au plus intime d'elle-même. Que lui arrivait-il donc pour que le fait de le voir et de se souvenir de ses caresses suffise à mettre son corps en émoi ?

Elle s'étira avec impatience dans le lit, incapable de demeurer plus longtemps immobile. Caelen l'entendit et se retourna pour lui faire face, nullement intimidé par sa totale nudité.

Rionna écarquilla les yeux en découvrant son membre viril, rigide et… dressé. Cet élément de son anatomie semblait aussi fier et farouche que le reste de sa personne. En relevant finalement les yeux pour chercher son regard, elle dut déglutir à plusieurs reprises.

— Ainsi, vous êtes éveillée, constata-t-il.

Rionna acquiesça d'un vague signe de tête.

— Pourquoi êtes-vous allée dormir dans cette chambre ridicule et dépourvue d'aération ? reprit-il. Vous vouliez vous cacher ?

Apparemment, cette éventualité semblait l'amuser. Rionna se rembrunit et se redressa, réalisant trop tard que dans le même mouvement elle dénudait sa poitrine.

— C'est ma chambre, répondit-elle. Où aurais-je pu aller dormir ?

Caelen arqua un sourcil, comme pour souligner l'absurdité d'une telle réponse.

— Je ne vous ai pas vu de la journée ! ajouta-t-elle d'un ton acerbe. Comment aurais-je pu savoir quelles étaient *vos* intentions ?

Caelen encercla entre le pouce et l'index la base de son sexe bandé et fit coulisser l'anneau ainsi formé vers le haut. Au sourire en coin qu'il lui lança, Rionna comprit que sa réponse allait la mettre en fureur.

— Aurais-je négligé ma nouvelle épouse ? s'interrogea-t-il d'une voix charmeuse. Et moi qui pensais me consacrer à d'importantes tâches, comme la prise en main de votre clan, afin d'asseoir sur lui mon autorité et d'organiser notre défense.

Rionna serra les fourrures entre ses doigts.

— Mon clan est aussi le vôtre, à présent. Et cessez de vous exprimer comme si vous nous faisiez une grande faveur. Les McCabe sont loin d'être perdants dans ce marché.

— Comme vous paraissez farouche, chère épouse ! lança-t-il en feignant d'être impressionné. Vous ai-je dit à quel point je vous trouve irrésistible quand vous me tenez tête ainsi ?

— Ce n'est pourtant pas mon but de vous séduire.

Tout sourire, Caelen s'approcha du lit, sans cesser de prodiguer avec sa main de curieuses caresses à son sexe dressé. Incapable de se focaliser sur autre chose, Rionna le regardait faire, le rouge aux joues.

— Que cela soit ou non votre but ne change rien à l'affaire, répliqua-t-il. Je deviens dur comme pierre chaque fois que vous ouvrez votre si jolie bouche.

Il dominait à présent le lit – et elle-même – de toute sa stature. Allongée devant lui, Rionna ne pouvait s'empêcher de se sentir faible et vulnérable. Le regard qu'il posait sur elle la rendait nerveuse. Elle crut y découvrir comme une promesse. Mais de quoi ? Elle n'aurait su le dire. En un geste réflexe, elle s'humecta les lèvres et ramena à elle les fourrures dont elle se couvrit.

— Inutile de cacher vos charmes, s'amusa-t-il. Je les aurai à ma merci bien assez tôt.

— Que voulez-vous dire ? s'étonna-t-elle, le souffle un peu court.

Il était vrai qu'elle avait du mal à respirer. Sa cage thoracique semblait emprisonner ses poumons. Si grande était sa tension intérieure qu'elle sentit la tête lui tourner.

Caelen retira les fourrures des doigts crispés de Rionna, les rabattit au pied du lit et répondit :

— Je veux dire que ce soir, je ne m'arrêterai pas avant d'avoir obtenu totale et parfaite satisfaction de mes désirs.

Les yeux brillants, il porta la main à l'un des seins de Rionna, dont il titilla le mamelon jusqu'à obtenir entre ses doigts un bourgeon de chair érigé.

— Et qu'en sera-t-il des miens ? s'enquit-elle.

L'homme paraissait si arrogant, si sûr de lui qu'elle n'avait pu s'empêcher de le provoquer.

— Je ne pense pas que vous aurez à vous plaindre, répliqua-t-il dans un sourire. Tout comme vous n'avez pas eu à vous plaindre la dernière fois.

Qu'aurait-elle pu répondre à cela ? Il avait raison.

Les jambes de Rionna se mirent à trembler, puis ses doigts. Des papillons prirent leur envol au creux de son ventre.

Caelen se pencha au-dessus d'elle, un genou glissé entre ses jambes. Il était si proche qu'elle pouvait sentir sur sa peau son souffle brûlant. Pourtant, au lieu de poser sa bouche sur la sienne, comme elle s'y attendait, il lui embrassa le cou.

Rionna eut l'impression d'être un fétu balayé par le vent dans un ciel d'orage. Elle renversa la tête en arrière afin de mieux se prêter à ses baisers.

— Vous avez une peau magnifique, susurra-t-il.

Sa voix rauque et basse fit vibrer sa peau. Rionna sentit tout son être se tendre, dans l'attente de savoir où l'emmèneraient ses prochains baisers.

Il la surprit en lui mordillant la base du cou, gentiment tout d'abord, puis un peu plus rudement.

— Et vous êtes aussi délicieuse à goûter qu'à regarder.

Fermant les yeux, elle lâcha un long soupir.

— Cher mari... votre bouche est aussi diaboliquement habile pour les baisers que pour les compliments.

— Et vous n'avez encore rien vu...

11

Rionna s'agrippa aux épaules de Caelen, ses doigts ancrés à ses muscles durcis. À la force des bras, elle se hissa vers lui, pressée de retrouver la caresse de ses lèvres sur les siennes. Des frissons de plaisir parcouraient sa peau nue comme les traces d'une averse à la surface d'un lac.

— C'est bien, femme... l'encouragea-t-il. Apprenez à compter sur moi.

Caelen s'abaissa de manière à la reposer sur le lit, où elle se rallongea en douceur.

— Aux yeux d'un homme, votre beauté est un festin.

— Dites-moi, demanda-t-elle avec une moue boudeuse, comment se fait-il que vous n'ayez de mots doux pour moi que dans le lit conjugal ?

Un sourire au coin des lèvres, il se redressa.

— Parce que c'est le seul endroit où vous vous montrez obéissante.

Elle lui assena dans l'épaule un petit coup de poing, qui ne l'ébranla en rien. D'un geste vif, Caelen s'empara de son poignet et l'immobilisa au-dessus de sa tête, tandis que son autre main cueillait l'un de ses seins.

Il le caressa paresseusement, traçant du bout des doigts de vagues cercles autour du mamelon. Puis il saisit entre le pouce et l'index le bourgeon de chair et le titilla, doucement d'abord, puis un peu plus fort, provoquant une vague de plaisir qui alla mourir au plus intime d'elle-même. Les cuisses serrées l'une contre l'autre, elle s'arc-bouta pour mieux s'offrir à lui.

Lentement, Caelen baissa la tête. Bientôt, son souffle chaud caressa son aréole. Rionna poussa un petit gémissement sourd. Elle se reconnut à peine dans cette manifestation d'impérieuse impatience.

Enfin, chaude et râpeuse, la langue de Caelen glissa le long de son sein, laissant une trace humide derrière elle. Il lui lâcha le poignet afin de pouvoir caresser ses deux seins simultanément.

Au bout d'un moment, il les pressa l'un contre l'autre et déposa un tendre baiser au sommet de chacun d'eux. La tête dressée, Rionna le regarda les embrasser avec passion. À chaque nouvel assaut de sa bouche, son corps se raidissait sous lui.

Incapable de résister à la tentation, elle plongea les doigts dans ses longs cheveux noirs. Elle caressa les tresses de guerre qui ornaient ses tempes et s'en servit pour le ramener à elle quand il fit mine de s'arrêter. Avec un petit rire ravi, il lui donna satisfaction.

— J'ai forte envie de goûter à vous de nouveau, murmura-t-il. De sentir votre miel sur ma langue.

Rionna ferma les yeux et laissa ses mains retomber tandis que Caelen se frayait un chemin de baisers le long de son ventre, jusqu'au pli de l'aine.

Il glissa sur le flanc et prit appui sur un coude. Sa grande main prit possession du pubis de Rionna. Ses doigts jouèrent dans sa toison. Elle était fascinée et mortifiée à la fois de le voir faire.

Une part d'elle-même aurait voulu serrer les jambes et se dérober à lui, une autre mourait d'envie de les écarter afin de lui faciliter la tâche.

Délicatement mais avec obstination, il la caressa si savamment que les plis de son intimité ne tardèrent pas à s'épanouir. D'un doigt, il descendait le long de son sexe puis remontait pour encercler le petit bourgeon de chair.

— Je n'y tiens plus, annonça-t-il d'une voix blanche. Je veux m'enfouir, me perdre en vous...

Rionna écarquilla les yeux, troublée par l'image que ces paroles suscitaient en elle. Elle baissa les yeux vers lui. Il releva la tête, et l'intensité de son regard la stupéfia.

La main de Caelen quitta l'entrejambe de Rionna et remonta le long de son ventre pour aller se placer sous un sein. Il se redressa pour l'embrasser, jusqu'à faire s'ériger le mamelon entre ses lèvres, puis il acheva de se redresser de manière que leurs bouches ne soient plus qu'à un souffle l'une de l'autre.

De l'index, il effleura sa joue.

— Je ne vous ferai pas mal, promit-il. Notre nuit de noces vous faisait peur, c'est pourquoi je ne vous ai pas brusquée. Je vous promets d'être aussi doux qu'un homme peut l'être lorsqu'il tremble de désir pour sa femme.

Rionna ouvrit la bouche pour assurer que rien ne lui faisait peur, mais la protestation mourut sur ses lèvres quand il s'en empara avec une infinie tendresse. Ses mains, ce faisant, parcouraient son corps, caressantes, apaisantes.

Sans cesser de l'embrasser, il parvint à se couler au-dessus d'elle. Son corps la recouvrait telle une chaude couverture. Une cuisse musclée s'insinua entre les siennes, les incitant à s'écarter.

Ses baisers lui faisaient tellement perdre la tête que Rionna ne comprit pas comment ce grand corps nu et musclé avait pu se retrouver si étroitement pressé contre le sien. Plus troublante encore était cette imposante partie de son anatomie qui s'était positionnée à l'entrée de son sexe.

En douceur, Caelen fit pénétrer en elle l'extrémité de son membre et s'arrêta, la laissant s'habituer à cette intrusion. Rionna retint son souffle. D'un regard apeuré, elle scruta son visage.

— Détendez-vous... conseilla-t-il en déposant un baiser au coin de ses lèvres. Ce sera plus facile si vous ne résistez pas. Je vous donnerai du plaisir. Je vous le jure.

— Dites-moi ce que je dois faire, répondit-elle dans un souffle.

— Enroulez vos jambes autour de moi et accrochez-vous à mes épaules.

Comme il le lui demandait, Rionna entoura ses jambes avec les siennes, laissant glisser ses chevilles le long de ses mollets durs et poilus, jusqu'au creux de ses genoux.

Ses mains paraissaient minuscules sur ses épaules. Ses doigts marquaient à peine sa chair. Non sans une certaine inquiétude, elle scruta une nouvelle fois son regard mais n'y découvrit que bienveillance. Cela la réconfortait de savoir qu'il s'efforçait de ne pas l'effrayer, et cela lui donnait du courage. Comment pourrait-elle l'inciter à respecter la femme indépendante qu'elle était si elle ne lui montrait pas de quel bois elle était faite ?

— Allez-y ! Qu'attendez-vous ? l'encouragea-t-elle effrontément.

De nouveau, elle sentit la pression qu'exerçait son membre viril au plus intime et au plus sensible d'elle-même.

Elle réprima un petit cri lorsque Caelen reprit très légèrement sa progression. Elle s'efforça en vain de se détendre afin d'accoutumer son corps à cette déstabilisante sensation.

Elle était tiraillée entre l'hésitation et l'impatience. Elle aurait voulu qu'il se retire, mais en même temps elle mourait d'envie qu'il continue.

Se mordant la lèvre inférieure, elle souleva son bassin afin de l'encourager à conclure.

— Ah, femme... murmura-t-il d'une voix tendue. Comme vous savez m'attirer à vous...

Caelen ferma les yeux. Un frisson fit trembler ses épaules. Sous ses doigts, elle le sentait frémir, tendu à l'extrême, comme s'il devait lutter de toutes ses forces pour se retenir.

Rionna lui caressa les épaules, puis les bras. Son cœur était en train de s'attendrir vis-à-vis de cet homme qui prenait si grand soin de ne pas la brusquer.

— Ça va aller, assura-t-elle. Je sais que vous ne voulez pas me faire mal.

Les lèvres blanchies de Caelen dessinaient un trait sur son visage figé par la concentration.

— Que je le veuille ou non n'y changera rien, répondit-il. Je dois percer votre hymen, et cela ne peut se faire sans douleur.

Du bout des lèvres, il caressa celles de Rionna et murmura :

— Vous m'en voyez fort désolé, mais il n'y a rien que je puisse y changer.

— Alors terminez-en ! Il n'y a aucune raison que nous soyons deux à souffrir. Je sens à quel point votre corps est crispé. Ce doit être déplaisant pour vous.

Un faible rire lui échappa.

— Vous n'avez pas idée à quel point ! lança-t-il.

Pour la première fois depuis leur mariage, Rionna se risqua à un geste tendre. Les mains autour du visage de son époux, elle caressa ses joues du bout des pouces, puis sa mâchoire carrée, ses lèvres.

Enfin, elle l'attira à elle pour un long baiser. Leurs langues se mêlèrent avec passion. Ce baiser était pour elle une véritable drogue, le nectar le plus doux auquel elle eût jamais goûté.

Rionna sentit son corps céder sous la pression. On aurait dit qu'une ardente épée – si dure et pourtant d'une douceur veloutée – la transperçait. Son corps résista d'instinct à l'intrusion, mais Caelen la retint en empoignant fermement ses hanches.

— Embrassez-moi ! ordonna-t-il. Ce sera vite terminé.

Alors que leurs bouches s'unissaient de nouveau, il donna un violent coup de reins. Rionna n'était pas préparée à la douleur. Elle s'était attendue à un élancement, peut-être vif, mais limité. Rien ne l'avait préparée à cet embrasement au creux de son ventre.

Elle ne put retenir un cri. Des larmes affluèrent à ses yeux. Brûlantes, elles dévalèrent ses joues.

Caelen s'était aussitôt immobilisé, enfoui profondément en elle. Les mâchoires serrées, il semblait souffrir lui aussi. Ses narines palpitaient. Il inspira profondément avant de vider tout l'air de ses poumons, plusieurs fois de suite.

Il déposa un baiser sur son front, ses paupières, chacune de ses pommettes, et même son nez. Puis il effaça sous ses lèvres les filets de larmes sur sa peau.

— Je suis désolé, s'excusa-t-il tout bas. Tellement désolé…

Son évidente sincérité émut Rionna. Un nœud se forma dans sa gorge, qui bloqua les paroles qu'elle aurait voulu prononcer.

Un grondement profond monta de la gorge de Caelen.

— Dites-moi quand cela ira mieux. Je ne bougerai pas tant que vous ne m'y autoriserez pas.

Elle tenta de faire jouer ses muscles intimes autour de son sexe en elle.

— Pour l'amour de Dieu, femme ! gémit-il. Ayez pitié !

Soulagée de constater qu'elle ne ressentait plus qu'une douleur sourde, elle dit en souriant :

— C'est déjà mieux.

— Merci mon Dieu… marmonna-t-il. Je ne pense pas pouvoir tenir beaucoup plus longtemps.

Rionna passa la main sur son front en sueur, plongea les doigts dans ses cheveux et l'attira à elle pour un rapide baiser, au terme duquel elle conclut :

— Finissez-en. Maintenant.

Avec une prudente lenteur, Caelen se retira. Rionna écarquilla les yeux tandis que l'assaillait une myriade de sensations nouvelles. L'inconfort était certes toujours là, mais une incroyable chaleur la gagnait qui ne devait rien à la souffrance.

— Doucement… chuchota-t-il. Prenez le temps qu'il faudra, et vous ressentirez du plaisir.

Caelen donna un nouveau coup de reins, beaucoup plus lent que le précédent, et avec une telle tendresse que Rionna laissa fuser un soupir. Plus que jamais, il paraissait déterminé à ce que l'expérience soit aussi agréable que possible pour elle.

Il titilla ses mamelons jusqu'à les faire se dresser. Ce faisant, il lui sourit, une lueur malicieuse au fond des yeux.

— Sentez-vous comme votre sexe devient glissant autour du mien ? Ces seins que vous essayiez de cacher à tout prix accroissent votre plaisir. Notre plaisir. Ils sont aussi beaux que vous l'êtes et sont les attributs de votre féminité. Ils sont doux, ainsi qu'une femme doit l'être, et agréables à regarder. Je ne découvre pas le moindre défaut en vous. Vous êtes la perfection faite femme, et moi je suis un homme qui a bien de la chance...

Rionna se promit non sans un certain amusement de lui rappeler ces tendres paroles, la prochaine fois qu'il la foudroierait du regard. En attendant, elle les garderait dans le secret de son cœur. Ainsi pourrait-elle s'imaginer être sa femme adorée, et non une étrangère épousée uniquement par devoir.

Keeley l'avait prévenue qu'un homme était capable d'en dire beaucoup sous l'empire de la passion, y compris des choses qu'il ne pensait pas forcément. Elle comprenait mieux à présent le sens de ses propos.

Caelen commença à aller et venir doucement en elle, avec plus de facilité qu'auparavant. Rionna comprit qu'il avait raison : son sexe s'était lubrifié lorsqu'il avait caressé ses seins. Ils avaient été pour elle durant si longtemps une telle source d'irritation qu'elle était émerveillée à présent de constater qu'ils avaient leur utilité.

Pour la première fois, sa féminité n'était plus un embarras pour elle. Sa beauté ne lui paraissait plus chose inconcevable, et elle pouvait même envisager de paraître à l'avenir plus douce, moins garçon manqué. Cela faisait du bien de se sentir femme entre les bras d'un farouche guerrier.

— Cela fait-il toujours mal ? s'inquiéta-t-il.

Avant de lui répondre, elle déposa un rapide baiser sur ses lèvres.

— Non. Vous vous y prenez très, très bien.

— Vous aussi, femme... Vous aussi.

Comme s'il n'y tenait plus, Caelen glissa ses mains en coupe sous ses fesses et l'attira à lui. D'un coup, il s'enfonça encore plus profondément en elle.

Le tendre guerrier qui avait pris toutes les précautions possibles pour ne pas lui faire mal avait disparu. Maintenant qu'il était rassuré sur son sort, il lâchait la bride à la passion, comme s'il s'agissait pour lui de la marquer comme sienne.

Caelen mordilla sa mâchoire, puis descendit le long de son cou. Son souffle brûlant traça un chemin de son oreille à son épaule.

Il la mordilla, la suçota, l'embrassa tant et si bien que Rionna fut convaincue qu'elle en garderait la trace durant des jours. Il était insatiable, comme s'il avait dû trop longtemps réprimer sa faim.

Elle rejeta la tête en arrière, se livrant à son pouvoir. Il avait réussi à éveiller d'étranges appétits en elle. Entre ses bras, elle éprouvait des sensations inédites. Elle désirait plus que tout lui appartenir. Elle voulait être chérie par lui.

Elle était sa femme, tout simplement. Elle préférait fermer les yeux sur les causes premières de leur mariage. Ce n'était pas parce qu'il avait mal débuté qu'il ne pouvait évoluer en une tout autre relation.

Et par-dessus tout, elle voulait qu'il l'aime. Oui : elle en mourait d'envie.

Désormais, elle le savait capable d'éprouver des sentiments. Même s'il refusait d'y croire, son cœur n'était pas imperméable à l'amour.

C'était à elle de le lui démontrer.

Caelen allait et venait de plus en plus vite, de plus en plus fort entre ses jambes. Refusant de demeurer passive, Rionna lui rendait chacune de ses caresses, chacun de ses baisers avec une égale ferveur.

Il la marquait comme sienne, mais elle était décidée à ne pas être en reste. Ce guerrier était à elle. Il était son époux, son amant. Jamais elle ne le laisserait lui échapper.

Caelen glissa une main entre leurs bas-ventres unis et la caressa du bout des doigts, tout en donnant un nouveau et vigoureux coup de reins.

Il n'en fallut pas davantage à Rionna pour perdre pied. La foudre tombant sur elle ne lui aurait pas fait plus d'effet. Après avoir senti tout son corps se tendre tel un arc, elle eut l'impression de fuser vers le ciel, de s'éparpiller en un million de lucioles à travers les étoiles.

Son esprit devint parfaitement inopérant l'espace de quelques instants. Tout ce qu'elle parvenait à percevoir, c'était l'incroyable plaisir qui inondait ses veines tel un miel brûlant.

Incapable de respirer, elle haletait, les narines palpitant sous l'effort qu'elle fournissait pour remplir ses poumons.

Rionna entendit Caelen pousser un cri. Il se raidit au-dessus d'elle, puis s'effondra, comme terrassé par le plaisir.

Son front alla s'enfoncer dans l'oreiller à côté de la tête de Rionna. Il glissa les mains sous ses reins pour la serrer plus fort contre lui, tremblant de tout son corps. Il semblait avoir autant de difficulté qu'elle à retrouver son souffle.

En souriant, Rionna noua les bras autour de la taille de son mari et lui rendit son étreinte. Elle ferma les yeux et posa la joue dans le creux de son cou, s'habituant à la sensation de leurs corps si étroitement imbriqués, sans rien pour les séparer.

12

Rionna s'éveilla baignée dans une bienfaisante chaleur. Elle agita les orteils et soupira d'aise au contact d'une fourrure épaisse. Ses paupières s'entrouvrirent et elle vit un grand feu flamber dans l'âtre. Elle n'était pas habituée à émerger du sommeil devant un tel spectacle.

Jetant un coup d'œil à côté d'elle, elle se découvrit seule.

Paresseusement, elle étendit ses membres jusqu'à la place que Caelen avait occupée et caressa d'une main l'oreiller où sa tête avait reposé.

Rionna ressentait encore les effets de leur fougueuse union. Au moindre mouvement, son entrejambe sensible l'élançait, et elle avait les muscles raides comme après une vigoureuse session d'entraînement à l'épée.

L'un dans l'autre, elle n'avait aucune envie de quitter son lit…

Oui, elle était endolorie, mais d'une manière délicieuse. Cette souffrance-là, elle aurait pu l'endurer encore et encore. Fermant les yeux, elle s'étira langoureusement. Aussitôt surgirent de sa mémoire des images explicites : Caelen au-dessus d'elle, en elle, roulant fougueusement des hanches, sa bouche si habile, si tendre, entre ses jambes...

Un bruit, venu de la porte, lui fit ouvrir les yeux et se redresser. Sarah passa la tête dans l'entrebâillement. En découvrant que Rionna ne dormait plus, elle entra et referma derrière elle.

— Je vois que tu es réveillée... dit-elle.

— Toujours aussi observatrice, répliqua Rionna.

Avec un claquement de langue agacé, Sarah la regarda fixement et annonça :

— Le laird a pensé que tu aimerais prendre un bain avant de passer à ta leçon. J'ai demandé qu'on vienne remplir le bac.

— Le bac ? Quel bac ?

Rionna se dressa sur son séant en ramenant les fourrures sur sa poitrine. Après s'être frotté les yeux, elle balaya la pièce du regard et finit par découvrir devant l'âtre une haute cuve en bois. Quand Caelen l'avait-il fait installer ? Sans doute la veille.

Puis, quelque chose dans ce qu'avait dit Sarah attira son attention.

— Ma leçon ? s'étonna-t-elle. Quelle leçon ?

Rionna fit passer ses jambes par-dessus le rebord du lit, sans cesser de dissimuler son corps nu sous les fourrures.

Sarah lui sourit :

— Le laird veut que nous t'apprenions, moi et d'autres femmes du clan, tout ce que la dame du château doit savoir de ses devoirs. Il dit qu'il est manifeste que tu n'as aucune connaissance en ce domaine, et qu'il est temps de t'y mettre.

Assise dans le bac, de l'eau jusqu'aux oreilles, Rionna fulminait en silence. Au terme d'une nuit paradisiaque, alors qu'elle pensait pouvoir repartir avec son mari sur de nouvelles bases, pouvoir compter sur son affection et son respect, voilà qu'il exigeait qu'elle se comporte en parfaite épouse docile.

Entendre, à côté d'elle, Sarah débiter la longue liste des exigences de Caelen n'arrangeait rien à l'affaire.

Elle ne devait plus s'habiller en homme, ni se livrer à des activités indignes d'une lady, comme par exemple manier l'épée ou se battre. Elle ne devait pas non plus se bander les seins.

En entendant cela, Rionna se sentit virer à l'écarlate. Il n'aurait pu l'humilier davantage.

— Ne fais pas cette tête ! protesta Sarah. Ce n'est pas comme s'il était allé crier cela sur les toits. Il m'a prise à part pour me dire tout ça. En précisant que ses instructions devaient rester secrètes.

Rionna laissa émerger sa bouche pour protester :

— Il aurait pu tout aussi bien me le dire lui-même !

Sarah pouffa de rire.

— Et tu l'aurais ignoré pour continuer à vivre ta vie comme à l'accoutumée.

— Qu'est-ce qu'elle a de si répréhensible, ma vie ? maugréa Rionna.

Pour toute réponse, Sarah lui renversa un seau sur la tête et la lui enfonça sous l'eau. Elle refit surface en toussant et en foudroyant du regard son aînée qui l'observait d'un air satisfait.

— Cela fait un moment que j'espère pouvoir te remettre les idées d'aplomb, dit-elle. Même s'il désapprouvait ton comportement, ton père ne faisait rien pour y remédier. C'était un paresseux qui aurait dû te reprendre en main bien avant que tu atteignes l'âge que tu as aujourd'hui. Quant à ta mère, elle aurait dû t'enseigner les devoirs de la dame du château, mais elle était trop occupée à essayer d'empêcher ton père de courir les jupons. On peut dire qu'ils ne t'ont pas donné le bon exemple, mais cela n'a plus d'importance. Je vais faire de toi la plus parfaite des épouses.

Ses paroles trahissaient une détermination sans faille. Rionna sentit le découragement la gagner.

— Pour commencer, ajouta Sarah, nous allons prendre tes mesures afin de te tailler de nouvelles robes. À présent que tes seins ne seront plus comprimés, les tiennes ne vont plus t'aller. Trois femmes travaillent déjà sur une des robes de ta mère. Quelques retouches ici ou là, et tu auras de quoi te vêtir en attendant que ta garde-robe soit prête.

— Nous n'avons pas l'argent qu'il faut pour ça, objecta Rionna d'un air sombre.

Sarah secoua la tête.

— Ne t'inquiète pas pour ça. Le laird attend l'aide de ses frères dans les semaines à venir. Il m'a certifié qu'il avait fait passer le mot pour que tu puisses disposer des vêtements chauds et de tous les accessoires qui conviennent à une lady.

— Tous les accessoires qui conviennent à une lady... répéta Rionna, ironique.

— Silence, maintenant ! Cela se passera mieux pour toi si tu fais contre mauvaise fortune bon cœur.

— Laisse-moi au moins bouder un peu. J'ai compris que tu as les pleins pouvoirs, mais tu sais que je ne peux pas aimer ça.

Sarah se pencha pour lui caresser la joue.

— Je t'ai toujours aimée comme si tu étais ma propre fille, dit-elle. Et désormais je te traiterai comme telle. Ce qui veut dire que je n'hésiterai pas à te corriger si tu me parles mal.

Rionna grimaça.

— Que penses-tu du nouveau laird ? demanda-t-elle.

Sarah pencha la tête sur le côté, perdue dans ses pensées.

— Je pense que c'est un homme un peu rude mais loyal. Il nous faudra du temps pour nous habituer à lui, mais une fois que ce sera fait, notre clan sera devenu meilleur.

— C'est ce que je pense aussi, admit Rionna avec réticence. Je voudrais juste...

Comme elle ne finissait pas sa phrase, Sarah demanda :

— Que voudrais-tu, petite ?

Rionna pinça les lèvres, décidée à ne pas trahir la moindre faiblesse. Elle entretenait des rêves qui n'étaient plus de son âge.

— Peu importe ce que je voudrais, soupira-t-elle. C'est ce que le laird désire qui compte.

Campé au milieu de la cour, bras croisés, visage fermé, Caelen observait les guerriers du clan McDonald à l'entraînement. À son côté, Gannon secouait de temps à autre la tête d'un air dépité.

— Nous n'aurons jamais le temps de faire de ces hommes une armée digne de ce nom, commenta-t-il. Et face à Cameron, nous n'aurons aucune chance.

— Je n'ai pas dit mon dernier mot, répliqua fermement Caelen. Ils ont toutes les capacités pour devenir de bons guerriers. Ils manquent simplement d'entraînement.

— Le meilleur d'entre eux est une femme ! fit valoir Gannon d'un air dégoûté. Tu ne peux avoir oublié que Rionna a triomphé de Diormid...

Caelen se rembrunit. Il n'avait pas besoin qu'on lui rappelle les prouesses de sa femme à l'épée. Il n'avait nullement l'intention de la laisser se faire tuer. Dès qu'il lui aurait fait un enfant, elle s'assagirait et se tournerait vers des centres d'intérêt plus féminins.

— Indique-moi les plus influents, ordonna-t-il à Gannon. Il est manifeste que, pour le moment, ils ne reconnaissent en rien mon autorité. J'irai plaider ma cause auprès de l'aîné d'entre eux.

— Je les ai observés, murmura Gannon. C'est Simon McDonald qui a le plus d'influence au sein du clan. Les hommes l'écoutent et lui demandent conseil. Arlen McDonald, un autre ancien, est très apprécié par les plus jeunes guerriers. Il est virtuose à l'épée.

— Dis-leur que je veux les rencontrer dans la grande salle. Invite-les à déjeuner avec nous, nous discuterons en mangeant. Il nous faudra séparer les guerriers en petits groupes pour un entraînement plus efficace. J'aurai besoin de l'aide des hommes en position de commander si nous voulons arriver à quelque chose.

— D'accord, approuva Gannon en opinant du chef. Mais ce ne sera pas une tâche facile.

Caelen adressa à son bras droit un sourire ironique.

— Ce n'est pas toi qui désirais un nouveau défi ?

Gannon le regarda d'un air maussade.

— Quand je disais cela, je ne pensais pas devoir sortir du néant toute une armée...

Caelen poussa un soupir et reconnut :

— Moi non plus. Pour être franc, je ne sais par où commencer, tant la tâche qui nous attend est colossale.

— Nous y arriverons, assura Gannon en lui donnant une tape amicale sur l'épaule. Si quelqu'un est de taille à relever ce défi, c'est bien toi !

Caelen reporta son attention sur les guerriers à l'entraînement et fit la grimace. Il espérait que

Gannon ne se trompait pas. Les semaines à venir s'annonçaient éreintantes, et ses seules chances de succès reposaient sur sa capacité à emporter l'adhésion de son nouveau clan.

Mais, jusqu'à présent, il n'avait suscité que méfiance et suspicion.

— Va trouver Simon et Arlen, conclut-il. Je les attendrai à l'intérieur.

En pénétrant dans le château, Caelen observa le ballet des servantes qui allaient et venaient. Du regard, il chercha sa femme mais ne la trouva pas, pas davantage que Sarah qui lui avait promis de la prendre sous son aile et de la guider en douceur.

À son entrée dans la grande salle, il trouva celle-ci complètement vide. Sachant que midi approchait, il fronça les sourcils. Aucun indice ne suggérait qu'un repas était sur le point d'être servi. Il n'y avait pas de feu dans l'âtre. Aucune odeur alléchante ne parvenait des cuisines. Les tables n'étaient pas dressées.

Caelen ignorait même qui il aurait pu appeler pour avoir des explications. Dépité, il se dirigea vers une porte entrouverte d'où s'échappait un brouhaha de voix féminines.

En pénétrant dans la pièce – une sorte de buanderie –, il découvrit sa femme en proie à une vive agitation. Les mains sur les hanches, rouge d'indignation, elle dévisageait Sarah d'un air furibond.

Bien qu'un peu passée, la robe qu'elle portait lui allait à ravir. Le corset était un peu trop serré, de telle sorte que le décolleté brodé mettait particulièrement en valeur ses seins généreux. Ainsi parée, elle était… magnifique. Il lui aurait été difficile de reconnaître en elle le garçon manqué qu'il avait connu, au visage et aux mains sales, à la poitrine plate et aux cheveux plaqués sur la tête.

Menue et féminine, elle incarnait jusqu'au bout des ongles la dame du château qu'elle était devenue. Par sa beauté, elle rivalisait sans problème avec Mairin et Keeley.

Du moins en fut-il ainsi tant qu'elle n'ouvrit pas la bouche pour laisser fuser un chapelet de jurons dont Caelen était certain que ses belles-sœurs ignoraient tout.

Elle l'aperçut alors sur le seuil. Elle referma la bouche aussitôt, mais lui lança un regard noir, comme si son intrusion la mettait hors d'elle. Caelen arqua un sourcil. S'il espérait qu'elle s'excuse, il pourrait attendre longtemps.

Rionna serra les poings, si fort que ses ongles devaient mordre ses paumes. Ses yeux – une étrange mixture d'ambre et d'or – lançaient des éclairs.

— Venez-vous m'espionner, cher époux ? s'enquit-elle sèchement.

Lèvres pincées, Caelen la foudroya du regard à son tour et répliqua :

— Je viens voir pourquoi aucun repas n'est sur le point d'être servi dans la grande salle. Les soldats doivent être affamés. Tout comme moi.

Rionna le dévisageait, le front plissé par la perplexité. Les autres femmes faisaient de même, comme s'il venait de proférer une énormité.

Sarah fut la première à retrouver sa langue. Après avoir jeté un coup d'œil à Rionna, elle s'avança d'un pas et répondit :

— Nous ne servons jamais de repas le midi, laird…

— Y a-t-il une raison particulière à cela ? maugréa-t-il en se rembrunissant davantage. Les hommes doivent manger à leur faim. Ils doivent recouvrer leurs forces, surtout à présent qu'ils s'entraînent plus dur qu'avant.

144

Rionna s'éclaircit la voix.

— Ce que Sarah essaie de vous faire comprendre, c'est que nous n'avons pas de quoi préparer un repas le midi. Nous déjeunons le matin avec un peu de pain et de fromage si nous en avons à partager, et nous finissons la journée avec ce que nous avons pu chasser.

— Et quand la chasse ne donne rien ?

— Dans ce cas, nous ne mangeons pas, répondit-elle simplement.

Caelen secoua la tête avec stupeur. Rien de tout cela n'avait de sens. Les McDonald avaient beau ne pas avoir la meilleure réputation qui soit sur le plan militaire, ils tenaient leur place parmi les clans d'Écosse.

— Votre père a parié avec mon frère trois mois de ravitaillement tiré de ses réserves... objecta-t-il.

— Il aurait été bien en peine d'honorer sa dette de jeu, répliqua-t-elle amèrement. Il nous a laissés sans rien dans le garde-manger et sans le moindre argent pour commercer avec d'autres clans.

Caelen retint un juron.

— Montrez-moi votre cellier ! ordonna-t-il.

Haussant les épaules, Rionna tourna les talons et le précéda, au-delà de la grande salle et des cuisines, jusqu'à une petite pièce à demi enterrée. Descendant les quelques marches, Caelen observa avec consternation les rangées d'étagères parfaitement vides.

Les McDonald étaient plus pauvres encore que son propre clan l'avait été avant que son frère n'épouse Mairin.

— C'est parfaitement inacceptable ! lança-t-il d'une voix grondante de colère. Les gens doivent manger.

— Nous sommes habitués à survivre de peu, répondit Rionna d'un air détaché. Et ce depuis quelques années déjà.

— Votre père était donc un tel bon à rien ?

— Mon père ne se souciait que de son propre plaisir et de remplir son propre ventre.

— C'est miracle que vous n'ayez pas été envahis ! Vous faisiez une proie toute désignée.

Le dégoût de Caelen était manifeste.

Les yeux plissés, Rionna rétorqua avec fureur :

— C'est de *votre* clan dont vous parlez avec un tel dédain.

— Absolument pas ! C'est pour votre père que j'ai du mépris. C'est un péché pour un homme de ne pas veiller au bien-être de son clan. Les enfants ont-ils eux aussi à subir ce traitement ? Ainsi que les vieux, les malades ?

Rionna soupira longuement.

— Il ne sert à rien de laisser libre cours à votre courroux. L'homme qui en est l'objet n'est pas présent. Mon clan a assez souffert comme cela sans avoir à subir vos reproches.

Caelen laissa fuser un grognement et tourna les talons.

— Où allez-vous ? lui cria-t-elle en le voyant s'éloigner en trombe.

— À la chasse ! lança-t-il sans se retourner.

13

— Contrordre ! annonça Caelen en rejoignant son bras droit dans la cour. Demande à Simon et Arlen de choisir leurs meilleurs chasseurs et préparez les chevaux.

Gannon l'observa d'un air intrigué, mais se garda de tout commentaire avant d'aller exécuter ses ordres.

Quelques minutes plus tard, il revint à la tête d'un groupe de guerriers.

— Nous allons chasser, McCabe ? s'enquit Simon.

Caelen plissa les yeux et soutint son regard sans ciller. Ce n'était pas le moment de montrer la moindre faiblesse. S'il commettait cette erreur, il aurait définitivement perdu aux yeux de ses hommes toute crédibilité. Peut-être ne parviendrait-il pas à se faire aimer d'eux, mais il devait gagner leur respect.

Avant que quiconque ait pu se rendre compte de quoi que ce soit, Caelen avait dégainé son épée. La lame fendit l'air et vint pointer sur la gorge du vieil homme.

Simon cligna des yeux sous l'effet de la surprise, n'osant plus bouger.

— J'exige qu'on me donne mon titre quand on s'adresse à moi ! lança Caelen. Tu n'aimes peut-être pas le fait qu'un McCabe ait pu remplacer un McDonald, mais tu accorderas à ton laird le respect qui lui est dû ou tu iras mordre la poussière.

— Tu peux toujours essayer... marmonna Simon.

Bien que sous la menace d'une arme, l'homme ne manquait pas de cran.

Caelen baissa lentement son épée, puis il la jeta à Gannon qui la réceptionna. Sans quitter Simon du regard, il laissa un sourire satisfait jouer sur ses lèvres et répliqua :

— Je vais faire bien plus qu'essayer, vieillard !

Sans crier gare, Simon chargea. Les hommes présents dans la cour s'attroupèrent autour d'eux, alléchés par la perspective d'un combat.

Simon réussit à bousculer Caelen en lui plantant son épaule dans l'abdomen, le faisant reculer de quelques pas sans pour autant le déséquilibrer.

Des cris s'élevaient pour encourager Simon.

— Tue-le ! éructait l'un.

— Montre-lui ce que nous pensons de notre nouveau laird ! s'époumonait un autre.

Alors que son adversaire chargeait de nouveau, Caelen pivota sur lui-même, attrapant ce faisant Simon par la taille. Saisi en plein élan, celui-ci perdit l'équilibre avec lui et tous deux allèrent rouler sur le sol.

Simon parvint à assener à Caelen un coup de poing dans le menton, le surprenant suffisamment pour échapper à sa prise. Les deux guerriers se remirent debout et se firent face en décrivant un cercle. De temps à autre, ils feintaient d'un côté ou de l'autre pour se jauger.

Caelen fut le premier à rompre ce *statu quo*. Simon reçut de plein fouet un coup de poing au menton qui le fit tituber en arrière. Un filet de sang se mit à couler de sa bouche, qu'il essuya d'un revers de main.

— Voyons maintenant ce que tu as dans le ventre, McCabe ! lança-t-il avec un rictus haineux.

Sur ce, il bondit en avant, entoura de ses bras la taille de Caelen et l'entraîna avec lui dans la neige fraîche. Caelen eut le souffle coupé par la violence de l'impact. De justesse, il parvint à amortir un nouveau coup de poing en déportant la tête sur le côté. Il n'en sentit pas moins le goût du sang dans sa bouche.

Il logea son genou dans le ventre de son adversaire et d'une brusque détente l'envoya bouler à quelques pas. Il se redressa vivement et regarda le vieil homme se remettre péniblement debout.

— Que cherches-tu ? aboya Caelen. Votre ancien laird ne valait pas l'air qu'il respirait ! Il a laissé votre clan dans une misère noire. Et en se déshonorant, il a couvert votre nom de honte !

Simon cracha du sang dans la neige avant de répondre.

— Nous ne t'avons pas choisi. Oui, notre ancien laird ne méritait pas de diriger notre clan. Mais tu n'as pas toi-même fait la preuve que tu en es capable. Tu débarques ici en terrain conquis et tu lances des ordres par le bon plaisir d'un roi qui n'a pas daigné nous signifier lui-même son décret...

— Tu ne traites pas Rionna avec le respect qui lui est dû ! renchérit James dans la foule.

— Oui, c'est bien vrai ! approuvèrent plusieurs autres.

Simon hocha la tête et reprit :

— Rionna est une brave fille qui n'a en tête que le bien de son clan. Elle s'est battue à nos côtés. Elle se prive de tout quand nous devons nous priver. Elle est viscéralement loyale à son clan. Elle mérite un mari qui la chérira à sa juste valeur, qui la verra pour le trésor qu'elle est...

Caelen tira avantage de la distraction du vieil homme pour lancer une nouvelle charge. Simon tomba face la première et il l'immobilisa en coinçant son genou au creux de son dos. Puis, empoignant rudement la tignasse de son adversaire, il lui souleva la tête pour sortir son visage de la neige.

— Est-ce comme cela qu'on se bat chez les McDonald ? demanda-t-il d'un ton caustique. Vous permettez à vos femmes de se battre à votre place ? Rionna est fille de laird. Elle est à présent l'épouse de votre nouveau laird. Vous pensez donc qu'elle n'a rien de mieux à faire que se battre, une épée à la main, habillée en homme ? Elle pourrait se faire tuer, ou être grièvement blessée... Si elle est un trésor, comme vous dites, ne serait-il pas plus sage de la garder à l'abri des murailles du château ? Comment osez-vous réclamer le respect pour elle, alors que vous-même ne lui témoignez pas celui qui est dû à son rang ?

Caelen lâcha la tête de Simon et se redressa, dominant son adversaire de toute sa taille.

— Les femmes doivent être protégées, enchaîna-t-il. Tout homme digne de ce nom doit veiller à leur bien-être et à ce qu'elles ne manquent de rien. Le jour où je me résignerai à ce qu'une femme fasse mon devoir à ma place, qu'on cesse de me considérer comme un guerrier !

Simon se remit debout en grimaçant de douleur et épousseta la neige de ses vêtements.

— Voilà qui est parlé, reconnut-il. Mais Rionna... est différente des autres femmes, laird.

D'un grognement de satisfaction, Caelen salua l'effort de politesse fait par son adversaire.

— Oui, je m'en suis aperçu, admit-il. Je ne peux nier qu'elle est une femme... spéciale. Mais il n'est pas trop tard pour lui enseigner comment doit se comporter une épouse de laird. Bientôt, elle portera mon enfant, votre prochain laird. Accepteriez-vous qu'elle mette en danger la vie de cet enfant en la laissant brandir l'épée et se battre comme un homme ?

Un murmure d'approbation se répandit à travers la foule d'hommes rassemblés, mais tous n'étaient pas convaincus. Qu'ils puissent comprendre le besoin de garder Rionna à l'abri ne signifiait pas pour autant qu'ils acceptaient de le considérer comme leur laird.

Pour cela, il leur faudrait du temps. Et s'il s'agissait de transformer rapidement cette troupe hétéroclite en force militaire, Caelen ne disposait pas du temps nécessaire.

— Où allons-nous, laird ? ajouta Simon.

Beaucoup de ceux qui l'écoutaient n'approuvaient pas ce revirement d'attitude. Nombre d'entre eux se rembrunirent et secouèrent la tête avant de tourner le dos et de s'éloigner, en une claire manifestation d'hostilité.

— Nous partons chasser, annonça Caelen. Nos réserves sont vides. Nos femmes et nos enfants vont le ventre vide pendant que nous restons ici à nous conduire comme des insensés. De plus, un rude entraînement nous attend. Nos hommes vont avoir besoin de se nourrir correctement pour garder leurs forces. Je vais vous mener la vie dure. Je compte faire de vous des guerriers invincibles.

— Mon fils James est un bon archer, indiqua Simon. C'est notre meilleur chasseur.

— Alors il est le bienvenu, répondit Caelen. Rassemblez vos plus habiles chasseurs, toi et Arlen. Nous partirons dès que nous serons prêts.

Simon acquiesça d'un hochement de tête et commença à s'éloigner mais, pris d'un remords, il se retourna. Caelen le vit ouvrir la bouche, comme s'il hésitait.

— Parle ! lui ordonna-t-il. Il est évident que tu as encore quelque chose sur le cœur.

— Essayez d'être patient avec Rionna, dit enfin Simon. Elle a toujours vécu ainsi et ne connaît pas autre chose, mais son cœur est pur et juste.

Caelen se renfrogna. Il lui déplaisait qu'on l'abreuve de conseils sur l'art et la manière de traiter sa femme. Même son frère s'était cru autorisé à le faire après en avoir épousé une autre. Mais il était vrai qu'Alaric se vantait d'être un expert, concernant la gent féminine.

— Ce dont ma femme a besoin, répliqua-t-il, c'est d'une main ferme pour la guider. Voilà trop longtemps qu'on la laisse n'en faire qu'à sa tête.

À ces mots, des ricanements s'élevèrent. Même Simon se mit à rire sous cape.

— Alors je vous souhaite bonne chance, laird... conclut-il tranquillement. Quelque chose me dit que vous allez en avoir besoin.

14

Debout dans l'embrasure d'une fenêtre de la tour de garde, Rionna contemplait le paysage enneigé. Cela faisait trois jours que le groupe conduit par Caelen était parti, et il n'y avait toujours aucun signe de leur retour.

Le premier soir, un des plus jeunes chasseurs était revenu porter au clan un cerf de bonne taille. Caelen avait donné ses instructions pour que la viande soit correctement débitée, salée et stockée, sans oublier de préciser que les femmes et les enfants devaient en recevoir de généreuses portions.

Le messager était reparti en indiquant que la chasse se poursuivrait tant que les réserves du clan n'auraient pas été reconstituées.

Délaissant l'horizon immaculé, Rionna reporta son attention sur les guerriers qui s'entraînaient dans la cour, selon les ordres laissés par le nouveau laird. Trois jours durant, elle avait résisté à la tentation de se joindre à eux. À la place, elle devait rester claquemurée à l'intérieur et subir d'interminables cours d'économie domestique, sans parler des ennuyeuses leçons de savoir-vivre et d'étiquette. Que lui importait de savoir comment saluer des hôtes de qualité, puisque aucun hôte de ce genre n'était jamais accueilli ici ?

Il paraissait évident que son mari ne rentrerait pas plus ce jour-là que les précédents, et il restait encore quelques heures avant la tombée de la nuit. Plus que jamais, la tentation d'aller dans la cour se défouler en maniant l'épée la tenaillait.

Le problème était que Sarah n'aurait aucun scrupule à la dénoncer à son mari. Ce qui signifiait qu'elle devait se faufiler dans la cour sans se faire repérer, après avoir fait croire à Sarah qu'elle se retirait dans sa chambre.

Rionna se détourna de la fenêtre et resserra les pans de sa cape autour d'elle en entamant la descente de l'escalier de la tour. En bas, elle croisa l'une des servantes à qui Sarah avait manifestement demandé de la tenir à l'œil.

— Je me retire dans ma chambre, lui annonça-t-elle.

— Vous ne vous sentez pas bien, milady ?

Rionna adressa un sourire rassurant à la jeune femme, guère plus âgée qu'elle.

— Tout va bien. Juste un peu fatiguée.

Béatrice lui rendit son sourire et dit d'un air complice :

— Vous ne dormez pas bien depuis le départ du laird, hein ? Il sera bientôt de retour, milady. Avec suffisamment de viande pour nous faire tenir tout l'hiver.

Rionna lui répondit d'un pâle sourire, avant de regagner la chambre qu'elle partageait avec Caelen. Même si les hommes du clan ne le reconnaissaient pas encore comme leur laird, les femmes ne nourrissaient pas de telles hésitations. Toutes étaient persuadées qu'il était l'homme de la situation et qu'il ferait le nécessaire pour regarnir le cellier autant que pour restaurer la puissance perdue des McDonald.

Rionna supposait que s'il parvenait à ses fins, elle n'aurait plus à se plaindre de ce mariage. Peut-être...

En pénétrant dans la chambre où elle avait dormi seule les trois nuits précédentes, elle s'étonna de l'empreinte qu'en si peu de temps son mari avait réussi à y imprimer. Il avait suffi de peu de choses, car il ne s'était pas encombré de bagages pour voyager depuis chez lui.

À cette pièce auparavant nue et quelconque, il avait réussi à conférer une ambiance masculine, comme s'il avait imprégné ses murs de sa propre essence.

Des fourrures qu'il avait apportées de chez les McCabe garnissaient le lit. Elles étaient si chaudes et si épaisses que Rionna aurait eu du mal à s'en passer désormais. Même celles qui masquaient les fenêtres avaient été remplacées par les siennes.

Près de l'âtre se trouvait une petite table qui lui servait d'écritoire et sur laquelle se trouvaient ses rouleaux, son encrier et sa plume. Ces documents éveillaient sa curiosité. Elle aurait bien aimé savoir ce qu'ils contenaient, mais elle était incapable de les déchiffrer. Que son mari puisse être suffisamment éduqué pour savoir lire et écrire la surprenait et l'intriguait tout autant.

Caelen était un homme à multiples facettes qu'elle ne connaissait pas toutes. C'était assez frustrant pour elle, car elle aurait voulu tout savoir de l'homme qu'elle avait épousé.

D'un pas décidé, Rionna rejoignit la malle contenant les robes que l'on avait retouchées pour elle. Après avoir tâtonné entre le fond du meuble et le mur, elle en retira le pantalon et la tunique qu'elle avait réussi à y cacher.

Entre ses doigts, elle palpa avec plaisir le tissu usé, confortable et familier. Saisie par l'urgence, elle se déshabilla en toute hâte et enfila sa tenue favorite.

Une fois habillée, elle alla chercher ses bottes dans le coin où elle les avait rangées. Avant de les chausser, elle prit soin d'enfiler ses chaussettes chaudes.

L'épaisseur de la laine comprimait ses pieds sans altérer son confort. Et, plus important encore, ils étaient au chaud.

Ensuite, elle vola presque jusqu'à l'endroit où Caelen avait remisé son épée. Elle lui était reconnaissante de ne pas la lui avoir confisquée pour la faire fondre. Cela aurait été un crime de détruire une si belle arme.

Serrant religieusement la poignée entre ses doigts, Rionna décrocha l'épée de son support. La sentir peser au bout de son bras lui procurait une sensation de plaisir indicible. Ses cannelures avaient spécialement été étudiées pour lui permettre une prise aisée. Elle était suffisamment légère pour ne pas entraver son agilité, mais assez lourde pour infliger un coup mortel. Avec le gras du pouce, elle testa l'affûtage et le trouva satisfaisant.

Restait à présent à se faufiler dans l'escalier en espérant ne pas se faire remarquer par Sarah.

Quelques minutes plus tard, elle parvint sans encombre dans la cour et fendit la foule des hommes rassemblés pour se positionner de manière à ne pas être visible depuis la porte du château. Si Sarah la cherchait, elle préférait rester cachée.

L'accueil mitigé que lui réservèrent les guerriers la surprit immédiatement. Certains étaient heureux de la revoir et la saluaient gaiement, mais la plupart semblaient mal à l'aise et échangeaient des regards gênés. Quelques-uns, plus audacieux, vinrent lui barrer le passage. Leur attitude n'était en rien agressive, mais ils n'en paraissaient pas moins déterminés.

Mais, plus que déterminés encore, ils semblaient inquiets et décidés à la protéger.

Hugh McDonald, le visage sombre, déglutit péniblement avant de lui dire :

— Rionna... il vaudrait sans doute mieux que tu restes à l'intérieur. Il fait froid, aujourd'hui. Et puis... tu ne devrais pas t'habiller ainsi.

Rionna demeura bouche bée. C'était Hugh qui lui avait appris presque tout ce qu'elle savait de l'art de se battre. Elle aurait été incapable de compter le nombre de fois où il l'avait fait tomber sur les fesses et où il lui avait tendu la main pour l'aider à se relever et reprendre l'entraînement, encore et encore.

— Il vous a eus, n'est-ce pas ? demanda-t-elle en le fixant au fond des yeux. Il n'est là que depuis une semaine et il est déjà parvenu à vous monter contre moi !

Hugh éleva devant lui une main apaisante.

— Du calme, Rionna. Ça ne s'est pas du tout passé comme ça. Le laird nous a fait comprendre qu'il n'est pas dans ton intérêt de continuer à t'entraîner avec nous. Ce n'est pas une activité convenable pour une femme.

Rionna vit rouge et dégaina son épée.

— Et serait-il convenable, pour une femme, de te faire ravaler tes paroles ?

Hugh écarta les bras pour retenir ses compagnons et annonça :

— Celui qui lèvera son arme contre elle aura affaire à moi.

Un sentiment de trahison s'abattit sur elle.

— Tu... Tu leur interdirais de s'entraîner avec moi ?

Hugh donnait l'impression d'avoir avalé une masse d'armes.

— Je suis désolé, petite… s'excusa-t-il en baissant les yeux. Mis à part que le laird réclamerait ma peau si je te laissais faire, je ne me le pardonnerais pas s'il vous arrivait malheur, à toi ou à l'enfant que tu portes peut-être déjà.

Rionna ferma les yeux et se détourna. La consternation la laissait vide, désemparée. Des larmes brûlantes s'accumulaient derrière ses paupières.

— Donne-moi ton épée, ordonna Hugh. Je la mettrai de côté.

Rionna se retourna et vit derrière lui tous les autres, unis comme un seul homme, qui l'approuvaient. Personne ne prendrait sa défense, et aucun d'eux ne voudrait s'entraîner avec elle. Ravalant ses larmes, elle rejoignit le maître d'armes et lui tendit docilement son épée. Celui-ci s'en saisit et la passa à un de ses voisins. Elle n'attendit pas de voir ce qu'ils en faisaient. Elle tourna les talons et prit le chemin d'une poterne donnant sur l'extérieur, sans se retourner.

Sa poitrine lui semblait sur le point d'éclater. Le vent glaçait ses joues humides de larmes qui s'étaient mises à couler sans qu'elle s'en aperçoive. Le sentiment de perte qu'elle éprouvait lui procurait une souffrance presque physique. La rebuffade avait ouvert en elle une plaie profonde.

Surtout, elle se sentait trahie. Plus jamais sa vie ne pourrait être la même. Les gens qu'elle aimait, et qui l'aimaient, s'étaient retournés contre elle en adoptant les vues de son mari.

Comme elle regrettait les jours bénis où sa liberté n'avait été entravée que par la nécessité d'éviter son père autant que possible… Mais ce qui lui manquerait le plus, c'était le sentiment de triomphe qui l'envahissait dès qu'elle avait le dessus sur l'un des hommes du clan.

Hors du château, une épée à la main, elle n'avait plus aucun défaut et ne se sentait plus inadéquate. Elle était juste une fine lame parmi d'autres, déterminée, et non une faible femme à protéger.

Elle n'était pas douée pour minauder ou jouer les timides, et n'avait pas les talents nécessaires pour ne pas se ridiculiser en société et embarrasser les siens. C'était pour cette raison que son père ne s'était jamais empressé de la mettre en présence de gens d'importance.

Rionna dévala la colline jusqu'au ruisseau situé entre les deux lochs que comptaient les terres du clan. Avec les rives prises sous la glace et l'eau vive qui coulait au centre sur son lit de pierres, le spectacle était agréable et reposant. Un manteau de neige immaculée recouvrait les deux berges et le paysage environnant.

Parvenue au bord de l'eau, elle s'arrêta et serra les bras contre elle. Fermant les yeux, elle inspira à pleins poumons l'air vif et sec de l'hiver. Des voiles de fumée échappés des cheminées du château dérivaient jusqu'à ses narines. Des relents de viande grillée avaient recommencé à s'y mêler, ce qui n'était pas arrivé depuis longtemps.

Rionna s'abîma dans ses pensées. Combien de temps resta-t-elle ainsi à contempler le ruisseau prisonnier de ses berges glacées ? Elle n'aurait su le dire. Mais, au terme de ses cogitations, frissonnant sous la morsure du froid, elle comprit que ce n'était pas la perte de sa liberté qu'elle redoutait tant. Ce qu'elle éprouvait par-dessus tout, c'était la peur de l'inconnu.

En fait, elle se conduisait comme une enfant maussade à qui l'on aurait pris son jouet préféré. Elle pouvait tout à fait être partie prenante de la résurrection de son clan. Peut-être pas dans le domaine où elle était la plus douée, mais tout le monde ne devait-il pas s'habituer au changement ? Elle n'était pas la seule à qui cela ne plaisait pas.

Si son mari voulait une parfaite épouse, une maison bien tenue, un modèle de grâce féminine à ses côtés, elle lui donnerait tout cela, même s'il lui en coûtait.

Et elle s'efforcerait de ne pas être un motif de honte pour lui.

Rionna redressa le menton, alertée par un bruit de galop, et porta le regard de l'autre côté du ruisseau. Avec un coup au cœur, elle constata que des cavaliers venaient de surgir d'un bois tout proche et fonçaient sur elle.

En hâte, elle pivota et lâcha un cri juste au moment où les chevaux entraient dans le ruisseau. Sachant qu'elle n'aurait pas le temps de gravir la pente pour rejoindre le château, elle préféra se mettre à courir le long de la berge.

Elle ouvrit la bouche pour crier plus fort encore, priant pour que les hommes du clan l'entendent à une telle distance, mais une botte vint lui percuter le dos, la faisant s'étaler de tout son long sur le sol.

Elle atterrit face la première dans la neige, avec une telle force que le choc lui coupa la respiration.

Ignorant la douleur, elle prit appui sur ses bras, se redressa d'un bond et se remit à courir.

Par-derrière, une main lui agrippa les cheveux, tira d'un coup sec et la fit tomber sur le dos. Rionna grimaça de douleur et ferma les yeux pour ne pas pleurer. Lorsqu'elle les rouvrit, elle vit que cinq hommes l'entouraient.

Le goût abject de la peur emplissait sa gorge. Elle s'efforça de soutenir leurs regards sans ciller, pour ne pas leur montrer à quel point elle était terrifiée.

— Que me voulez-vous ? demanda-t-elle.

L'homme qui ne lui avait pas lâché les cheveux lui intima le silence en la giflant deux fois de suite, à la volée. Rendue furieuse, Rionna passa à l'attaque. Toutes griffes dehors, elle lança ses doigts devant elle et atteignit ses yeux. L'inconnu hurla de douleur et battit en retraite, lui offrant l'opportunité de s'enfuir.

Elle n'eut pas le temps d'aller bien loin avant qu'un des autres hommes ne la rattrape et ne la plaque au sol. De nouveau, son visage s'enfonça dans la neige. La poudreuse lui emplit aussitôt la bouche et le nez, la faisant hoqueter. En revanche, le froid eut pour effet de rafraîchir ses joues enflammées par les gifles reçues.

Elle se sentit soulevée et retournée sans ménagement. Cette fois, ce fut un coup de poing dans la joue que le deuxième assaillant lui assena. Aussitôt après, Rionna sentit son autre main se refermer autour de son cou. Il l'étranglait si fort qu'il lui était impossible de respirer.

L'homme ne desserra pas ses doigts tant qu'il ne la sentit pas faiblir. Les trois autres étaient allés se poster non loin de là. Celui qui l'avait giflée se redressa en titubant, ivre de rage, le visage ensanglanté par les griffures qu'elle lui avait infligées.

— Petite garce ! éructa-t-il en s'approchant.

Sans que Rionna puisse rien faire pour l'en empêcher, il plongea les doigts dans son encolure et tira d'un coup sec, dénudant ses seins. Elle se débattit avec l'énergie du désespoir, mais le comparse qui la retenait toujours l'étrangla de plus belle, la forçant à renoncer.

Elle eut beau s'efforcer de crier, aucun son ne sortit de sa gorge malmenée. Des larmes de rage brouillèrent sa vision quand des mains rudes lui pelotèrent les seins, avant d'en pincer cruellement l'extrémité.

Au bord de l'asphyxie, Rionna tressaillit. Elle sentit qu'elle allait sombrer dans l'inconscience. Mais, juste avant qu'elle ne s'évanouisse, les doigts qui l'étranglaient relâchèrent leur pression, lui permettant d'aspirer en hoquetant de grandes goulées d'air. Elle tenta de hurler, mais une vive douleur au visage la fit taire.

Son tourmenteur s'était remis à la gifler, avec autant de violence que de méthode, et avec la volonté manifeste de lui faire le plus de mal possible. Rionna glissa dans un abîme de douleur. Sur sa poitrine nue, elle sentait les autres hommes se déchaîner. Entre leurs mains, elle n'était plus qu'un animal.

Des larmes brûlantes sillonnaient ses joues martyrisées. Jamais, au cours de toute son existence, elle n'avait ressenti une telle impuissance. Où était son épée ? Comment, désarmée comme elle l'était, aurait-elle pu se défendre ?

Elle allait être violée ici même, sur ses terres, sans pouvoir faire autre chose que demeurer inerte et pleurer.

Sans doute valait-il mieux, dans ces conditions, céder aux ténèbres qui la menaçaient de nouveau. Mais alors qu'elle allait sombrer dans l'inconscience, son agresseur se pencha sur elle. Son souffle fétide lui caressa le visage quand il annonça :

— Tu vas délivrer un message au nouveau laird. Dis-lui qu'aucun McCabe n'est à l'abri de Duncan Cameron. Pas même Mairin McCabe et sa fille.

Aucun de ceux qui sont chers aux McCabe n'est en sécurité. Cameron détruira tous ceux qui oseront faire alliance avec eux, et il n'aura de cesse que Neamh Alainn soit à lui. Dis-lui aussi que ta jolie figure est un gage de l'estime que Duncan Cameron lui porte.

Sur ce, l'homme l'enjamba et s'éloigna en direction de sa monture, aspergeant au passage Rionna de neige.

À travers le brouillard qui baignait son esprit, elle entendit le bruit des chevaux qui retraversaient le ruisseau. Elle s'efforça de redresser la tête, mais la douleur l'en dissuada. Une brusque nausée lui souleva l'estomac. Un flot de bile lui inonda la gorge.

Rionna ferma les yeux et s'obligea à respirer lentement, jusqu'à ce que la nausée reflue. Puis elle roula sur le flanc.

Au bout d'un moment, elle fit une tentative pour se mettre à genoux mais retomba lourdement vers l'avant. Des larmes de frustration lui brûlaient les yeux. Il lui fallait coûte que coûte rejoindre le château, même si elle devait ramper pour cela.

En essayant de se redresser, elle faillit une nouvelle fois s'évanouir. Les yeux fixés sur le sommet de la colline, elle soupira avec lassitude. La distance à parcourir paraissait immense.

Au prix d'un effort surhumain, Rionna commença à ramper.

15

— Milady ! Milady !

Rionna puisa dans ses ultimes réserves de courage pour dresser la tête, mais elle ne put déterminer qui la hélait. Son œil droit était totalement fermé, et le gauche ne lui offrait qu'une vision brouillée. Quant à l'ouïe, ce n'était guère mieux : ses tympans bourdonnaient encore des coups qu'elle avait reçus.

— Bon sang, petite ! Qu'est-ce qui t'est arrivé ?

— Hugh… murmura-t-elle avec soulagement.

D'une main tremblante, elle ramena les lambeaux de sa tunique sur ses seins.

— Oui, c'est moi, répondit-il doucement. Dis-moi ce qui s'est passé.

Rionna passa la langue sur ses lèvres, en ramena le goût du sang.

— Cinq hommes…

Elle ne reconnut pas sa voix tant elle était rauque. Sa gorge lui faisait un mal de chien.

— Ils ont traversé… le ruisseau.

— Aux armes ! s'exclama Hugh.

À bout de forces, Rionna se laissa retomber vers l'avant. Hugh continuait de crier des ordres à ses hommes afin que l'on selle au plus vite les chevaux.

— Rionna !

Avec un luxe de précautions, des mains attentionnées la retournèrent et écartèrent les cheveux qui masquaient son visage.

— Oh, Rionna... gémit Sarah. Que t'est-il arrivé ?

— Fr... Froid, balbutia-t-elle. Emmène-moi à l'intérieur.

— Non ! Ne bouge pas. Je vais demander à un des hommes de te porter. Quelque chose de cassé ?

Sans trop savoir pourquoi, Rionna trouva cela drôle et répondit en souriant :

— Juste la figure.

— Mangan ! ordonna Sarah d'une voix forte. Porte ta maîtresse jusqu'à sa chambre.

Rionna ne put réprimer un gémissement de douleur lorsque l'imposant guerrier la souleva dans ses bras.

— Désolé... s'excusa-t-il d'un ton bourru. Je ne voulais pas te faire mal.

— Ce n'est rien, Mangan, assura-t-elle.

— C'est une honte, pour un homme, d'abuser ainsi d'une femme.

— Oui, lâcha-t-elle dans un souffle. Une honte...

En frissonnant, elle se souvint de la réaction de Caelen lorsqu'il avait compris que son père l'avait frappée. Quand il apprendrait ce qui venait de se passer, il serait furieux.

Mangan l'emmena à l'intérieur et la porta en douceur dans sa chambre. Sarah et une troupe de servantes les suivirent tout du long.

— Pose-la sur le lit ! ordonna Sarah. Doucement... Neda, va chercher de l'eau chaude et des linges. Et faites chauffer de l'eau pour lui donner un bain. La pauvre petite va attraper la mort... Mangan, apporte-nous du bois. Il nous faut un feu d'enfer pour la réchauffer.

Rionna accueillit avec un soupir le confort de son lit. À présent qu'elle se trouvait à l'abri, à l'intérieur, la bataille qu'elle menait pour rester consciente ne se justifiait plus. La pièce s'assombrit soudain autour d'elle. Malgré les efforts de Sarah pour la maintenir éveillée, elle laissa les ténèbres se refermer sur elle.

— C'est un beau tir que tu as réussi là, James ! s'exclama Caelen en observant le grand cerf abattu. Ton père dit vrai : tu sais y faire avec un arc.

Tout sourire, le jeune homme accueillit le compliment d'un hochement de tête.

— Cela nous en fait deux, dit-il. Trois, en comptant celui que nous avons déjà ramené au château. Encore un et nous aurons de quoi manger pendant des semaines.

— Oui. Nous aurons peut-être cette chance demain, car il commence à faire noir. Cherchons un endroit pour la nuit.

Un peu plus d'une heure plus tard, les hommes étaient rassemblés autour d'un grand feu sur lequel rôtissait un cuissot de leur prise du jour. Dès que la viande fut prête, Simon en découpa une tranche et la tendit à son laird.

Après y avoir goûté, Caelen acquiesça d'un hochement de tête satisfait.

— Une belle pièce de venaison... commenta-t-il.

Simon continua de partager la viande jusqu'à ce qu'il ne reste que l'os dénudé. Adossé à la souche sur laquelle Caelen était assis, Gannon soupira.

— Cela faisait longtemps que je n'avais pas participé à une longue chasse. Tout ce que j'ai fait dernièrement, c'est chaperonner des femmes au caractère bien trempé.

— Il est vrai que je ne t'enviais pas cette tâche, répondit Caelen. Je me suis souvent demandé ce que tu avais bien pu faire à mes frères pour qu'ils te condamnent à protéger leurs femmes.

Gannon secoua la tête d'un air dépité.

— Et moi, renchérit-il, je me suis souvent demandé si Cormac ne s'est pas marié juste pour échapper à cette corvée...

Caelen se mit à rire.

— C'est possible, en effet. Mais n'oublie pas que sa femme a tout de même réussi à l'éreinter.

Simon vint s'asseoir à côté de Caelen.

— Dites-moi quelque chose, laird... Avons-nous une chance contre la puissante armée de Cameron ? Aurions-nous même quoi que ce soit à redouter de lui, si nous ne nous étions pas alliés à vous ?

Caelen plissa les yeux et le fixa longuement avant de répondre.

— C'est justement parce qu'il redoutait Cameron que Gregor a cherché à se rapprocher de nous. Cette alliance, c'est à son instigation qu'elle a été conclue.

— Mais à votre bénéfice... répliqua Simon.

— Ne le prends pas mal, mais le fait est que sur le plan militaire, Gregor n'avait aucune chance contre Cameron. Le bénéfice que nous y trouvons, c'est de réunir nos terres. Celles des McDonald étaient tout ce qui séparait Neamh Alainn de la forteresse des McCabe. Mais le bénéfice principal, c'est que les autres lairds nous ont rejoints une fois que Gregor a accepté le principe de cette alliance. Notre force réside dans notre nombre autant que dans la supériorité militaire des McCabe.

— Vous avez une haute opinion de vous-mêmes !

— Aucune force ne peut rivaliser contre nous.

— Dans ce cas, qu'attendez-vous pour écraser Cameron ? intervint James.

Les autres chasseurs les écoutaient tout en mangeant, intéressés par la conversation.

— Parce qu'il faut de la patience pour triompher d'un ennemi aussi puissant, expliqua patiemment Caelen. Voilà des années que nous nous préparons à débarrasser le monde de Duncan Cameron. C'est un homme ambitieux et dangereux, que rien n'arrêtera. Il veut régenter tout ce sur quoi il porte les yeux. Et si pour l'instant il n'a en ligne de mire que nos terres, nous sommes convaincus qu'il a passé un pacte avec Malcolm. Si celui-ci prend la tête d'une nouvelle rébellion contre David et lui vole le trône, l'Écosse sera de nouveau coupée en deux. Cameron aura pour récompense les Highlands. Il en sera le roi sans couronne, et Malcolm régnera dans le Sud. Les lairds ne seront plus maîtres sur leurs propres terres. Le pouvoir de Cameron sera absolu. Plus rien ne nous appartiendra. Et nous ne pourrons rien transmettre à nos enfants et à leurs enfants. Tout sera sous son contrôle.

— Nous ne pouvons pas laisser faire ça... murmura James.

— Non, nous ne le pouvons pas ! approuva Caelen.

— Qu'est devenu Gregor ? demanda Simon. Où est-il passé ? Dans quel camp est-il ?

Caelen reporta son attention sur le vieil homme.

— Je n'en sais rien, avoua-t-il. Il a filé en douce avec un bon nombre d'entre vous. Il n'acceptait pas le décret du roi. Ce qui fait qu'à présent, nous devons nous tenir sur nos gardes non seulement contre Cameron, mais aussi contre lui. Il peut fort bien tenter de reprendre ce qu'il imagine être sien.

— Voilà longtemps que nous aurions dû voter sa destitution, reconnut Simon d'un air sombre. En cela, nous sommes coupables. Oui, c'était un bien mauvais laird, et il a fait grand tort à notre clan. Nous devrons répondre devant Dieu de ce péché.

— Il n'est pas trop tard pour réparer les erreurs du passé, répliqua Caelen. Lorsque nous aurons assuré la subsistance de notre clan, il faudra nous entraîner dur pour devenir plus forts. Nous devons envoyer un message à nos ennemis : nous ne nous laisserons pas envahir sans nous battre !

Penché en avant, Simon dévisagea longuement Caelen avant de remarquer :

— C'est la première fois que vous parlez de notre clan comme du vôtre, laird...

— Vraiment ? s'étonna-t-il en fronçant les sourcils. Cela m'est venu tout naturellement. Ce doit donc être vrai.

Autour d'eux, les hommes hochaient la tête, satisfaits. Ils demeuraient méfiants, mais Caelen avait l'impression d'avoir marqué des points. Ils ne l'accepteraient pas pour chef du jour au lendemain, mais au moins ne l'ignoraient-ils plus ouvertement.

Gannon attira soudain l'attention de Caelen et lui fit signe en posant l'index sur ses lèvres de se taire. Tous les autres firent aussitôt silence. Sans attendre de découvrir ce qui avait alerté son ami, Caelen se mit debout et dégaina son épée.

Autour de lui, tous l'imitèrent, et il fut impressionné par leur rapidité et leur discrétion. Finalement, songea-t-il, peut-être allait-il être possible de les transformer en guerriers dignes de ce nom...

— Laird ! Laird ! cria une voix d'homme dans la nuit. Laird Caelen !

Hugh McDonald déboucha à cheval dans la clairière éclairée par le feu de camp, suivi de quatre autres cavaliers. Vu l'état de fatigue de sa monture, il était manifeste qu'il l'avait menée sans ménagement. Hugh glissa à bas de sa selle et, chancelant de fatigue, le rejoignit.

Caelen rengaina son épée. À bout de souffle, l'imposant guerrier tardait à parler. Empoignant la toile de sa tunique, il s'impatienta :

— Que se passe-t-il ?

— Votre femme, laird...

Caelen sentit son sang se figer dans ses veines.

— Eh bien quoi, ma femme ? Parle !

Hugh, qui avait fini par retrouver son souffle, expliqua :

— Elle a été attaquée par un groupe d'hommes il y a deux jours de cela, près du ruisseau qui coule entre les deux lochs. Ils se cachaient dans la forêt.

Le pouls de Caelen battait follement à ses tympans.

— Comment va-t-elle ? A-t-elle été blessée ? Que lui ont-ils fait ?

— Ils l'ont violemment battue, laird. Je ne sais rien de plus. Je l'ai vue lorsqu'elle a dû ramper jusque dans la cour, mais j'ai quitté le château tout de suite après pour me lancer à la poursuite de ses agresseurs. Quand j'ai perdu leur piste, je suis venu directement vous trouver.

Caelen le repoussa, les mains tremblantes, et s'efforça de rassembler ses idées.

— Est-elle... vivante ? demanda-t-il, se décidant à formuler sa pire crainte.

— Oui, laird. Du moins... elle l'était quand je suis parti. Je ne pense pas cependant que ses blessures aient pu lui être fatales.

Caelen se tourna vers Gannon.

— Tu viens avec moi ! ordonna-t-il.

Puis, à l'intention de Simon :

— Vous autres, préparez la viande et retournez au château dès que possible.

Gannon alla seller leurs montures. Pivotant vers Hugh, Caelen demanda d'une voix blanche :

— Qui étaient-ils ?

— Je l'ignore. Rionna n'a pas pu dire grand-chose, et je n'ai pas attendu qu'elle puisse le faire avant de me lancer à la poursuite de ses agresseurs.

— Tu as bien fait, Hugh.

Le visage grave, Simon s'avança.

— Laird, je vais rentrer avec vous. Gannon ne suffira pas à assurer votre sécurité.

Un sourcil arqué, Caelen s'étonna :

— Tu tiens à assurer ma protection ?

Simon marqua une pause avant de répondre.

— Vous êtes mon laird. Mon devoir est de vous protéger en tout temps et en tout lieu.

— Fort bien, Simon. Je serai honoré de t'avoir pour escorte. Mais hâtons-nous. Il me tarde de retrouver ma femme.

16

Le soleil n'était pas encore levé lorsque Caelen, Gannon et Simon firent leur entrée dans la cour du château. Caelen descendit de cheval avant même que celui-ci ait tout à fait stoppé sa course. Sarah vint à sa rencontre.

— Comment va-t-elle ? s'enquit-il.

Manifestement rongée par l'inquiétude, elle se tordait les mains.

— Dieu merci, vous voilà, laird ! s'exclama-t-elle. Je ne sais plus quoi faire. Elle n'a pas quitté sa chambre depuis l'attaque. Elle n'est plus elle-même. Elle ne veut rien manger. Elle reste assise à la fenêtre, le regard dans le vague.

Caelen lui attrapa les bras et la secoua vivement.

— Parle-moi de son état de santé, pas de ses humeurs ! A-t-elle été blessée ?

Des larmes firent briller les yeux de Sarah.

— À la vérité, j'ignore jusqu'où ces bandits sont allés, reconnut-elle. Elle est si calme, si effacée depuis qu'elle a repris conscience... Elle n'accepte aucune compagnie et refuse de se confier à moi.

Il la lâcha avec un claquement de langue agacé.

— Je vais m'occuper d'elle !

Dans l'escalier, une terreur insidieuse s'empara peu à peu de Caelen. Il ne s'aperçut qu'il avait peur qu'en s'immobilisant devant la porte de leur chambre. C'était une sensation curieuse, et il était plus curieux encore pour lui d'avoir à le reconnaître. Ses frères avaient vécu l'enfer à cause des femmes qu'ils aimaient, mais jamais il n'aurait imaginé connaître un jour le même sort.

Caelen secoua la tête, incrédule. Sans doute aurait-il ressenti la même chose pour n'importe quelle femme victime de telles violences. Sans compter que sa réaction était aussi due au fait qu'un autre homme ait pu s'en prendre à sa légitime épouse.

La main levée, il s'apprêtait à frapper à la porte quand il s'aperçut de ce qu'il était en train de faire. Laissant retomber sa main contre son flanc, il actionna la poignée et entra.

Il s'était attendu à la trouver endormie, mais le lit était vide et ne paraissait pas défait. Tournant la tête, il étudia la chambre et découvrit Rionna assise dans un fauteuil près du feu. La tête penchée sur le côté, elle semblait dormir.

En découvrant les bleus qui marquaient son visage, Caelen eut le souffle coupé. Il ne la voyait que de profil, mais le seul œil qui lui était visible était poché, et il discernait les traces de doigts qui bleuissaient son cou.

Afin de ne pas la réveiller, il referma la porte avec un luxe de précautions, puis il la rejoignit pour l'étudier de plus près.

L'étendue des dégâts sur son visage prouvait l'extrême violence qu'elle avait subie. Debout au-dessus d'elle, Caelen serra les poings de rage. Rionna paraissait si fragile, si délicate. Comment avait-elle survécu à tant de brutalité ? Mais une autre question

174

se posait, plus lancinante encore : où ses agresseurs s'étaient-ils arrêtés ?

L'estomac noué, il imaginait sans peine ce qui avait pu se produire. Sarah avait affirmé que Rionna ne quittait plus sa chambre depuis l'attaque et ne se confiait à personne. Avait-elle été violée ?

D'une main tremblante, il lui effleura la joue. Dieu lui était témoin qu'il ne supportait pas l'idée qu'un autre homme ait pu la toucher, la blesser. Pris de vertige, il dut s'asseoir sur l'âtre de peur que ses jambes ne le trahissent.

Rionna s'agita quand la main de Caelen cessa d'être en contact avec sa joue. Ses paupières battirent un instant et elle grimaça, comme si ouvrir son œil droit lui causait quelque souffrance.

— Caelen… murmura-t-elle.

— Oui, je suis là… dit-il tout bas. Comment vous sentez-vous ?

Après s'être humecté les lèvres, elle porta une main à sa gorge pour la masser. Ce geste délicat ne faisait qu'accentuer sa fragilité. Caelen sentit la fureur le cingler tel un coup de fouet.

— Encore un peu endolorie, mais je vais bien, assura-t-elle. Rien de sérieux. Votre chasse a-t-elle été fructueuse ?

Le caractère superficiel de leur conversation le stupéfia. On aurait dit que rien ne s'était passé en son absence, et qu'ils se retrouvaient pour se saluer poliment.

Les cernes qui soulignaient les yeux de sa femme l'inquiétaient davantage que ses bleus, tant ils paraissaient creusés. Quelque chose en elle semblait éteint. Il comprenait à présent pourquoi Sarah était folle d'inquiétude.

— Rionna… commença-t-il d'une voix douce. Pouvez-vous me raconter ce qui vous est arrivé ? Il est important que je le sache. Prenez votre temps et ne me cachez rien. Il n'y a que vous et moi dans cette chambre. Il n'y a rien que vous ne puissiez me dire, et rien que je ne puisse entendre.

Ses yeux posés sur lui flanchèrent un instant. Il aurait voulu la toucher – Dieu, comme il l'aurait voulu ! – mais il ne savait où poser la main sans lui faire mal.

— J'étais au bord du ruisseau, perdue dans mes pensées, expliqua-t-elle d'un ton morne. Quand j'ai relevé la tête, j'ai vu des hommes à cheval se précipiter vers moi. J'ai compris que je n'aurais pas le temps de rejoindre le château, alors je me suis mise à courir le long de la berge, mais ils m'ont rattrapée.

Caelen s'accroupit à côté d'elle et posa la main sur celles de Rionna serrées l'une contre l'autre dans son giron. Il prit ses doigts glacés entre les siens et caressa du bout du pouce ses jointures. Comparée à la sienne, sa main paraissait minuscule, ce qui renforçait encore l'impression de fragilité qui émanait d'elle.

— L'un d'eux m'a empoigné les cheveux et m'a fait tomber, poursuivit-elle. Il m'a giflée violemment. Je l'ai griffé au visage.

— Bien fait ! gronda Caelen.

— J'ai réussi à m'échapper brièvement, mais un autre m'a rattrapée.

Pour la première fois, sa voix flancha. Détournant le regard, elle observa le feu et enchaîna dans un murmure :

— Je ne pouvais rien faire. Il m'a frappée. Il a arraché ma tunique. Il m'a… touchée.

Cette dernière confidence ne lui avait échappé qu'avec difficulté.

Caelen se figea. Il tenta d'avaler la boule d'angoisse qui lui bloquait la gorge, en vain.

— Vous a-t-il violée ? demanda-t-il enfin.

Rionna reporta son attention sur lui et écarquilla les yeux avec effroi.

— Non ! lança-t-elle vivement. Il a... manipulé mes seins. Pour me faire mal et pour m'humilier. Et il m'a frappée au visage, encore et encore. Et pour finir, il m'a laissé un message pour vous.

Le soulagement qu'elle n'ait pas subi les derniers outrages le disputait en lui à la tristesse qu'elle ait pu être ainsi molestée. Et à présent, ce qu'elle venait de révéler tendait à prouver qu'on ne lui avait fait subir tout cela que pour l'atteindre, lui.

— Répétez-moi ce qu'il vous a dit.

— Il a dit qu'aucun McCabe ne devait se considérer à l'abri de Duncan Cameron. Ni Mairin, ni Isabel, ni aucun de ceux qui s'allient avec les McCabe. Il a conclu... que mon visage serait pour vous une preuve de l'estime que Cameron vous porte.

Caelen serra les dents pour ne pas exploser. Les mâchoires douloureuses, il tenta vaillamment de garder sous contrôle la rage noire qui le submergeait. Sa femme avait besoin d'un homme doux et compatissant pour la consoler. Pas d'un guerrier sur le point de passer au fil de l'épée tout ce qui se dresserait sur son passage.

— Et ensuite, Rionna ? demanda-t-il gentiment.

Ses yeux revinrent se river aux siens. La honte et la souffrance hantaient leurs profondeurs dorées. Elle paraissait... meurtrie. Pas seulement dans sa chair, mais aussi dans son âme. Le constater lui fit l'effet d'un coup de poignard.

— Ils sont partis et j'ai dû gravir la colline en rampant jusqu'au château, où l'on m'a secourue. Voilà toute l'histoire, conclut-elle.

Caelen avait la poitrine douloureuse, l'estomac en feu. Savoir que sa femme – sa femme si fière, si fougueuse – avait été obligée de *ramper* jusqu'au château lui était insupportable.

Il se leva d'un bond pour lui épargner le spectacle de son visage déformé par la haine. Il lui fallut un moment pour retrouver la maîtrise de lui-même. Quand il se retourna, Rionna fixait de nouveau les flammes dans l'âtre, raide dans son fauteuil.

Il revint vers elle et lui souleva le menton jusqu'à ce qu'elle accepte de soutenir son regard.

— Avez-vous dormi ? s'enquit-il.

La question la désarçonna. Son regard se voila. Le fait qu'elle ne puisse répondre lui apporta la confirmation qu'il cherchait. Depuis combien de temps n'avait-elle eu d'autre sommeil que de brefs moments d'assoupissement devant la cheminée ?

Sans attendre de réponse, il passa précautionneusement les bras derrière ses épaules et sous ses genoux, et la souleva aussi gentiment que possible. En la portant jusqu'au lit, il la serra contre lui et déposa un baiser dans ses cheveux.

Après l'avoir allongée sur le matelas, il tira les fourrures jusqu'à son menton pour qu'elle ait bien chaud.

— Je veux que vous dormiez, dit-il d'une voix ferme. Vous avez besoin de sommeil, Rionna. Maintenant, je suis là. Rien ne peut vous arriver.

Elle ferma docilement les yeux, mais elle demeurait visiblement tendue. Caelen se pencha sur elle et effleura son front du bout des lèvres.

— Dormez, maintenant… chuchota-t-il. Je serai là quand vous vous réveillerez.

À ces mots, elle parut se détendre et se cala un peu mieux dans le lit. La tension perceptible autour de sa bouche et de ses yeux se dissipa progressivement. Un petit soupir de bien-être monta à ses lèvres.

Caelen lui caressa les cheveux tant qu'elle ne fut pas tout à fait détendue. Ensuite, il se redressa et recula d'un pas. Aussitôt, elle ouvrit les yeux.

— Soyez tranquille, Rionna… la rassura-t-il. Je ne vais pas repartir. Je dois discuter avec mes hommes et donner quelques ordres. Sarah m'a dit que vous refusez de manger ?

Elle ne répondit pas.

— Vous devez reprendre des forces, poursuivit-il. Je vais vous faire apporter un peu de bouillon.

Il s'attendit à ce que cet ordre la fasse monter sur ses grands chevaux. Mais son regard demeura éteint. La joue sur l'oreiller, elle ferma les yeux. Elle aurait voulu le congédier qu'elle ne s'y serait pas prise autrement.

Réprimant un juron, Caelen tourna les talons et sortit, pour découvrir Gannon qui l'attendait dans le corridor.

— Comment va-t-elle ? s'enquit-il.

— Mal. Ils l'ont méchamment battue.

— Qui ça ?

— Les hommes de Cameron. Ils lui ont donné un message pour moi. Ces fils de truies l'ont brutalisée de manière abjecte. Il n'y a pas un endroit de son visage ou de son cou qui ne soit couvert de bleus.

Le regard de Gannon étincela de fureur.

— Cameron a déjà prouvé que rien ne peut l'arrêter, dit-il. Et qu'il est capable de s'en prendre aux femmes. Mais pourquoi maintenant ? Et pourquoi Rionna ? Que cherche-t-il ? Pourquoi ne pas se contenter d'attaquer ? Ils savaient manifestement que tu n'étais pas là.

— Il veut m'attirer dans un piège, répondit Caelen d'un air sombre. Il veut me mettre suffisamment hors de moi pour que je commette quelque folie. Par exemple, lancer une attaque contre lui en plein cœur de l'hiver, avec une armée inférieure en nombre et en qualité.

— Te prendrait-il pour un sot ? demanda Gannon avec dégoût.

— Peu m'importe ce qu'il pense de moi. Ce qui compte, c'est ce qu'il apprendra quand mon épée lui transpercera le cœur.

— Je pense qu'il te faudra te battre avec tes frères pour obtenir cet honneur. Il a fait beaucoup de mal à Mairin et Keeley.

— Et maintenant, c'est Rionna. Il pense nous affaiblir à travers nos femmes.

— Ce n'est pas la marque d'un homme de s'en prendre à plus faible que lui pour mener ses guerres.

Caelen acquiesça de la tête et resta songeur un instant.

— Je veux que tu fasses prévenir Ewan de ce qui s'est passé, ordonna-t-il enfin. Dis-lui que Cameron a proféré de nouvelles menaces contre sa femme et sa fille, et qu'il a monté d'un cran dans la violence de ses attaques. Ensuite, je veux que tu organises un tour de garde nuit et jour. Tous les chemins d'accès au château doivent être surveillés en permanence. Et je veux que tu te remettes au travail avec les hommes immédiatement. Qu'ils s'entraînent sans relâche. S'ils manquaient de motivation, ce ne devrait plus être le cas à présent.

Gannon acquiesça d'un signe de tête et prit la direction de l'escalier. Avant qu'il y parvienne, Caelen le héla :

— Dis aussi à Sarah de faire monter un peu de bouillon et une cruche d'eau dans notre chambre.

D'un geste de la main, Gannon lui indiqua qu'il avait compris et disparut dans l'escalier.

Caelen se glissa sans bruit dans la chambre et retourna au chevet de Rionna. Elle n'avait pas bougé. Les fourrures demeuraient tirées jusqu'à son menton et ses yeux restaient clos.

Pour vérifier qu'elle dormait vraiment, il approcha l'oreille de son visage et écouta son souffle lent et régulier. Puis, constatant qu'elle ne bougeait pas, il alla ajouter du bois dans l'âtre.

Lorsque les flammes montèrent bien haut, il se glissa dans le fauteuil où elle s'était tenue et appuya sa tête au dossier. Il regrettait de s'être montré désinvolte en organisant cette chasse au pied levé. La nourriture lui avait semblé la principale priorité. Il avait fait passer la nécessité de nourrir le clan avant celle de protéger Rionna. C'était sa première décision en tant que laird, et elle avait mené à un désastre. Une erreur d'appréciation que sa femme avait payée au prix fort...

17

Rionna effleura son œil poché du bout des doigts et frémit de le sentir encore douloureux. Campée devant sa fenêtre, elle regardait Caelen diriger l'entraînement des hommes dans la cour en contrebas. Après s'être assuré qu'elle avait avalé un bon repas, il s'était éclipsé en lui ordonnant de ne pas quitter leur chambre.

Elle s'était assez reposée au cours de la semaine écoulée. D'abord, elle s'était morfondue. Ensuite, elle avait boudé tout son soûl. Pour finir, elle s'était débattue avec ses peurs et son sentiment d'échec. Et maintenant... maintenant, elle était juste furieuse.

Furieuse contre les hommes qui avaient osé violer son territoire. Furieuse contre la couardise de Duncan Cameron. Furieuse d'avoir été rendue impuissante.

Il ne lui était plus possible d'accepter la décision de son mari de faire d'elle une copie conforme, féminine et effacée, de son rêve de femme idéale. Elle n'était pas cette femme-là. Si c'était réellement ce qu'il voulait, il aurait dû y réfléchir à deux fois avant de l'épouser.

Rapidement, elle se vêtit d'un pantalon et d'une tunique qu'elle réservait aux occasions spéciales. Le tissu en était doux, sans taches, sans trous, et l'ourlet finement cousu.

Le velours rouge était brodé au fil d'or. Ce vêtement lui avait coûté ses économies de trois années. C'était l'habit le plus luxueux qu'elle ait jamais possédé.

D'un coup de chiffon, Rionna essuya ses bottes et passa le doigt sur l'extrémité, où l'usure avait presque percé un trou. Une nouvelle paire n'aurait pas été du luxe, mais elle ne pouvait se le permettre.

Après s'être chaussée, elle se leva et porta en un geste inconscient sa main à sa gorge. Les bleus s'effaçaient, mais cela lui faisait toujours mal d'avaler et sa voix restait un peu rauque. Dans l'état où elle était, elle devait faire peur à voir, mais après tant de jours de réclusion, il lui tardait de sortir de sa chambre.

En descendant l'escalier, elle éprouva un moment de panique. Figée sur une marche, pantelante, elle ferma les yeux et vit des points noirs danser sur ses paupières.

Agacée, Rionna serra les poings et s'efforça, les narines palpitantes, de discipliner sa respiration.

Cela faisait trop longtemps qu'elle se terrait dans sa chambre, terrifiée à l'idée d'en sortir. C'était une faiblesse qu'elle ne pouvait admettre. L'attaque qu'elle avait subie et ses conséquences constituaient une humiliation indélébile, avec laquelle elle devrait apprendre à vivre.

— Milady, vous ne devriez pas être ici. Voulez-vous que je vous aide à regagner votre chambre ? Avez-vous besoin de quelque chose ? Je serais heureux de vous l'apporter.

Rionna rouvrit les yeux et vit devant elle le lieutenant de son mari, Gannon, qui lui barrait le passage.

Les sourcils froncés, il la dévisageait avec une inquiétude manifeste.

Sentant sa main se poser sur son avant-bras, elle
s'en débarrassa d'un geste sec. Elle faillit reculer
d'une marche mais se retint de le faire. Il ne serait
pas dit qu'elle se laisserait impressionner. Le menton fièrement pointé, elle le toisa calmement et
répondit :

— Je vais bien et, non, je n'ai pas besoin de votre
aide. Je désire que vous me laissiez passer.

— Peut-être vaudrait-il mieux prévenir le laird ? Je
vais le faire appeler pour qu'il sache que vous désirez
quitter votre chambre.

— Je suis donc prisonnière dans ma propre maison ? demanda-t-elle, les sourcils froncés. Il m'est
impossible de bouger sans la permission du laird ?

— Je me suis mal fait comprendre, milady. C'est
uniquement votre bien-être qui me motive. Je suis
sûr que le laird sera ravi de vous escorter dès qu'il
aura constaté que vous allez assez bien pour quitter
votre chambre.

— Je peux décider moi-même si je suis en état ou
non de quitter ma chambre. À présent, soyez assez
aimable de libérer le passage pour que je puisse
descendre.

Gannon sembla ne pas apprécier cette injonction.
Rionna le vit hésiter un instant, manifestement perplexe quant à la conduite à tenir.

À bout de patience et sachant qu'il ne lui ferait pas
de mal, elle le poussa sur le côté afin de passer en
force. Mais, sans lui laisser le temps de s'éclipser,
Gannon lui empoigna fermement le coude.

— Au moins, laissez-moi vous aider à descendre,
dit-il. Le laird ne me le pardonnerait pas si vous faisiez une chute dans l'escalier.

Rionna se laissa faire, estimant qu'il ne coûtait rien d'accepter ce compromis. Elle obtenait ce qu'elle voulait, et elle ne pouvait prendre le risque qu'il s'obstine dans son idée première de la raccompagner jusqu'à sa chambre ou d'appeler Caelen.

La dernière marche franchie, elle s'empressa cependant de récupérer son bras et de s'éloigner de lui, sans savoir où aller, avec pour seul objectif de lui fausser compagnie.

Prendre un bol d'air frais était au sommet de sa liste de priorités, mais elle ne pouvait se montrer dans la cour où son mari dirigeait l'entraînement. Elle opta pour un passage par les cuisines et une sortie par l'arrière. La distance entre le château et la muraille y était plus grande, et il lui serait ainsi possible d'admirer les montagnes en arrière-plan.

Sans se laisser arrêter par les exclamations de surprise que provoqua son apparition, Rionna gagna une porte d'un pas décidé et respira à pleins poumons l'air sec et froid de l'hiver dès qu'elle se retrouva à l'extérieur.

Soudain – enfin libre ! – elle se retrouvait au paradis. Sa gorge et ses poumons semblaient s'épanouir comme fleurs aux rayons d'un soleil printanier. L'insupportable réclusion à laquelle elle avait été condamnée durant de si longs jours n'était plus qu'un mauvais souvenir.

À petits pas précautionneux, elle s'avança dans la neige, qui crissait agréablement sous ses semelles. Elle appréciait jusqu'à la sensation de froideur qui gagnait ses pieds trop peu protégés par ses bottes usées. Enfin, elle se sentait de nouveau vivante, revigorée.

Une rafale de vent fit voler ses cheveux et lui donna le frisson. Elle avait complètement oublié de se munir de sa cape.

Serrant les bras contre elle pour se réchauffer, elle gagna la muraille.

Petite fille, elle se roulait dans la neige avec Keeley. Elles s'amusaient aussi à modeler des formes fantastiques en se racontant des histoires. Prises par le jeu, elles devenaient des princesses des neiges attendant que leurs princes viennent les secourir. Ceux-ci ne pouvaient être habillés que des plus fins vêtements et des plus chaudes fourrures, et montés sur deux coursiers d'une beauté et d'une vitesse inégalables. Ils les enlevaient, enveloppées dans leurs fourrures, et les emmenaient loin, dans un pays merveilleux où il faisait toujours beau et chaud.

À ce souvenir, Rionna se mit à rire toute seule. Quelle imagination elles avaient eue, toutes les deux... Toujours la tête dans les nuages. Le pire jour dans l'existence de Rionna avait été celui où son propre père avait agressé sexuellement son amie. Plutôt que de s'en prendre à son mari, sa mère avait traité Keeley de traînée et avait exigé son bannissement.

Keeley avait été sa seule amie, la seule capable de comprendre ses penchants pour des activités de garçon. C'était elle qui l'avait encouragée à s'entraîner au maniement de l'arc. Et chaque fois qu'elle mettait dans le mille, elle applaudissait à tout rompre en riant aux éclats. Son habileté à se servir d'une lame faisait également son admiration. Keeley jurait ses grands dieux qu'armée d'un poignard, son amie aurait été capable de tenir tête à toute une armée.

Rionna avait voulu lui enseigner ces techniques de combat, arguant qu'une fille devait être capable de se défendre. Keeley s'était mise à rire en assurant que son cas était désespéré dans ces domaines-là, et que de toute façon peu lui importait, puisqu'elle aurait un jour son prince charmant pour la protéger.

Finalement, Keeley avait fini par le rencontrer, son prince, et Rionna s'était contentée d'apprendre à se battre. Laquelle des deux s'en était le mieux tirée ? Elle n'aurait su le dire.

Avisant un gros rocher, Rionna s'y assit. Sa surface glaciale allait lui geler les fesses si elle y restait trop longtemps, mais elle n'était pas encore prête à supporter ce qui l'attendait à présent : la confrontation avec son mari.

Le visage fermé, Caelen traversa les cuisines. Rionna n'aurait pas dû être dehors, bon sang ! Elle n'était même pas supposée sortir de son lit… Vu son état, il avait prévu de lui faire garder la chambre au moins une quinzaine encore.

Mais ce qui l'inquiétait davantage que cette sortie impromptue, c'était son état mental. L'agression qu'elle avait subie l'avait gravement affectée. Depuis, elle restait tranquille, réservée et même timide, ce qui ne lui ressemblait nullement. Caelen commençait à craindre que l'attaque n'ait endommagé son esprit, et son impuissance à y changer quoi que ce soit le faisait enrager.

Après que les femmes présentes aux cuisines lui eurent expliqué que Rionna ne s'était pas arrêtée et ne leur avait pas adressé la parole avant de sortir, Caelen ouvrit la porte. Il la repéra vite à quelque distance de là. Assise sur un rocher, elle lui tournait le dos, absorbée dans la contemplation des montagnes.

En regardant le vent jouer dans la chevelure de sa femme, il sentit se former dans sa gorge cette boule d'angoisse qui l'avait fréquemment gêné depuis son retour de la chasse.

Elle paraissait si menue, si fragile…

Seule au milieu de la neige, Rionna semblait on ne peut plus vulnérable, comme si elle ne pouvait compter sur personne pour la protéger. Et il est vrai que lorsqu'elle avait dû affronter le pire, personne n'avait été là pour la défendre. Il se le reprocherait durant le reste de son existence.

— Laird, ne soyez pas fâché ! lança soudain Sarah derrière lui. Ce qu'elle porte aujourd'hui est un réconfort pour elle. Elle en a grandement besoin, pour le moment.

Caelen se retourna vivement et vit la brave femme qui observait elle aussi Rionna, les yeux emplis d'une inquiétude semblable à la sienne.

— Tu t'imagines que c'est sa tenue qui me chagrine ? bougonna-t-il. C'est davantage elle qui m'inquiète…

Avec un hochement de tête approbateur, Sarah rentra dans la cuisine.

Caelen s'avança dans la neige en faisant un détour pour aborder sa femme par le côté et éviter de l'effrayer. Juchée sur son rocher, elle avait l'air d'une biche aux abois, prête à décamper à la moindre alerte.

En découvrant la fixité de son regard perdu dans le lointain, ses craintes s'accentuèrent. Les dégâts causés par l'agression seraient-ils permanents ? Rionna redeviendrait-elle un jour celle qu'elle avait été ? Il était trop tôt pour se prononcer, mais comment ne pas craindre que le traumatisme l'ait changée à jamais ?

— Rionna… l'appela-t-il doucement.

En l'entendant retenir son souffle, il comprit qu'en dépit de ses précautions il l'avait effrayée. Elle se tourna vivement et ne se détendit qu'en le découvrant près d'elle.

Parfaitement immobile, elle le regarda d'une manière étrange. La situation semblait irréelle, presque inquiétante. Elle le dévisageait comme si elle était chargée de le juger et sur le point de le déclarer coupable. Peut-être était-ce sa propre culpabilité qui lui donnait cette impression ? Pourtant, il ne pouvait s'ôter de l'idée que sa femme était en colère. Et même, *très* en colère...

— Il fait froid, constata-t-il. Vous auriez dû rester au chaud, à l'intérieur.

Caelen posa la main sur son épaule et la pressa entre ses doigts, en un geste de réconfort.

À sa grande surprise, elle se mit à rire, mais pas d'une manière joyeuse. Rauque et laborieux, ce rire grinçant était dépourvu de gaieté.

— Vous vous imaginez probablement que je suis folle, dit-elle.

— Non, répondit-il gentiment. Vous n'êtes pas folle.

— Ou alors, vous pensez que je ne suis pour l'heure qu'un petit animal effrayé, que je n'aspire qu'à me terrer dans ma chambre, que je préfère ne pas m'aventurer dehors, de peur d'être attaquée de nouveau.

— Non, femme. Je pense que vous avez besoin de temps. Votre force et votre courage vous reviendront.

L'intensité de son regard rivé au sien le déstabilisait.

— Je n'ai pas peur, laird... reprit-elle. En vérité, je suis furieuse.

La colère semblait une réponse appropriée, étant donné les circonstances. Ses yeux étincelaient et tout son corps tremblait. Pour la première fois depuis des jours, Caelen se détendit. Le soulagement qui l'assaillait était aussi intense qu'inattendu. La colère de Rionna, il savait comment y faire face, alors que la jeune femme vaincue, amorphe, qui avait pris sa place depuis son retour l'effrayait.

— C'est une bonne chose, répliqua-t-il.

D'un bond, Rionna se dressa et lui fit face, les poings serrés, apparemment prête à en découdre.

— Ah oui ? fit-elle. Même si c'est contre vous ?

Caelen se rembrunit, mais s'abstint de répondre. Il allait devoir être patient. Sa femme n'avait pas encore toute sa tête. Ses émotions la submergeaient, et il ne tenait pas à aggraver les choses en leur donnant trop d'importance.

— Je suis vraiment désolé de n'avoir pas été là pour vous défendre, Rionna. Et je le regretterai toute ma vie. J'aurais dû prendre davantage en compte votre protection. Je ne commettrai plus jamais la même erreur.

Rionna émit un bruit étranglé, semblable au grondement d'un chien. S'il n'avait eu toute confiance en elle, il aurait pu craindre qu'elle lui saute à la gorge.

— Vous vous trompez ! s'écria-t-elle. Vous n'auriez pu me protéger mieux. Mais ce que vous n'avez pas fait, c'est permettre que je puisse me protéger seule !

— Vous déraisonnez, femme. Reprenez-vous. Rentrons, à présent.

— Savez-vous ce qui s'est passé juste avant que je me fasse attaquer par ces bandits ? enchaîna-t-elle. Je vais vous le dire ! Mon épée venait de m'être confisquée par Hugh, qui prétendait que ce n'était pas correct pour une femme d'en porter une, et qui ne tenait pas à ce que je puisse être blessée... Il a même interdit aux autres de s'entraîner avec moi !

Après avoir pointé son index sur la poitrine de Caelen, elle poursuivit avec véhémence :

— Si j'avais eu mon épée, ces hommes n'auraient pas réussi à m'approcher ! Ils n'auraient pas réussi à me faire tomber dans la neige ! Ils n'auraient pas réussi à me toucher ! Ils ne m'auraient pas frappée !

Son accès de colère était impressionnant. Caelen était un peu honteux d'en éprouver une certaine excitation. Était-il normal d'éprouver du désir pour une femme qui l'agressait comme un guerrier ?

Il lui fallait se retenir de la jeter dans la neige et de la débarrasser de cette tunique et de ce pantalon qu'il haïssait.

— Si vous vouliez une gentille petite dame rompue à toutes les convenances sociales, parfaite hôtesse et maîtresse de maison, reproductrice sage et zélée, vous auriez dû y réfléchir à deux fois avant de vous engager dans ce mariage à la place de votre frère. *Lui* savait à quoi s'attendre me concernant.

Les mains sur les hanches, elle s'avança encore, jusqu'à ce que ses seins viennent buter contre son sternum.

— Je ne suis rien de tout cela, reprit-elle, la tête levée pour soutenir son regard. Et je n'ai nul désir de le devenir. J'avais décidé de me laisser fléchir et de tenter d'être malgré tout une parfaite épouse, quand ces hommes ont traversé le ruisseau pour me molester aussi facilement qu'ils l'auraient fait avec un enfant. À quoi vous suis-je utile, à vous et à mon clan, si je ne peux même pas me défendre moi-même ? Comment suis-je supposée protéger ceux qui me sont chers ? Les enfants, les autres femmes du château ? Devrai-je me recueillir sur leurs tombes en ayant pour excuse à la bouche : « Je suis désolée, je n'étais qu'une parfaite épouse et une dame distinguée » ? Les survivants me pardonneront-ils d'avoir laissé mourir leurs proches sous prétexte que mon mari désirait une femme capable de sourire gentiment et de faire la révérence sans se prendre les pieds dans le tapis ?

Caelen luttait vaillamment pour ne pas sourire en se mordant la lèvre inférieure. Il lui fallait masquer son amusement car s'il lui laissait libre cours, elle pouvait fort bien le prendre comme une provocation.

Il aurait eu légitimement raison de s'indigner du flagrant manque de respect de sa femme. Il aurait même dû se faire un devoir de la réprimander. Mais c'était la première fois depuis une semaine qu'elle manifestait ses émotions, et Dieu qu'elle était belle quand elle se mettait en colère !

— Vous trouvez ça drôle ? s'enquit-elle.

Soudain, elle le déséquilibra d'une brusque poussée de ses mains contre sa poitrine, réussissant à le prendre par surprise. Caelen alla s'étaler dans la neige dans un bruit sourd. En époussetant la poudreuse qui maculait ses vêtements, il lui lança un regard noir, ce qui n'empêcha nullement Rionna de poursuivre son réquisitoire.

— Laissez-moi être ce que je suis, Caelen McCabe. Jamais il ne me viendrait à l'idée de vous demander de changer. Je peux vous aider, si vous m'y autorisez. Ne me reléguez pas dans l'ombre, pour ne m'en tirer que lorsque cela vous arrange. Peut-être est-ce ainsi que cela se passe dans le monde, mais ce n'est pas pour cela qu'il doit en être de même entre nous.

Caelen soupira.

— Est-il si important pour vous de vous habiller en homme et de manier l'épée ? demanda-t-il.

Rionna se renfrogna et secoua lentement la tête.

— Ce n'est pas la manière de m'habiller qui m'importe, répondit-elle. Si vous pouvez me montrer comment il est possible de me battre en portant une robe, je n'aurai rien contre le fait de porter ce genre de vêtements.

— Vous ne pourrez manier l'épée si vous portez une robe, maugréa-t-il. Elle entraverait vos mouvements.

Pour la première fois depuis son retour, Caelen vit sa femme sourire largement, d'un sourire qui illuminait jusqu'à ses yeux.

— Cela signifie-t-il que j'ai votre permission de porter des vêtements d'homme pour me battre ?

Un grognement dégoûté lui échappa.

— Depuis quand attendez-vous mon autorisation pour faire quoi que ce soit ?

— Je peux me montrer accommodante, objecta-t-elle.

Caelen leva les yeux au ciel.

— Quand cela vous arrange, certes...

Les yeux plissés, il scruta attentivement le visage de sa femme avant d'ajouter :

— Il y a certaines conditions, Rionna. Dorénavant, Gannon vous accompagnera partout où vous irez. Et j'ai bien dit : *partout* ! Vous ne resterez jamais sans escorte. Si Gannon n'est pas disponible, Hugh prendra le relais.

D'un hochement de tête, Rionna donna son approbation.

— Deuxièmement, vous ne vous entraînerez qu'avec moi, et rien qu'avec moi, enchaîna-t-il. Si vous voulez réellement apprendre, il vous faut les leçons d'un maître. Et je vous préviens, je n'ai pas l'intention de vous ménager sous prétexte que vous êtes ma femme.

Rionna lui sourit d'un air effronté et minauda :

— Je ne me contenterai de rien de moins, cher mari...

— Hors de question, également, que vous vous bandiez de nouveau les seins.

En réponse au regard suspicieux de sa femme, Caelen sourit et précisa :

— Ce n'est pas que pour mon plaisir. C'est également parce que cela n'a aucun sens. Je peux éventuellement accepter que vous vous habilliez en homme, mais pas que vous tentiez d'en devenir un...

— Autre chose ? demanda-t-elle, bras croisés, en tapant impatiemment du pied dans la neige.

— Oui. Aidez-moi à me relever.

En roulant des yeux effarés, elle se pencha et lui tendit la main. Décidément, songea Caelen, elle avait encore bien des choses à apprendre... D'un geste vif, il lui saisit le poignet et d'une forte traction la fit atterrir dans la neige à côté de lui.

En hâte, elle se releva, de la neige plein le visage. En clignant des yeux, elle le dévisagea, incrédule, comme si elle ne parvenait pas à comprendre pourquoi il avait fait ça.

— Vengeance... susurra-t-il, tout sourire. Redoutez toujours la vengeance de votre adversaire.

Après lui avoir lancé un regard de pur mépris, Rionna le surprit une fois encore en se jetant sur lui, l'entraînant avec elle dans la poudreuse. En riant, Caelen parvint à prendre le dessus et s'installa à califourchon au dessus d'elle. De sa main libre, il fit une boule de neige qu'il brandit au-dessus de son épaule.

— Vous n'oseriez pas ! lança-t-elle d'un air de défi.

Sans hésiter, Caelen laissa la boule tomber sur le visage de sa femme. En s'éparpillant le long de ses joues, la neige révéla son expression stupéfaite. Mais, bien vite, l'envie d'en découdre fit étinceler ses yeux.

Lorsque Sarah, inquiète de savoir Rionna dans le froid depuis si longtemps, se décida à aller voir ce qui se tramait, elle fut consternée de voir le laird à califourchon sur sa femme étendue dans la neige.

Comment osait-il la traiter ainsi alors qu'elle était encore sous le choc de l'attaque qu'elle avait subie ? Tout laird qu'il était, cet homme devait être fou... Elle avait sur le bout de la langue une verte réprimande quand elle entendit le rire de Rionna s'élever dans l'air glacé.

Aussitôt après, elle la vit bousculer son mari, intervertir leurs positions et commencer à lui barbouiller le visage de neige. Le laird se mit à rire à son tour et se débattit tant et si bien qu'un nuage de poudreuse ne tarda pas à s'élever autour d'eux, dans un concert de rires et de cris.

Un grand sourire se peignit sur le visage de Sarah, qui rentra dans la cuisine et referma discrètement la porte derrière elle. À présent, songea-t-elle, ce dont ces deux-là avaient surtout besoin, c'était d'un peu d'intimité...

18

Pour la première fois depuis son agression, Rionna descendit ce jour-là dans la grande salle pour le repas du soir. En traversant la pièce, elle sentit peser sur elle le regard des hommes et des femmes du clan. Un vent de panique souffla en elle, qui l'incita presque à se couvrir le visage et à aller se réfugier dans sa chambre, mais elle avait passé suffisamment de temps à se cacher. Il fallait en finir.

Caelen se leva pour l'accueillir quand elle rejoignit la table principale. Les autres convives l'imitèrent et, d'un coup d'œil discret, le laird invita Simon à libérer le siège à sa droite pour qu'elle puisse s'y asseoir.

— J'aurais pris des dispositions pour qu'on vous fasse porter votre dîner, dit-il à voix basse en se rasseyant.

— C'est gentil de votre part, chuchota-t-elle en réponse. Mais il est temps que je cesse de me cacher. Même si ces bleus me rendent hideuse, il n'y a rien d'autre qui cloche en moi.

Caelen lui saisit le menton entre le pouce et l'index et tourna son visage pour le présenter à la lumière. Il l'étudia un instant avec une expression pensive.

— Les bleus s'estompent déjà, assura-t-il. D'ici quelques jours, ils auront complètement disparu.

Du bout des doigts, il effleura les marques encore visibles sur son cou. Elle vit ses pupilles se dilater, ses narines palpiter, puis il retira sa main et se remit à manger.

À la fin du repas, Rionna se leva pour prendre congé. Un calme inhabituel avait régné sur la tablée, comme si les hommes s'étaient censurés de crainte de la heurter. Il leur faudrait du temps pour se convaincre qu'elle n'allait pas tomber en morceaux au moindre propos maladroit. Après tout, c'était de sa faute s'ils avaient eu cette impression, en se cachant comme elle l'avait fait. Mais comment aurait-elle pu leur expliquer combien elle s'était sentie impuissante entre les mains de ses agresseurs ?

Les hommes ne pouvaient comprendre ce genre de choses. Elle préférait aller de l'avant et ne pas s'attarder sur le passé. Un temps viendrait où tous auraient oublié ce qui lui était arrivé.

Caelen la retint par le bras et échangea un regard avec Gannon. Puis, à sa grande surprise, Rionna l'entendit s'adresser à elle en ces termes :

— Je crois que je vais me retirer avec vous.

Caelen se faisait un devoir de se détendre en compagnie des hommes du clan après chaque repas. C'était sa façon d'établir entre eux une certaine camaraderie après une longue journée d'entraînement. Il les écoutait lui faire part de leurs idées, faisait assaut avec eux d'histoires grivoises, et tous partageaient leurs impressions sur les événements du jour. En somme, lui et Gannon ne ménageaient pas leurs efforts pour se faire adopter par les guerriers du clan, ce dont elle leur était reconnaissante, même si tous n'avaient pas encore accepté Caelen comme leur nouveau laird.

Mais ce soir-là, sans lâcher le poignet de sa femme, il préféra se lever à son tour et les laisser.

— Il n'était pas nécessaire de monter avec moi, lui dit-elle quand la porte de leur chambre se fut refermée sur eux.

— Je sais, répondit-il. C'est néanmoins le choix que j'ai fait. Peut-être ai-je envie de discuter avec ma femme plutôt qu'avec mes hommes, ce soir.

Rionna scruta intensément son visage avant de demander :

— Avez-vous quelque chose de précis en tête ?

— Peut-être... Apprêtez-vous pour aller au lit, femme. Vous paraissez fatiguée. Je vais ajouter du bois dans la cheminée, et nous irons au lit tôt ce soir.

Rionna lui obéit et commença à se déshabiller. Elle tendait la main vers sa chemise de nuit lorsqu'elle entendit Caelen manifester sa réprobation d'un claquement de langue. Lui jetant un coup d'œil, elle le vit secouer négativement la tête.

— Pourquoi non ? s'étonna-t-elle.

— Je veux sentir votre peau contre la mienne.

Cela n'avait rien d'une exigence déraisonnable, mais cela la rendait nerveuse, un peu timide, et cette réaction la mettait en colère contre elle-même.

Comme s'il avait deviné ses hésitations, Caelen jeta une bûche dans l'âtre et se redressa pour venir la rejoindre. En douceur, il lui prit la chemise de nuit des mains et la disposa soigneusement sur le dos d'une chaise.

— Rionna... dit-il à mi-voix. Je n'exigerai rien de vous. Je ne ferai rien qui puisse vous effrayer. Mais pouvoir vous sentir contre moi m'a beaucoup manqué. Si ce n'est pas insupportable pour vous, j'aimerais y remédier cette nuit.

Rionna posa la main sur son torse et leva les yeux vers lui, émue par la tendresse qui transparaissait dans ses paroles.

— Vous ne me faites pas peur, Caelen… En vérité, je me sens en sécurité quand vous êtes près de moi.

Caelen plaça la main sur la sienne et l'amena jusqu'à ses lèvres. Il embrassa le creux de sa paume et y laissa ses lèvres un instant, avant de relâcher sa main.

— Allez vous coucher. Il fait froid ce soir et le vent s'insinue à travers les fourrures de la fenêtre.

Sans se faire prier, Rionna grimpa dans le lit et s'y installa en regardant Caelen se déshabiller devant le feu. Quand il pivota vers elle, elle entrouvrit la literie en un geste d'invite.

Dès qu'il l'eut rejointe, elle se blottit contre lui et soupira d'aise en sentant sa chaleur l'envelopper.

Caelen pouffa de rire contre ses cheveux.

— J'ai l'impression de vous entendre ronronner, femme.

Rionna ferma les yeux, se pelotonna davantage contre lui et murmura :

— Mmm… Je me sens si bien, cher époux.

Au creux de son dos, elle sentit sa main commencer à la masser doucement, de haut en bas.

— J'ai réfléchi à quelque chose… dit-il enfin.

Rionna retint son souffle. Une conversation ne finissait jamais bien lorsqu'elle débutait ainsi. Elle s'écarta de lui légèrement et la main de Caelen cessa de la caresser.

— À quoi donc avez-vous réfléchi ? demanda-t-elle.

— Dites-moi d'abord pour quelle raison vous vous habillez en homme, et ce qui vous a poussée à vous entraîner au maniement de l'épée.

Rionna écarquilla les yeux. Elle s'était attendue à tout, sauf à ça.

— Il est manifeste que vous avez consacré énormément de temps à vous perfectionner dans les arts de la guerre, reprit-il. Admettez que c'est un drôle de centre d'intérêt, pour une jeune fille.

En butte à son silence persistant, Caelen reprit ses massages légers au bas de son dos et poursuivit :

— Et à présent, alors que vous avez subi une agression qui aurait traumatisé n'importe quelle autre femme, vous êtes surtout en colère qu'on vous ait ôté le moyen de vous défendre.

— Oui, murmura-t-elle. Je me suis sentie impuissante. Je ne supporte pas ça.

— Qu'est-ce qui vous a si farouchement déterminée à vous défendre seule, Rionna ? Rares sont les femmes à prendre ce genre de décision. Généralement, elles peuvent compter sur un membre de leur famille, leur père, leur frère ou leur mari, pour veiller sur elles et les protéger. Pourtant, vous n'avez jamais compté que sur vous-même...

Submergée par la honte, Rionna ferma les yeux. Caelen n'ignorait rien des turpitudes de son père, mais formuler de vive voix ses craintes les plus profondes les rendait plus hideuses encore.

— Rionna ?

Caelen lui redressa le menton de manière à pouvoir la regarder dans les yeux. Les chandelles qu'il avait laissées allumées procuraient suffisamment de lumière pour qu'elle ne puisse ignorer la détermination sans faille qu'exprimait son visage.

Elle soupira longuement et détourna le regard avant de lui répondre :

— Vous savez quel genre d'homme est mon père. Vous savez aussi que lorsqu'il a tenté de violer

Keeley, ma mère a fait bannir celle-ci de notre clan. Keeley est ma cousine, et elle n'est pas la seule jeune fille à avoir subi les assauts de mon père. J'ai su à quoi m'en tenir à son sujet dès le plus jeune âge, et j'ai toujours redouté...

Rionna se força à le regarder dans les yeux.

— J'ai toujours redouté qu'il s'en prenne à moi, enchaîna-t-elle. S'il pouvait se conduire ainsi avec sa nièce, il était bien capable de le faire avec sa propre fille. Mes seins se sont développés très tôt. J'avais des formes dont je savais qu'elles intéressaient les hommes. C'est pour cela que j'ai commencé à les cacher autant que possible, et à chercher à ressembler davantage à un garçon qu'à une fille. Et si j'ai appris à manier l'épée, c'est que je me suis promis de pouvoir me défendre si jamais mon père jetait son dévolu sur moi.

La colère et le dégoût le disputaient dans les yeux de Caelen. Il lui caressa la joue, laissant son doigt courir de son menton à son oreille, puis redescendre.

— Vous avez bien fait, admit-il enfin. Il n'avait pas renoncé à son obsession pour Keeley, même des années plus tard. Il l'aurait violée, il y a quelques semaines de cela, si je n'étais pas intervenu pour l'en empêcher.

— Ses désirs sont contre nature, et il se fiche de savoir qu'il fait du mal à autrui. Il ne pense qu'à lui et à son plaisir. J'aurais pu le tuer, rien que pour ce qu'il a fait à Keeley.

— S'il s'avise de vous toucher encore une fois, que ce soit sous l'empire du désir ou de la colère, je jetterai sa carcasse aux vautours !

— Il n'y a que lorsque vous n'êtes pas près de moi que je m'inquiète, dit-elle tranquillement.

— Oui, j'en ai bien conscience. Et même s'il me coûte de devoir l'admettre, vous tenez là un bon argument pour que je vous autorise à continuer votre entraînement. J'ai bien donné un poignard à Mairin pour qu'elle puisse se défendre… Cela n'aurait pas de sens que je n'offre pas à ma propre femme la même opportunité.

— Merci… dit-elle dans un souffle. Cela représente beaucoup pour moi que vous me souteniez ainsi.

— Attendez un peu pour me remercier, la prévint-il. Je ne vais pas vous ménager sous prétexte que vous êtes une femme. Si vous devez assurer vous-même votre protection, vous allez devoir apprendre à avoir le dessus sur un homme deux fois plus fort que vous.

Rionna acquiesça d'un hochement de tête.

— Je mène la vie dure à mes élèves, poursuivit-il. Je vous ferai vous entraîner sans merci, jusqu'à ce que vous criiez grâce. Je n'attends pas de vous autre chose que ce que j'attends de mes hommes.

— Oui, je comprends, dit-elle. Maintenant, taisez-vous et laissez-moi vous remercier en bonne et due forme.

Caelen arqua un sourcil, circonspect.

— Qu'entendez-vous par « en bonne et due forme » ?

Rionna lui sourit et se pendit à son cou.

— Ne vous inquiétez pas. Je ne pense pas que vous aurez à vous plaindre de moi.

19

— Relevez-vous et essayez encore, Rionna.

Après s'être difficilement redressée, Rionna massa son pauvre derrière endolori. Son bras lui semblait sur le point de tomber, et sa main demeurait depuis longtemps complètement insensible. Elle était si lasse que ses yeux se fermaient d'eux-mêmes, mais son mari ne renonçait pas.

Il n'y avait aucune impatience dans le ton de sa voix. À n'en pas douter, il était l'homme le plus patient qu'elle eût jamais rencontré. Même Hugh, lorsqu'il lui avait servi de maître d'armes, avait souvent jeté les bras en l'air en jurant ses grands dieux qu'il n'y avait rien à tirer d'une femme.

Elle s'était chargée de lui montrer qu'il se trompait. Et elle avait fait de même avec tous les hommes de son père qui avaient osé railler ses prétentions à manier l'épée. Elle se promettait qu'il en irait de même avec son mari, qui paraissait s'être juré de découvrir combien de fois elle pourrait tomber sur les fesses avant de crier grâce.

La pointe de son épée touchait presque terre quand elle se porta une fois de plus à sa rencontre. Elle prenait garde cependant de ne pas la laisser traîner.

Caelen lui avait déjà montré ce qu'il pouvait lui en coûter.

— Pour l'amour de Dieu, Rionna ! s'impatienta Gannon. Vous me rendez fou ! Essayez de feinter, cette fois... Vous ne pesez rien. Ce devrait être facile, pour une femme de votre gabarit, d'être plus rapide qu'un homme aussi massif que le laird. Utilisez cet atout à votre avantage...

Pantelante, Rionna commença à décrire des cercles autour de son mari, guettant le moindre de ses gestes.

— Attendez ! reprit Gannon. Caelen ? Juste un instant.

Dans un soupir, Caelen baissa sa garde et regarda Gannon rejoindre Rionna.

— Puis-je vous parler quelques secondes, milady ? s'enquit-il.

Rionna, de crainte d'une ruse pour la distraire, recula lentement, sans cesser de viser Caelen avec son arme.

— Elle apprend, commenta celui-ci en souriant. Ne sois pas trop sévère avec elle, Gannon.

— Tout ce que je veux, maugréa celui-ci, c'est que nous en terminions pour pouvoir enfin aller manger.

Après avoir entraîné Rionna sur le côté, il s'adressa à elle en ces termes :

— Vous réagissez comme pour un exercice. Un combat sur un champ de bataille ne ressemble pas du tout à ça. Vous faites le tour de Caelen et vous attendez qu'il prenne l'initiative afin de réagir. En conséquence, vous êtes sans arrêt sur la défensive et lui toujours à son avantage. Cette fois, vous allez essayer d'initier l'action. Fondez sur lui et servez-vous de votre vivacité. Vous n'avez pas sa force. Il serait suicidaire de chercher à vous mesurer frontalement à un homme deux fois plus lourd que vous. Essayez d'imaginer d'autres façons de vous y prendre – et sans tarder, s'il vous plaît. Je suis affamé.

Son air maussade la fit sourire.

— Je vais faire de mon mieux, promit-elle.

— Il est capable de rester là toute la nuit, vous savez... N'allez pas vous imaginer qu'il vous épargnerait cela. Il obtiendra le résultat qu'il cherche à obtenir, ou il vous épuisera complètement. Je vous suggère de lui donner ce qu'il désire afin que nous puissions rentrer nous réchauffer.

— Vous vous transformez en vieille femme, Gannon...

— Priez pour qu'il ne m'autorise jamais à me battre avec vous. Je vous montrerai, si je suis une vieille femme ! Et je ne serai pas aussi clément que lui.

— Clément ! se récria-t-elle en se massant les fesses. Mon fondement n'est pas du tout d'accord avec vous...

— Vous ne saignez pas, je suppose ? répliqua-t-il. Alors c'est qu'il a fait preuve de clémence.

Dans un haussement d'épaules, Rionna se retourna pour faire face à Caelen. Celui-ci l'attendait, sans manifester ni impatience ni lassitude. C'était à croire que rien, jamais, n'avait réussi à le déstabiliser.

Sans perdre de vue les conseils qui venaient de lui être prodigués, Rionna recommença à tourner autour de son mari. Il y avait du vrai dans les paroles de Gannon. Elle était prévisible par le seul fait qu'elle utilisait la même technique chaque fois et qu'elle attendait que Caelen prenne l'initiative.

Puisant au fond d'elle-même d'ultimes ressources de courage, elle brandit son épée, laissa fuser un cri digne du plus féroce guerrier et se lança à la charge.

Un sourire carnassier au coin des lèvres, Caelen poussa un cri guttural quand leurs armes s'entrechoquèrent. Le bruit du métal frappant le métal résonna à travers la cour. Revigorée, Rionna allongea une botte, para, sans cesser de le faire reculer, utilisant sa rapidité.

Il était sur la défensive, à présent. Exactement ce qu'il fallait à Rionna en attendant qu'il commette une erreur et lui offre l'ouverture qu'elle attendait.

En dépit du froid glacial, son front était en sueur. Elle serrait si fort les dents que ses mâchoires lui faisaient mal. Ses yeux restaient plissés sous l'effet de la concentration.

Caelen lui assena un coup d'épée qu'elle put feinter en pivotant sur elle-même. Mais la force du coup lui fit mettre un genou en terre et, sans lui laisser le temps de reprendre son équilibre, d'une torsion du poignet Caelen la désarma.

— C'est mieux, femme... commenta-t-il. Mais pas encore ça.

Poussée à bout par sa suffisance et l'affichage insolent de sa supériorité, Rionna se courba en deux et fonça sur lui sans réfléchir. Son épaule, comme par un fait exprès, vint percuter son entrejambe.

Le souffle coupé, Caelen proféra un chapelet de jurons qui écorchèrent les oreilles de Rionna, puis s'effondra à genoux sur le sol, les mains agrippées à ses parties intimes.

Sans perdre une seconde, elle recula d'un pas afin de récupérer son épée et en pointa l'extrémité sur son cou.

— Vous vous rendez ? demanda-t-elle.

— Bon sang, oui ! Je me rends, ou vous allez sans doute trancher ce qui reste de mes bourses...

Sa voix tendue, son visage douloureux auraient dû l'inquiéter et l'attendrir. Mais Rionna n'avait pas oublié les heures qu'il venait de lui faire passer en enfer, et toute velléité de mansuétude disparut en elle.

Gannon s'avança vers eux, secoué par un rire irrépressible. Caelen lui lança un regard noir et grogna :

— Ferme-la, tu veux ?

Un dernier éclat de rire échappa à Gannon, puis il assena une grande claque dans le dos de Rionna, manquant de peu la déséquilibrer.

— Et voilà comment on fait choir un guerrier, milady !

— C'est toi qui lui as dit de viser mes parties ? s'enquit Caelen, méfiant.

— Sûrement pas ! Je me suis contenté de lui conseiller de passer à l'offensive. On peut dire qu'elle a réussi !

— Bon sang, femme ! s'exclama Caelen en se relevant difficilement. J'étais assez fier de cette partie de mon anatomie !

Rionna lui sourit d'un air mutin. Se hissant sur la pointe des pieds, elle lui murmura à l'oreille, pour que Gannon n'entende pas :

— Moi aussi. J'espère qu'il n'y a pas de dommages irréparables...

— Irrespectueuse polissonne ! gronda Caelen. Tout ceci se paiera plus tard.

Puis il lui caressa la joue, sur laquelle un bleu pâlissait peu à peu.

— Souffrez-vous encore ? s'inquiéta-t-il. Peut-être vous en ai-je trop demandé aujourd'hui ?

— Non, répondit-elle dans un souffle. À peine une petite douleur de temps à autre. Cela fait quinze jours, et j'y vois désormais presque parfaitement.

— Laird ! Un messager approche du château !

Immédiatement, Caelen confia Rionna à la garde de Gannon et alla ramasser son épée dans la neige.

— Fais-la rentrer et alerte les autres ! ordonna-t-il.

Sachant toute protestation inutile, Rionna se laissa entraîner par Gannon à l'intérieur. Il la conduisit dans la grande salle, près du feu, puis se mit à crier des ordres dont les échos se perdirent dans tout le château.

— Milady, que se passe-t-il ? s'inquiéta Sarah en se hâtant de la rejoindre.

— Je n'en sais rien. Un messager approche du château. Il faut attendre que le laird nous dise ce qu'il en est.

— Alors assieds-toi près du feu et laisse-moi te donner un peu de bouillon. Tu trembles de froid, tes vêtements sont trempés. Réchauffe-toi ou tu vas attraper la mort.

Rionna jeta un coup d'œil à ses habits froissés. Elle n'avait même pas remarqué l'humidité de ses vêtements, mais à présent que Sarah en parlait, elle les sentait coller désagréablement à sa peau.

Elle se rapprocha du feu, vers lequel elle tendit les doigts. Toute la maisonnée était entrée en ébullition autour d'elle. Tandis que la chaleur, peu à peu, se communiquait à ses doigts puis à ses bras, elle soupira de bonheur.

Au bruit des pas de son mari, Rionna tourna la tête vers lui. Elle s'était à ce point accoutumée à lui qu'il suffisait qu'il entre dans une pièce pour qu'elle le reconnaisse.

— Quelque chose ne va pas ? s'enquit-elle.

— Tout va bien. C'était un messager du clan McCabe. Mon frère est sur le point de nous rejoindre et demande l'hospitalité. Il est en route pour Neamh Alainn avec Mairin, Crispen et Isabel.

— Par ce temps ? s'étonna Rionna.

Elle était surprise qu'Ewan prenne le risque de voyager dans de telles conditions alors qu'Isabel était si jeune.

— Il préfère sans doute ne pas attendre davantage. Je l'ai tenu au courant de votre agression et du message qui vous a été délivré. Il doit vouloir s'installer là-bas avec sa famille au plus tôt, pour profiter de la garnison qui garde la place depuis la mort d'Alexander.

— Je vais aller m'occuper de préparer leur arrivée, annonça Rionna.

Caelen acquiesça d'un signe de tête et se tourna vers Gannon. Les deux hommes traversèrent la salle, en grande conversation. Rionna prit une profonde inspiration et s'efforça de mettre à profit les quelques leçons prodiguées par Sarah. Elle ordonna que l'on se mette tout de suite à la préparation de la nourriture et de la boisson nécessaires. Dieu merci, la chasse ordonnée par Caelen avait été fructueuse. Grâce à cela, il n'aurait pas à rougir de devoir offrir un piètre repas de bienvenue aux siens.

Elle affecta également quelques servantes au nettoyage de la grande salle. Le feu fut activé et les fourrures écartées des fenêtres afin de chasser les odeurs et de renouveler l'air ambiant.

Satisfaite de constater que toutes vaquaient à leurs occupations, Rionna se dépêcha de gravir l'escalier et de regagner sa chambre pour se changer.

Avec un linge humide, elle enleva sur son corps et son visage la sueur et la poussière de la journée. Alors qu'elle se séchait, la froideur de la pièce la fit frissonner. La peau hérissée de chair de poule, elle s'empressa d'aller tirer une robe d'une de ses malles.

C'était la première opportunité qui lui était offerte de porter l'une de celles que Sarah avait fait rectifier, et le résultat la satisfaisait pleinement.

Caelen ne trouverait rien à redire à son apparence. De pied en cap, elle était cette dame du château qu'il attendait qu'elle soit. Son mari avait fait d'importantes concessions en l'autorisant à s'entraîner. Comment aurait-elle pu ne pas en faire à son tour ?

Assise près du feu, elle se brossa les cheveux jusqu'à ce qu'ils brillent comme une coulée d'or liquide. Ensuite, elle se fit des tresses qu'elle noua à l'aide de liens en cuir.

Enfin, elle se leva et redescendit surveiller les préparatifs.

Dans la grande salle, on s'affairait à nettoyer le sol et les tables. Avoir aéré la pièce, déjà, avait suffi à la rendre plus accueillante.

— Un ragoût de venaison mijote sur le feu, lui annonça Sarah. Et il nous reste plusieurs miches de pain du repas de ce midi. Nous avons même en réserve un bon morceau de fromage que j'avais mis de côté pour une occasion comme celle-ci.

— Et la bière ? s'inquiéta-t-elle. Y en aura-t-il assez pour tous nos invités ? Demande à un homme d'aller chercher de la neige pour en faire des pichets d'eau fraîche.

Sarah hocha la tête et retourna à ses occupations.

Une heure plus tard, Caelen revint dans la grande salle et écarquilla les yeux en apercevant sa femme. Après l'avoir examinée de la tête aux pieds, il hocha le menton d'un air satisfait, et la lueur de convoitise qui éclaira son regard la récompensa de ses efforts.

— Ils sont aux portes du château, annonça-t-il. Nous allons les accueillir, Gannon et moi. Restez ici, au chaud.

Rionna répondit d'un sourire.

Le nez en l'air, Caelen renifla un instant puis observa d'un regard circulaire les préparatifs qui s'achevaient.

— Merci de faire en sorte que mon frère et son épouse soient les bienvenus ici, dit-il.

En le regardant s'éloigner, Rionna sentit une drôle d'émotion lui serrer la gorge.

— Fais chauffer du cidre, ordonna-t-elle à Sarah. Lady McCabe appréciera sans doute une boisson chaude devant le feu. Et qu'on tire de la bière pour les hommes.

Rionna fit les cent pas en attendant le retour de Caelen avec leurs invités. Elle n'avait pas été aussi nerveuse lorsqu'elle était allée rendre visite aux McCabe en compagnie de son père. Mais en ce temps-là, elle ne cherchait pas à leur être agréable. Aujourd'hui elle les accueillait chez elle, dans son château, et l'impression qu'ils garderaient de leur séjour rejaillirait sur Caelen. Soudain, rien ne comptait davantage pour elle que de ne pas faire honte à son époux.

Elle voulait à tout prix qu'il soit fier d'elle, ou du moins qu'il ne puisse rien avoir à lui reprocher.

Enfin, au terme d'une interminable attente, Ewan fit son entrée dans la grande salle, accompagné de Mairin et de Crispen, le fils du frère de Caelen issu d'un premier lit. Rionna se hâta d'aller prendre Mairin par le bras.

— Venez vite près du feu ! la pressa-t-elle. Vous pourrez découvrir le bébé. J'ai fait chauffer du cidre pour vous réchauffer.

Ewan, pendant que Rionna s'occupait de sa femme, entraîna son fils vers la table où les hommes se rassemblaient déjà.

— Merci de votre accueil, murmura Mairin. Je ne vous cacherai pas que je suis glacée jusqu'aux os.

Elles s'arrêtèrent devant l'âtre, et Mairin commença à écarter les épaisses fourrures qui la recouvraient. Nichée contre son sein, profondément endormie, Isabel paraissait indifférente à l'agitation qui l'entourait.

Rionna écarquilla les yeux, éperdue d'admiration devant cette magnifique enfant aux traits délicats, aux cheveux aussi noirs que ceux de ses parents et à la bouche menue.

Tout à sa contemplation, elle ne vit pas Mairin tendre la main pour caresser le bleu qui pâlissait sur sa joue. Surprise, elle sursauta.

— Désolée que vous ayez été ainsi entraînée dans nos combats, murmura la femme d'Ewan. Caelen nous a appris que vous avez été vicieusement battue...

Les lèvres pincées, Rionna se rembrunit et répondit :

— Vos combats sont aussi les miens. J'ai épousé un McCabe.

Mairin sourit.

— Caelen est chanceux d'avoir à ses côtés une femme aussi courageuse. Je m'inquiétais de le voir quitter notre clan et devenir laird ici, mais je constate que mes craintes étaient infondées.

— Oui, je ferai tout pour qu'il soit accepté par les membres du clan.

Mairin lui serra la main et soupira de lassitude.

— Mais je vous en prie, asseyez-vous... lui dit Rionna.

Mairin ne se fit pas prier et la remercia d'un hochement de tête.

— Isabel ne va pas tarder à se réveiller pour sa tétée. Nous voyageons depuis ce matin à l'aube. Ewan préférait ne pas s'arrêter.

Rionna fit signe à un homme qui se trouvait non loin de là d'ajouter une bûche dans le feu. Puis elle envoya une servante chercher un bol de cidre chaud en précisant :

— Le repas sera bientôt servi.

— Ne le prenez pas mal, mais… je préférerais rester assise ici, près du feu. Je suis trop lasse pour m'attabler avec les autres, et ce sera plus confortable pour Isabel.

— Ne vous inquiétez pas, la tranquillisa Rionna. Je vais rester avec vous et tenir le bébé pendant que vous mangerez. Ainsi, les hommes auront toute liberté pour discuter entre eux. Je suis prête à parier qu'ils en ont pour une partie de la nuit. Nous pourrons nous éclipser vous et moi pour aller nous coucher sans même qu'ils le remarquent.

Mairin pouffa de rire.

— Oui, approuva-t-elle. Il me semble que vous êtes dans le vrai. Merci pour tout, Rionna. Cet accueil me réconforte et me va droit au cœur.

Rionna se sentit rougir. Du coin de l'œil, elle chercha son mari, certaine de le découvrir en grande conversation avec son frère, mais à sa grande surprise elle le trouva en train de les observer, elle et Mairin, une expression bizarre sur le visage.

Elle lui adressa un sourire hésitant. Il lui répondit d'un hochement de tête. Mais lorsqu'elle détourna les yeux, elle sentit les siens continuer à peser sur elle.

— Racontez-moi comment vous vivez votre nouvelle condition de femme mariée ! reprit Mairin avec entrain. Vous paraissez resplendissante. Il émane de vous une sorte d'aura que je ne vous avais jamais connue. Vous avez toujours été une belle femme, mais là… vous rayonnez.

Troublée par ces compliments, Rionna baissa le menton. L'arrivée de Sarah, qui apportait un bol de cidre fumant et un tranchoir garni pour leur invitée, lui évita d'avoir à répondre. Maladroitement, elle tendit les bras pour que Mairin puisse y déposer sa fille.

Isabel émit une faible protestation mais se nicha bien vite contre sa poitrine quand elle la serra contre elle. Sa mère la regarda faire en riant et expliqua :

— Ce n'est pas une enfant difficile. N'importe quel sein fait son affaire. Vous devriez voir la tête d'Ewan quand il la prend contre lui et qu'elle essaye de le téter !

Amusée, Rionna caressa du bout de l'index la paume ouverte du bébé. Aussitôt, Isabel referma ses doigts minuscules autour du sien et la fixa de son regard encore endormi.

— Elle est tout simplement magnifique, Mairin... murmura-t-elle.

— Merci. C'est vrai qu'elle est pour nous un véritable trésor. Nous ne parvenons pas à cesser de la regarder, de la toucher, de la sentir, Ewan et moi.

Il était difficile pour Rionna de tenir ainsi Isabel contre elle et de ne pas songer qu'un jour elle aurait son propre enfant. Un fils ou une fille, avec des yeux verts semblables à ceux de Caelen. Oui, ce serait parfait.

D'ailleurs, peut-être était-elle déjà enceinte.

Cette perspective fit courir plus rapidement son sang dans ses veines.

Portait-elle déjà l'enfant de Caelen dans son ventre ? Cela faisait plusieurs semaines qu'ils s'étaient installés dans la forteresse des McDonald. Cette possibilité n'avait rien d'inconcevable.

Après avoir reporté le poids d'Isabel sur un seul bras, Rionna posa une main, doigts écartés, sur son ventre plat. Elle savait qu'une grossesse était inévitable si Dieu avait décidé de leur accorder Sa bénédiction. Mais elle n'avait pas envisagé que cela puisse se produire si tôt, même si son mari avait pris le pari qu'elle serait enceinte avant qu'un an ne se soit écoulé.

Elle avait pris cela pour une fanfaronnade de jeune marié, mais elle était bien forcée aujourd'hui d'envisager cette éventualité.

En se mordillant la lèvre inférieure, Rionna s'abîma dans ses réflexions. Elle savait qu'il était de son devoir de donner un héritier à Caelen. Ce devoir la liait également à son clan, qui attendait d'elle son prochain laird.

Mais, pour être honnête, ce n'était pas une tâche qu'elle se sentait prête à accomplir.

20

Rionna était sur le point de sombrer dans le sommeil quand Caelen regagna leur chambre. Elle avait passé l'heure précédente près du feu, à bâiller sans cesse en attendant qu'il se décide à aller se coucher.

Ouvrant la porte et la découvrant debout, il fronça les sourcils.

— Vous n'auriez pas dû m'attendre ! protesta-t-il. Il est tard et vous avez besoin de dormir.

Sans la mine sombre qui accompagnait ce constat, cela aurait pu être gentil de sa part de le remarquer.

Décidée à ignorer sa mauvaise humeur, Rionna se leva pour l'aider à se déshabiller. Caelen se figea lorsque ses doigts s'activèrent sur les lacets en cuir de son pantalon.

Puis la main de Rionna effleura son ventre, le faisant tressaillir. Elle mourait d'envie d'aplatir sa paume sur ses abdominaux et de remonter jusqu'à son torse, comme elle aimait le faire, mais elle était décidée à patienter.

Sans lui laisser le temps de protester, elle le guida vers la chaise qu'elle venait de libérer et l'incita à s'y asseoir. Les paupières mi-closes, il la regarda soulever sa tunique et la faire passer par-dessus sa tête.

Découvrant son torse puissant, couvert d'un fin duvet, elle retint son souffle. Jamais elle n'avait vu plus bel homme que lui... Du bout des doigts, elle caressa une cicatrice irrégulière au sommet de son épaule droite, puis les laissa descendre jusqu'à une autre, plus ancienne et plus discrète, sous l'omoplate gauche. Il lui suffit d'y jeter un coup d'œil pour reconnaître une blessure due à un poignard.

— On vous a poignardé dans le dos ? s'étonnat-elle en s'agenouillant pour l'examiner de plus près.

À ces mots, Caelen se raidit. Sous sa peau, ses muscles jouèrent et se durcirent. Les yeux fixés sur les flammes, le visage de marbre, il ne lui offrait que son profil.

— Oui, répondit-il simplement.

Rionna attendit qu'il en dise davantage. En vain.

— Qui a fait cela ? insista-t-elle.

— Peu importe. Quelqu'un qui ne compte pas.

Rionna se pencha en avant et embrassa la cicatrice. Caelen trahit sa surprise en se retournant vivement, mais il prit la précaution de lever le bras pour ne pas la heurter. Il mêla ses doigts à ses cheveux, puis caressa sa mâchoire et lui saisit le menton entre le pouce et l'index pour l'inciter à le regarder. Une lueur malicieuse brillait dans ses yeux verts.

— J'ai peine à reconnaître la femme qui est devant moi, murmura-t-il. Qu'est devenue ma farouche guerrière ? Je me suis attablé devant une table bien garnie. La dame du château s'est révélée être une hôtesse parfaite pour mon frère et sa femme. Et comme si cela ne suffisait pas, elle m'attend dans ma chambre pour me dorloter d'une main douce... et d'une bouche qui l'est plus encore.

Rionna fit la grimace et marmonna :

— C'est vrai, ce que l'on dit des hommes...

— Oh ? s'étonna-t-il, un sourcil arqué. Quoi donc ?

— Qu'ils ne savent jamais quand il vaudrait mieux qu'ils se taisent.

Un petit rire lui échappa. Avec le bout du pouce, il lui caressa la lèvre inférieure, puis se pencha lentement de manière que leurs lèvres s'épousent de la plus tendre des façons.

— J'ai été fier de vous ce soir, Rionna... reprit-il quand le baiser prit fin. Vous prétendez n'avoir rien d'une lady, pourtant vous vous conduisez en parfaite femme de laird.

— Jamais je ne vous ferai honte aux yeux des vôtres, promit-elle tout bas.

Après l'avoir de nouveau embrassée, Caelen se redressa et entreprit de retirer ses bottes. Quand ce fut fait, il resta là, les lacets dénoués à sa ceinture, torse nu, nimbé d'une lueur dorée par les flammes de la cheminée. Son mari était un régal pour les yeux, et Rionna était bien décidée à ce que cette nuit-là, il soit tout à elle.

Elle baissa les yeux jusqu'au renflement à la jonction de ses cuisses. Il suffirait de pas grand-chose, songea-t-elle, pour le décider à se débarrasser de son pantalon.

— J'ai réfléchi à quelque chose... commença-t-elle d'un ton rêveur.

Caelen lui lança un regard indolent.

— Il est universellement connu qu'un homme doit se méfier quand une femme lui dit ça... s'amusa-t-il.

Toujours à genoux, Rionna vint se placer entre ses jambes écartées. D'une main résolue, elle lui caressa l'intérieur de la cuisse, avant de prendre en coupe dans sa paume ses parties intimes. Les yeux plongés au fond des siens, elle poursuivit :

— Je me suis dit que puisque j'ai attenté à ce que vous avez de plus précieux, je pourrais en quelque sorte... vous dédommager. Mais si cela vous ennuie...

Le souffle coupé, Caelen répondit d'une voix blanche :

— N... Non... ça ne m'ennuie pas. Pas du tout, même...

Il tendit la main pour lui caresser de nouveau la joue.

— Vous êtes bien sûre d'en avoir envie ? demanda-t-il en scrutant attentivement son visage.

L'inquiétude que manifestement il se faisait pour elle bouleversa Rionna. Depuis son agression, il l'avait traitée avec la plus grande patience, le plus grand respect. Il se conduisait avec elle comme s'il craignait de l'effrayer ou de lui rappeler ses agresseurs.

— Tel est mon désir, assura-t-elle d'une voix ferme. Que vous me permettiez d'agir à ma guise avec vous ce soir.

— À votre guise ? répéta-t-il. Voilà une faveur que je suis prêt à vous accorder chaque nuit, si cela vous dit !

En toute impudeur, Rionna glissa la main dans l'ouverture du pantalon et caressa sur toute sa longueur son membre durci. Caelen fit entendre un petit hoquet étranglé. Puis, lui saisissant les épaules à deux mains, il l'écarta et se leva brusquement. En un rien de temps, il se débarrassa du reste de ses vêtements, qu'il jeta à travers la pièce.

Rionna laissa son regard courir sur son corps nu, illuminé par la lueur rougeoyante des flammes. C'était le corps d'un guerrier, puissamment musclé, marqué par une vie de combats.

À son entrejambe, son sexe bandé, lourd et épais, se dressait dans un tapis de poils noirs et drus.

— Une telle vision ne peut que séduire un homme, dit-il d'une voix rauque en la regardant agenouillée devant lui.

Cela la fit sourire.

— Vous aimez qu'une femme soit à vos pieds ?

— Je ne suis pas stupide. Admettre une telle chose équivaudrait à mettre mes bourses sur le billot !

Rionna se redressa et laissa ses mains courir sur l'intérieur de ses cuisses.

— Mais vous aimez ça, insista-t-elle.

Caelen poussa un gémissement sourd lorsque, d'une main, elle soupesa ses testicules et les massa doucement.

— Oui, admit-il d'une voix tendue. J'aime beaucoup ça. Il n'existe pas de spectacle plus émouvant que de vous voir agenouillée devant moi, entre mes jambes, prête à me donner du plaisir.

De sa main libre, Rionna encercla timidement la base de son sexe entre le pouce et l'index et fit coulisser vers le haut l'anneau ainsi formé. Même si elle était à l'initiative de ce petit jeu, elle n'avait aucune idée de la manière de s'y prendre pour le mener à son terme. Keeley s'était contentée de vagues indications et n'était pas entrée dans les détails.

Caelen appréciait d'être aux commandes. Il aimait la voir à genoux devant lui. Manifestement, une femme soumise n'était pas pour lui déplaire. Par conséquent, le meilleur moyen de lui faire plaisir n'était-il pas de lui laisser la maîtrise du jeu ?

— Enseignez-moi, cher mari... dit-elle d'une douce voix innocente. Montrez-moi ce que je dois faire pour vous satisfaire.

La lueur qu'elle vit naître dans ses yeux aurait dû l'alarmer. C'était une lueur animale, carnassière, qui fit courir un frisson le long de son échine. Caelen mêla ses doigts à ses cheveux et tira de manière qu'elle se retrouve le visage tendu vers lui.

— Je vous veux nue, répondit-il. Afin de pouvoir vous dévorer des yeux en sachant que chaque pouce de cette beauté est à moi...

— Puis-je me lever pour y parvenir, cher époux ?

En voyant ses pupilles se dilater, Rionna comprit que son petit jeu de soumission lui plaisait beaucoup.

Sans attendre sa réponse, elle se leva lentement et recula d'un pas pour se placer dans la lumière venue de l'âtre.

Rionna réprima un sourire puis lui tourna le dos, avant de dénouer la ceinture à sa taille. Par-dessus son épaule, elle lui jeta un coup d'œil et vit qu'il la contemplait avidement.

— J'ai besoin de votre aide, cher époux.

Contre sa nuque, elle sentit ses doigts trembler tandis qu'il déboutonnait sa robe. Dès qu'il eut défait assez de boutons, elle laissa tomber le vêtement à ses pieds. Vêtue uniquement de sa chemise, elle pivota vers lui et croisa les bras pour faire glisser les bretelles le long de ses épaules. Le vêtement léger resta accroché un instant à la pointe de ses seins, mais elle le fit tomber à son tour et demanda :

— À présent, puis-je m'occuper de vous, cher époux ?

— Naturellement, femme...

Une nouvelle fois, Rionna se laissa glisser à genoux devant lui en caressant la face externe de ses cuisses. Elle s'efforça d'en mémoriser chaque creux et chaque volume, sans oublier au passage le tracé des cicatrices, récentes ou plus anciennes.

La tête rejetée en arrière, elle le dévisagea :

— Montrez-moi comment vous faire plaisir.

— Dieu, que vous êtes belle ! murmura-t-il. Vos yeux brillent comme l'aurore et vos lèvres... il me tarde de sentir un tel puits de douceur se refermer autour de ma chair !

D'une main, Caelen empoigna son sexe bandé. L'autre alla se poser derrière la nuque de Rionna. Lentement, il l'attira à lui, présentant l'extrémité de son membre contre ses lèvres. Le geste la choquait un peu, et pourtant qu'avait-il d'inconvenant, puisqu'il l'avait lui-même aimée de cette manière, jusqu'à la rendre folle de plaisir ?

L'idée qu'elle pouvait lui rendre la pareille et lui faire perdre la raison l'émoustillait. En un geste inconscient, elle passa la langue sur ses lèvres.

— Ouvrez-vous à moi, femme ! lança-t-il d'une voix que le désir faisait trembler. Laissez-moi me perdre dans votre chaleur...

Rionna se sentait alternativement nerveuse, excitée et impatiente. Elle aurait voulu frotter son corps contre le sien et ronronner tel un chat comblé.

Elle entrouvrit les lèvres et engagea prudemment sur sa langue le sexe de Caelen. Sur sa nuque, elle sentit ses doigts se crisper.

Rendue plus confiante, elle laissa ses lèvres se refermer sur lui et descendit lentement le long de la hampe de chair dressée, l'acceptant toujours plus loin dans sa bouche. La sensation qui en résultait était à nulle autre pareille. Jamais elle n'aurait imaginé en ressentir un jour de semblable. Elle tremblait de la tête aux pieds. Tout son corps vibrait de désir.

Laissant ses instincts la guider, Rionna amorça une légère succion et se servit de sa langue pour le tourmenter. Le goût qui lui titillait le palais, nullement désagréable, lui parut éminemment masculin. Une légère odeur de musc flottait jusqu'à ses narines.

Le bruit qui montait de la gorge de Caelen ressemblait à un râle d'agonie. Dans ses cheveux, elle sentit sa main se crisper davantage. Lâchant son sexe, il posa son autre main contre la joue de Rionna, qui le laissa s'aventurer encore plus avant dans sa bouche.

— Tant de douceur, et tant de passion... gémit-il entre ses dents. Tu es une tentatrice, Rionna. Tu es là, agenouillée devant moi, mais pour ce qui importe vraiment, c'est moi qui suis à tes pieds.

Ces quelques paroles électrisèrent Rionna. Elle avait toujours considéré qu'embrasser sa condition de femme la rendrait plus faible, mais Caelen avait raison : jamais elle ne s'était sentie aussi puissante et invulnérable qu'en cet instant.

Son mari, guerrier redoutable, homme intraitable et fier, était là devant elle, pantelant et complètement à sa merci. Le plaisir ou la souffrance qu'il ressentirait, c'était à elle qu'il le devrait.

Rionna entoura de nouveau son sexe de ses doigts et commença à le caresser en un va-et-vient identique à celui de sa bouche. Caelen empoigna ses cheveux à deux mains, serra et desserra les doigts comme s'il subissait un intolérable supplice. La tête rejetée en arrière, il avait les yeux clos et le visage tendu tandis que roulant des hanches il allait et venait dans sa bouche.

Elle le surprit lorsque, saisie par une brusque inspiration, elle sortit son sexe de sa bouche et commença, la tête penchée sur le côté, à suivre du bout de la langue la veine gonflée située dessous. Après avoir gémi de plus belle, Caelen protesta, le souffle court :

— Tu veux donc ma mort ? Cesse cette torture, je ne peux en supporter davantage !

— J'ignore complètement de quoi vous voulez parler, cher époux… prétendit-elle d'un air angélique. C'est à vous de me montrer comment il convient de procéder…

Caelen laissa fuser un chapelet de jurons étouffés. D'autorité, il la fit se relever et la souleva dans ses bras. Aussitôt, il écrasa ses lèvres sous les siennes pour un baiser passionné, violent, sauvage. Jetant les bras autour de son cou, Rionna le lui rendit avec une égale ferveur.

Sans cesser de l'embrasser, il pivota sur ses talons et l'emmena jusqu'au lit. Quand leurs bouches se séparèrent, il lui dit en la regardant au fond des yeux :

— C'est cela que j'aime en toi. Une épée à la main ou en amour, tu ne te rends jamais.

Sur ce, il la déposa sur le lit et l'y suivit aussitôt, son corps se pressant avec urgence au-dessus du sien.

— Et moi qui étais persuadée que c'était mon côté soumis qui te plaisait… le taquina-t-elle.

— C'est un ensemble. Tu peux être à la fois si innocente et totalement séductrice que cela me rend fou.

Caelen déposa un baiser dans son cou, suçota doucement l'endroit où battait son pouls, puis remonta jusqu'à son oreille.

— De plus, ajouta-t-il, tu es la générosité faite femme. Tu fais passer mon plaisir avant le tien. Jamais aucune autre n'a fait cela pour moi.

Rionna lui décocha un petit coup de poing dans l'épaule et protesta :

— Ce n'est vraiment pas le moment d'évoquer les autres femmes que tu as connues… Même pour me comparer favorablement à elles.

Caelen se mit à rire. Lentement, il se porta à hauteur de ses seins. Et tandis que ses lèvres embrassaient la pointe dressée d'un mamelon, à son tour elle se laissa aller à gémir de plaisir. Intraitable, il la tourmenta encore et encore, passant d'un sein à l'autre, jusqu'à ce qu'elle crie grâce.

— J'ai réfléchi à ce que tu pourrais faire pour me rendre encore plus heureux, annonça-t-il.

Rionna le dévisagea avec suspicion. Il jouait avec sa poitrine, qu'il soupesait à pleines mains, avant de tracer des cercles concentriques du bout de l'index autour des aréoles.

— Tes seins sont magnifiques, commenta-t-il d'un air rêveur. Je n'en ai jamais vu de plus beaux.

— De nouvelles comparaisons ? Il semblerait que tu ne tiennes pas tant que ça à cette partie de ton anatomie dont tu dis être si fier...

Caelen sourit et, la prenant par surprise, il roula sur le dos en l'entraînant dans ses bras, de manière qu'elle se retrouve au-dessus de lui. Le premier effet de surprise passé, Rionna se blottit en grondant de plaisir contre lui.

— J'essaye simplement de rendre hommage à ta beauté, répliqua-t-il.

— Tu pourrais peut-être dire simplement que je suis belle, que mes seins sont incomparables, et qu'aucun barde ne saurait chanter la beauté de mon visage...

— Tu es belle. Tes seins sont incomparables. *Vraiment* incomparables...

Rionna lui donna un nouveau coup de poing et éclata de rire.

— Dis-moi plutôt quel est ce nouveau moyen que tu as trouvé pour que je te rende plus heureux encore.

— C'est simple… murmura-t-il en posant les mains sur ses hanches.

Caelen bascula son bassin, amenant l'extrémité de son sexe bandé au contact du sien. Rionna écarquilla les yeux en comprenant où il voulait en venir.

— Tu n'as qu'à te laisser… descendre, expliqua-t-il en se glissant en elle. Et ensuite me chevaucher.

Déstabilisée par cette position inhabituelle, Rionna prit appui des deux mains sur ses épaules et chercha le regard de son mari, voilé par le plaisir.

— Sûrement… une telle chose ne doit pas se faire… dit-elle tout bas, comme si on avait pu les entendre.

— Je me fiche de ce qui se fait ou pas, assura-t-il d'une voix ferme.

— Certains pourraient me considérer comme une… dévergondée, protesta-t-elle d'un air guindé.

Caelen émit un grondement rauque lorsqu'elle fit une tentative pour suivre ses instructions à la lettre. La tête rejetée en arrière, il ferma les yeux.

— Peu m'importe ce que pensent les autres, lança-t-il avec détermination. Ce que je pense, *moi*, c'est que je n'ai jamais rien vu d'aussi bouleversant que toi installée à califourchon sur moi.

— Oh ! Tant mieux… Mais les autres, celles qui m'ont précédée ? Elles ne te chevauchaient donc pas aussi bien que moi ?

Un grand rire secoua Caelen, qui referma les bras autour d'elle afin de l'attirer contre lui.

— Impossible à dire, répondit-il. Tu es la première que je laisse faire ceci…

— Ah… Faisons alors en sorte de rendre l'expérience mémorable.

— Bonne idée…

— J'ai bien l'intention de te faire perdre la tête, dit-elle avant de s'emparer de ses lèvres pour un baiser fougueux.

— Femme... protesta-t-il. Si tu me fais perdre la tête davantage, tu vas me transformer en crétin fini.

Rionna lui rendit ses attentions précédentes en lui mordillant le cou et en déposant un chapelet de baisers jusqu'à son oreille. En elle, il durcit un peu plus, accentuant la délicieuse friction par laquelle s'unissaient leurs corps. Le plus petit roulement de hanches leur soutirait à tous deux des gémissements.

Sentir autour d'elle ses bras forts accentuait encore son plaisir. Elle était en sécurité, protégée, et même chérie. C'était une merveilleuse sensation, dont elle aurait aimé qu'elle ne prenne jamais fin.

À cheval sur son guerrier de mari, elle ne se sentait ni petite ni insignifiante. Ses yeux brillants posés sur elle, la tension perceptible dans tout son corps lui prouvaient qu'il appréciait son manque de retenue. Et en cet instant, Rionna ne désirait rien d'autre que le rendre fou, au point qu'il en oublie toutes les autres femmes.

Si elle parvenait à ses fins, il ne poserait même jamais plus les yeux sur aucune autre... Toutes celles qui l'avaient précédée dans ses bras seraient oubliées. Ainsi que celle qui l'avait trahie. Rionna allait lui prouver qu'elle était aussi ardente que loyale et qu'il pouvait compter sur elle.

Son mari finirait par l'aimer. De cela, elle s'était fait le serment, et elle ferait le nécessaire pour parvenir à ses fins. Elle se battrait à ses côtés afin de rendre leur clan plus fort, mais elle serait également pour lui une épouse aussi compétente dans la vie quotidienne que dans l'intimité de leur chambre.

— Femme ? l'entendit-elle demander, les dents serrées. Où en es-tu de ton plaisir ?

— Aucune importance, répondit-elle tout contre sa bouche. Cette nuit, seul m'importe le tien.

— Ton plaisir est le mien.

Oh ! Cet homme savait s'y prendre pour aller droit au cœur d'une femme...

— Ce ne sera plus très long, je pense, dit-elle. À chaque instant... j'ai l'impression que... je vais dévaler au bas d'une énorme montagne...

— Alors ne résiste pas, car je crois que j'ai moi-même déjà un pied sur l'autre versant...

Rionna fondit sur la bouche de Caelen. Elle sentit ses bras la serrer plus fort encore. Sans cesser d'aller et venir au-dessus de lui, elle se mit à gémir contre ses lèvres, tandis qu'un plaisir cataclysmique ébranlait tout son être.

Il s'agrippa à ses hanches, serra très fort ses fesses entre ses doigts. Rionna était certaine qu'elle en garderait la trace dans sa chair le lendemain, ce qui accentuait son excitation.

En la maintenant fermement en place, Caelen prit le relais et se rua en elle, s'arc-boutant sur le lit. Le bruit de la chair frappant la chair fit écho à travers la pièce. S'y mêlaient leurs soupirs et leurs cris, en un crescendo érotique qu'accompagnaient les derniers crépitements du feu dans l'âtre.

Caelen l'attira contre lui plus étroitement encore, si étroitement qu'elle se sentit pénétrée plus profondément qu'il ne l'avait fait jusqu'alors. Incapable de se retenir, elle l'accompagna dans cette danse frénétique, roulant des hanches et ondulant sur lui.

Quelques minutes plus tard, elle reprit conscience de ce qui l'entourait, étalée de tout son long sur son mari, la joue posée contre son torse humide de sueur, ses cheveux en bataille lui masquant les yeux. À part sa main qui lui caressait doucement le bas du dos, Caelen restait parfaitement immobile lui aussi.

Ils étaient toujours unis l'un à l'autre. Son sexe en elle demeurait aussi dur, même si la moiteur qui l'avait envahie prouvait qu'il avait trouvé l'apaisement lui aussi.

Après avoir déposé un baiser sur son crâne, Caelen repoussa gentiment ses cheveux.

— J'aime ce côté femme soumise en toi... susurra-t-il. C'est agréable de te voir obéir à tous mes commandements.

Rionna trouva la force de rire de la plaisanterie.

— Et toi, tu fais un parfait oreiller... marmonna-t-elle dans un demi-sommeil. J'ai bien l'intention... de dormir là cette nuit.

Il la serra fort entre ses bras, et en elle Rionna sentit une fois encore son sexe tressaillir.

— Tant mieux ! se réjouit-il en lui caressant les cheveux. C'est exactement là que je te veux.

21

Rionna fut tirée du sommeil par une sensation étrange, dont elle eut tôt fait de comprendre l'origine. Deux mains solides s'agrippaient à ses hanches, tandis qu'un sexe d'homme pénétrait profondément en elle. Un hoquet de surprise lui échappa, mais en se réveillant tout à fait, elle sentit le plaisir la submerger et se détendit.

À plat ventre sur le lit, le visage tourné sur le côté, elle avait les jambes dans le vide et les fesses maintenues en l'air par Caelen.

Debout dans son dos, il allait et venait en elle sans proférer le moindre son, avec une application rageuse qui fit grimper l'excitation de Rionna.

Il se montrait déterminé, inflexible. Rien, semblait-il, n'aurait pu l'arrêter. L'amant précautionneux et attentionné de la veille s'était mué en farouche guerrier décidé à imposer son propre désir.

La jouissance de Rionna, quand elle survint, la prit par surprise. Elle arriva si vite, avec une telle intensité, qu'elle la laissa sans voix, le souffle coupé, vaincue et alanguie contre le lit.

Caelen ne cessa pas pour autant ses efforts. Il souleva ses hanches plus haut encore, se ruant en elle toujours plus fort, toujours plus profond. Rionna sentit une nouvelle vague de plaisir naître en elle et la submerger en un temps record.

Caelen s'agenouilla entre ses jambes et s'allongea sur elle. Contre son dos, elle sentit chacun de ses muscles jouer, et sur sa nuque déferler son souffle chaud.

La tension qui l'habitait se communiquait à elle. Bientôt, plongé en elle jusqu'à la garde, il se figea, lâcha ses hanches pour lui saisir les épaules, et jouit en râlant et en reprenant frénétiquement ses assauts.

Collés l'un à l'autre, ils demeurèrent ainsi un long moment. Puis Caelen se redressa suffisamment pour l'embrasser dans le creux du dos.

— Rendors-toi, maintenant… murmura-t-il. Il est trop tôt pour te lever.

Caelen se désengagea en douceur et se redressa. Il revint un moment plus tard porteur d'un linge humide avec lequel il essuya soigneusement l'entre-jambe de Rionna. Quand il eut terminé, il la rallongea au milieu du lit et tira les fourrures sur elle.

Sans bouger, elle l'écouta s'habiller dans le noir. Il ajouta du bois dans le feu et le tisonna jusqu'à ce que les flammes repartent. Puis il quitta la chambre, la laissant se rendormir.

Rionna se blottit en chien de fusil sous les fourrures, le corps rompu par ces fougueux ébats matinaux. Ce fut avec un sourire radieux accroché aux lèvres qu'elle glissa de nouveau dans le sommeil.

— Tu te lèves bien tard ce matin, Caelen ! lança Ewan en voyant son cadet le rejoindre dans la grande salle.

Caelen dévisagea son frère qui prenait son petit déjeuner près de la cheminée.

— J'ai été retenu, marmonna-t-il.

Ewan réprima un sourire et acquiesça d'un signe de tête.

— Oui, dit-il d'un air entendu. Tu as remarqué que cela arrive plus souvent aux hommes mariés ?

— Ferme-la donc un peu… grogna Caelen.

Ewan reprit son sérieux lorsque son frère vint s'asseoir à côté de lui.

— Je ne vais pas m'attarder, Caelen. Je veux atteindre Neamh Alainn aussi vite que possible. Cameron pourrait profiter de l'opportunité de nous attaquer alors que nous sommes en route. C'est pour cela que nous sommes partis au milieu de la nuit et sommes venus ici d'une traite. Je compte faire de même la nuit prochaine.

— Y a-t-il quelque chose que je puisse faire ?

Ewan secoua négativement la tête.

— Non, tu as déjà beaucoup à faire ici. Comment ça va, au fait ? Parle-moi de cette agression que Rionna a subie.

Caelen se renfrogna.

— La pauvre a été méchamment battue, expliqua-t-il. Une attaque de lâche, conçue pour me rendre furieux et me pousser à quelque folie. Cameron n'est pas assez bête pour lancer une attaque en plein hiver. Il préfère rester bien au chaud, derrière les murailles de son château. Ce sont des mercenaires qui ont fait la sale besogne à sa place.

— Comment se passe l'entraînement de tes hommes ?

Dans un soupir, Caelen répondit :

— Ils travaillent dur et se montrent constants dans leurs efforts. Ce n'est pas qu'ils n'ont aucune valeur sur le plan militaire. Ils n'ont simplement pas reçu l'entraînement nécessaire jusqu'à maintenant.

Difficile de corriger des années d'inefficacité en quelques semaines.

Ewan assena une tape amicale sur l'épaule de son frère.

— Si quelqu'un est capable d'accomplir un tel miracle, c'est bien toi. J'ai toute confiance en tes capacités à transformer cette bande de bras cassés en armée redoutable.

— Comment se débrouille Alaric ?

— Il assume son rôle de laird comme s'il était né pour ça. Le clan est en de bonnes mains, et Keeley est un atout supplémentaire pour lui.

— C'est bien qu'il soit heureux… murmura Caelen.

Après avoir lancé à son jeune frère un regard scrutateur, Ewan demanda :

— Et toi ? Es-tu satisfait de ton mariage et de ta nouvelle position de laird ?

Caelen réfléchit un instant à sa réponse. Jusqu'à présent, son bonheur n'était pas entré en ligne de compte. Il fallait simplement que l'alliance entre les deux clans soit maintenue et qu'il puisse apporter son soutien à son frère dans leur combat commun contre Cameron.

Dans ces conditions, pouvait-il affirmer être heureux ?

— Ce n'était pas une question piège, ajouta Ewan d'un ton pince-sans-rire.

— Cela n'a pas d'importance que je sois heureux ou pas, répondit-il enfin. Ce qui importe, c'est que nous disposions de la puissance nécessaire pour combattre Cameron. Et à présent, j'ai davantage de raisons encore de vouloir l'abattre.

— C'est vrai, reconnut Ewan. Comme nous tous. Il a fait du mal à nos femmes, à nos clans.

— Il a tué notre père.

Ewan poussa un profond soupir.

— Tu ne peux continuer à te blâmer pour cela, Caelen.

— Mais je ne peux faire comme si rien ne s'était passé. J'étais jeune et inconscient, et nous en avons tous payé le prix. Nous avons perdu notre père et tu as perdu ta femme. Crispen a perdu sa mère.

— Je ne t'en ai jamais blâmé, assura Ewan à voix basse. Pas une fois. Si Elsepeth n'avait pas accompli la besogne, Cameron aurait trouvé un autre moyen.

Caelen balaya l'argument d'un revers de main. Il n'aimait pas se rappeler à quel point il s'était montré immature et stupide. Elsepeth avait trouvé en lui la cible idéale. Elle s'était arrangée pour le séduire, et pour le garder sous sa coupe. Elle avait parfaitement réussi.

Il l'avait aimée.

Il lui en coûtait de le reconnaître, mais c'était nécessaire pour ne pas oublier ses erreurs passées. Jamais plus il ne commettrait la même erreur. Il fallait garder la tête froide avec les femmes, et ne pas se laisser dominer par ses émotions.

— D'attaque pour un peu d'exercice ? demanda Caelen. À moins que le mariage et la paternité ne t'aient amolli...

Les yeux d'Ewan brillèrent.

— Et toi, tu es prêt à te faire humilier devant tes hommes ? riposta-t-il.

Dans un grand rire caustique, Caelen se leva.

— Tu peux toujours essayer, *vieux*...

Rionna s'étira langoureusement et sourit avant même d'ouvrir les yeux. C'était un délicieux matin.

Ses pieds étaient merveilleusement au chaud et elle n'avait aucune envie de se lever.

Quelques instants plus tard, elle se retourna sur le flanc et aperçut une paire de bottes en cuir sur le sol, à côté du lit.

Rionna battit des paupières rapidement et se redressa sur son séant, les fourrures serrées contre sa poitrine.

De nouvelles bottes avaient été déposées près d'elle pendant qu'elle dormait. Et aussi une cape flambant neuve, soigneusement pliée, doublée de fourrure et munie d'une capuche.

Son envie de s'attarder au lit oubliée, Rionna se leva et alla examiner de plus près ces trésors. Saisissant une botte dans ses mains, elle l'examina sous tous les angles, admirant la régularité des points et le travail impeccable du bottier. Pour finir, elle plongea délicatement la main à l'intérieur... et soupira de bonheur au contact de la fourrure fine qui la tapissait.

Avec un petit cri de joie, elle prit les bottes et la cape dans ses bras et se mit à danser à travers la pièce.

Elle fit halte devant le feu et enfouit son visage dans la doublure de fourrure de sa nouvelle cape. Comme c'était, de la part de Caelen, une merveilleuse et délicate attention ! Comment avait-il pu obtenir en si peu de temps des articles de si grande qualité ?

Incapable de résister à l'envie de les essayer, Rionna enfila à la hâte une chemise et une robe, puis s'assit au bord du lit pour chausser les bottes.

Tandis que son pied se mettait lentement en place à l'intérieur, elle ferma les yeux et laissa un sourire béat jouer sur ses lèvres. Après avoir passé la seconde botte, elle marcha de long en large dans la pièce. Pour la taille comme pour le confort, elles lui allaient parfaitement.

Elle courut à la fenêtre, écarta la fourrure et passa la tête à l'extérieur. Des flocons de neige tombaient paresseusement dans l'air glacé, avant de s'accumuler sur le sol où ils formaient déjà une couche épaisse. Le temps idéal, décida-t-elle, pour étrenner ses nouveaux trésors.

En toute hâte, elle tourna les talons, attrapa sa cape au passage et se rua hors de sa chambre.

Sans doute était-il malvenu de sa part de ne pas vérifier si ses hôtes se trouvaient dans la grande salle, mais elle n'en avait cure. Caelen devait être dehors, en train de surveiller l'entraînement, et c'était lui qu'elle voulait voir.

Ses bottes s'enfoncèrent dans la neige, faisant craquer l'épais manteau blanc, mais aucune humidité ne se fit sentir et ses pieds demeurèrent au chaud.

Caelen et son frère se tenaient face à face et s'apprêtaient manifestement à s'entraîner, mais Rionna était trop excitée pour hésiter à les interrompre.

— Caelen ! s'écria-t-elle en s'approchant.

Dès qu'il se fut retourné, elle se jeta sur lui. Pris par surprise, Caelen tituba en arrière et tous deux allèrent rouler dans la neige.

— Bon sang, femme ! protesta-t-il. Que se passe-t-il ? Quelqu'un est blessé ?

À califourchon sur lui, elle souriait si fort que ses joues lui faisaient mal. Elle se pencha, encadra le visage de son mari entre ses mains et commença à le couvrir de baisers, avant de fondre sur sa bouche pour un dernier, passionné et brûlant.

— Merci, dit-elle avec fougue. Je les adore. C'est le plus beau cadeau qu'on m'ait jamais fait…

Des rires et des exclamations amusées s'élevaient, mais elle ignora les hommes qui s'attroupaient autour d'eux et se redressa sans quitter Caelen des yeux. Celui-ci paraissait toujours aussi ébahi par ce qui venait de se passer.

Après avoir gratifié les deux hommes d'une parfaite révérence, Rionna fit demi-tour en direction du château.

— Je vous laisse à votre entraînement.

Caelen cligna les yeux et regarda sa femme traverser la cour. S'avisant que ses hommes le fixaient, un air narquois sur le visage, il les foudroya du regard.

— On dirait que Rionna a apprécié ses cadeaux...

Caelen accepta la main que son frère lui tendait et se releva aussi dignement que possible.

— Bon sang de bois ! maugréa-t-il tout bas. Elle n'a aucune décence !

Ewan se mit à rire doucement et vint poser une main amicale sur son épaule.

— Estime-toi heureux. Tu viens de marquer quelques points avec ta nouvelle épouse. Je pense que nous comprendrions tous que tu veuilles t'éclipser...

Des rires s'élevèrent dans l'assemblée, que Caelen accueillit en se renfrognant davantage encore. Il donna à son frère un coup de poing dans l'estomac, lui arrachant un gémissement de douleur qui le consola.

— Qu'est-ce qui te prend ? protesta Ewan.

— Je te rends la monnaie de ta pièce. Tu m'as fait la même chose quand je te taquinais à propos de ta femme.

Ewan rit aux éclats en se massant le ventre.

— C'est toi qui me soupçonnais de m'amollir ? reprit-il. Étrange, alors qu'une beauté aux cheveux blonds parvient à te mettre les quatre fers en l'air...

Caelen lui décocha un nouveau coup de poing, mais cette fois Ewan parvint à esquiver et l'entraîna avec lui à terre. Un cercle d'hommes hurlant des encouragements se referma autour d'eux. Des paris furent rapidement lancés tandis que la neige commençait à voler.

22

Crispen entoura de ses bras la taille de Rionna, surprise par son exubérance. C'était un délicieux enfant mais un peu turbulent, comme ils le sont tous. Elle lui embrassa les cheveux, puis il bondit dans les bras de son oncle Caelen.

— Au revoir, Rionna... dit Mairin en la prenant dans ses bras. Encore merci pour votre hospitalité.

Rionna lui embrassa la joue. Puis, tirant doucement la petite couverture qui emmaillotait Isabel, elle caressa du bout du doigt sa joue satinée. Penchée sur elle, elle inhala sa douce odeur de bébé.

— Bon voyage, Mairin... répondit-elle. Je prierai pour vous et Isabel.

Mairin lui sourit, avant d'aller faire ses adieux à Caelen. Ewan l'attendait déjà près des chevaux. Rionna regarda avec amusement son mari fondre de tendresse devant la petite fille de son frère.

Il y avait quelque chose de saisissant dans le spectacle de ce guerrier intraitable mis à genoux par la seule force de l'innocence d'un bébé. Rionna faillit pouffer de rire en le voyant adresser des risettes à sa nièce. Il conclut ses adieux par une promesse solennelle de couper la tête à tous ceux qui voudraient lui faire du mal.

Rionna et Mairin échangèrent un regard entendu. Au moins n'avait-il pas suggéré de les priver de quelque autre partie de leur anatomie…

Ewan et ses hommes se mirent en selle. Caelen souleva Mairin et sa fille afin de les installer sur la monture de son frère. Celui-ci les entoura de ses bras protecteurs, puis donna l'ordre du départ.

Quittant la cour, la petite troupe traversa le pont-levis et disparut rapidement dans la nuit sans lune.

— Il est tard, constata Caelen en rejoignant sa femme. Nous ferions mieux d'aller nous coucher.

Rionna acquiesça d'un signe de tête et se laissa entraîner à l'intérieur. Il fit une pause au pied de l'escalier pour discuter du programme du lendemain avec Gannon, pendant qu'elle le précédait à l'étage.

Elle avait une idée en tête concernant son mari ce soir-là. Une idée troublante qu'aucune lady n'aurait dû concevoir, ce qui la ravissait d'autant plus.

Une fois dans sa chambre, elle garnit rapidement le feu et arrangea les fourrures sur le lit. Bientôt, elle entendit les pas de Caelen gagner en intensité dans le corridor.

Un sourire aux lèvres, elle se retourna, de manière qu'il la découvre de dos à son entrée.

— Rionna… commença-t-il d'une voix ferme sitôt après avoir refermé la porte. Il y a quelque chose dont nous devons discuter tous les deux.

— Ah oui ? Tu peux d'abord m'aider avec ma robe ?

D'une main, elle souleva ses cheveux pour lui faciliter la tâche. Caelen la rejoignit et entreprit de déboutonner le vêtement dans son dos. Dès que ce fut fait, elle se retourna et demanda avec la plus parfaite innocence :

— De quoi devons-nous discuter, cher époux ?

Caelen s'éclaircit la voix.

— Il y a certaines choses que tu ne peux te permettre en présence de tiers.

Rionna baissa les manches de sa robe sur ses bras et retint celle-ci à la pointe de ses seins.

— Certaines choses ? répéta-t-elle.

Comme à regret, Caelen laissa son regard dériver vers la poitrine de Rionna. Elle vit ses narines palpiter, et il lui fallut déglutir avant de pouvoir conclure :

— Les démonstrations d'affection doivent être cantonnées à notre chambre.

Rionna laissa filer sa robe le long de son corps et l'enjamba pour aller chercher sa chemise. En chemin, elle secoua la tête en arrière, laissa ses cheveux libérés cascader jusqu'à ses reins et s'étira quelque peu, avant de renoncer à enfiler son vêtement de nuit.

— De telles démonstrations sont inappropriées devant mes hommes, poursuivit Caelen d'une voix étranglée.

Rionna lui fit face et le rejoignit. Tout en dénouant les liens de son pantalon, elle répondit :

— Oui, cher mari. Je suis certaine que tu as raison. Aucune démonstration d'affection en public. C'est parfaitement inconvenant.

Sur ce, Rionna introduisit sa main dans le pantalon de Caelen et prit ses bourses au creux de sa paume, les pressant doucement.

— Ce n'est pas que... Bon sang, mais qu'as-tu en tête, femme ! s'étrangla-t-il.

Rionna caressa un instant son sexe déjà dressé.

— Je te déshabille. En tant qu'épouse, c'est mon devoir, non ?

— Eh bien... ça peut l'être, parfois. Mais pour l'instant, il est important que nous ayons cette discussion.

— Oh ! J'en suis bien convaincue. Je t'en prie, continue. Tu disais ?

La main de Rionna s'introduisit sous la tunique de son mari, qu'elle entreprit de lui ôter. Caelen fronça les sourcils.

— Ce n'est pas seulement inconvenant. Il y va du respect que ces hommes doivent me porter. Comment puis-je prétendre les commander si je me laisse culbuter par ma femme sur le sol ?

Sans se laisser impressionner par sa mine renfrognée, Rionna tira le pantalon sur ses chevilles, libérant son sexe dressé.

— Suis-je autorisée à culbuter mon époux sur le sol dans le secret de notre chambre ? s'enquit-elle avec le plus grand sérieux.

— Quoi ? marmonna-t-il.

Pour toute réponse, Rionna lui fit un croche-pied en le poussant vers le lit, sur lequel il partit à la renverse. Triomphante, elle s'installa à califourchon au-dessus de lui.

— Que disais-tu ? Je ne suis qu'une femme obéissante et soumise, toujours prête à suivre tes instructions.

Caelen croisa les mains derrière la tête.

— Rien. Je ne disais rien du tout. Continue...

— C'est bien ce qu'il me semblait, répliqua-t-elle avec un sourire satisfait.

Rionna porta ses lèvres à la rencontre des siennes et tendit le bras pour empoigner son sexe et le positionner où elle le voulait.

En s'enfouissant profondément en elle, son mari retint son souffle puis murmura contre sa bouche :

— Tu as ma permission pour me culbuter où tu voudras et aussi souvent qu'il t'en prendra l'envie.

23

Rionna observait avec mécontentement la cour où Caelen poursuivait l'instruction d'un groupe de soldats. Les guerriers McDonald n'étaient manifestement pas satisfaits du sort qu'il leur réservait. Nombre d'entre eux provoquaient du regard leur nouveau laird, tandis que d'autres n'hésitaient pas à le défier ouvertement en lui tournant le dos.

Simon et Hugh faisaient de leur mieux pour aider leur laird, mais ils ne parvenaient plus à juguler la colère des hommes. Il était difficile pour eux de s'entendre répéter qu'ils ne faisaient pas le poids, et plus dur encore de supporter l'accusation de se battre comme des femmes.

Ce qui ne manquait pas de susciter également la colère de Rionna, qui se battait mieux que la plupart de ceux qui étaient là. Elle ne trouvait pas utile d'insulter les femmes pour souligner les insuffisances des hommes.

Depuis une semaine, après le départ de son frère, Caelen avait multiplié les entraînements, qui se déroulaient désormais de l'aube jusque tard dans la nuit. De jour en jour, les hommes du clan McDonald se montraient plus mécontents et plus véhéments dans leurs critiques. Rionna craignait que si rien ne changeait, Caelen finisse par se retrouver face à une rébellion.

Frissonnant, elle serra les bras contre elle et s'écarta de la fenêtre. Elle ne tenait pas à ce que son mari s'aperçoive qu'elle l'observait. Il avait des idées arrêtées sur la façon de conduire ses hommes et ne supportait aucune interférence. Elle devait se retenir d'intervenir pour calmer le jeu en rappelant à tous pourquoi ils se battaient. Caelen avait sans doute perçu cette tentation en elle, car il lui avait clairement signifié qu'il ne tolérerait aucune intervention de sa part.

Rionna se réfugia près de la cheminée de la grande salle et réprima un bâillement. Bien que n'ayant pas fait grand-chose de sa journée, elle se sentait rompue de fatigue.

Un vague malaise s'était emparé d'elle depuis quelques jours. Elle avait d'abord redouté quelque maladie mais, à part la fatigue, elle ne ressentait pas d'autres symptômes. Il était vrai que son mari dérangeait beaucoup son sommeil avec ses insatiables appétits... qu'elle partageait la plupart du temps.

Elle se réveillait chaque matin bien avant l'aube, en le sentant s'introduire en elle et la posséder avec une brutale détermination. Chaque fois, il la quittait sur un tendre baiser et la laissait se rendormir. Ainsi les nuits commençaient-elles et finissaient-elles de la même façon.

Rionna bâilla de plus belle et se demanda s'il ne lui faudrait pas aller au lit un peu plus tôt ce soir-là, afin de compenser la fatigue de leurs inévitables ébats. Comment Caelen parvenait à assumer les exigences de l'entraînement avec aussi peu de sommeil, elle l'ignorait totalement.

Les mains tendues vers le feu, elle s'abîma dans la contemplation des flammes et sentit ses paupières devenir de plus en plus lourdes. Décidément, cela ne lui ressemblait pas d'être aussi fatiguée.

Ce fut Gannon, en la rejoignant près du feu, qui la tira de sa torpeur.

— Milady, Caelen est prêt pour votre leçon, annonça-t-il. Il dit que si vous voulez vous entraîner, il faut vous hâter car il n'a qu'une heure à vous consacrer pendant que les hommes se reposent.

— Et lui ? s'étonna-t-elle. Ça ne lui arrive jamais de faire une pause ?

Gannon la dévisagea comme s'il était ridicule de poser la question, et sans doute l'était-ce. Caelen possédait une énergie inépuisable.

— Juste le temps d'aller chercher mon épée, répondit-elle.

— Je vais m'en occuper, milady. Allez retrouver votre mari.

Rionna le remercia et se hâta de sortir. Elle grimaça sous la morsure du froid qui l'accueillit dehors. Caelen allait lui reprocher d'avoir oublié sa cape, mais il était plus facile de s'entraîner sans.

Il l'attendait en bordure de l'aire d'entraînement où ils se retrouvaient chaque jour. Rionna n'avait jamais été tentée d'y couper, mais la tentation était grande cet après-midi-là d'aller se glisser dans son lit.

Elle refusa pourtant de s'en ouvrir à Caelen. Elle avait dû lutter d'arrache-pied pour le convaincre de la laisser s'entraîner. Elle n'allait pas lui donner un prétexte de l'en priver.

Gannon les rejoignit à grands pas.

— Ne me décevez pas, aujourd'hui… murmura-t-il en lui tendant son épée.

— Je ferai de mon mieux, assura-t-elle d'un ton caustique.

Dès que sa main se fut refermée autour de la poignée, elle laissa fuser un grand cri vers le ciel et chargea. À la surprise succéda sur le visage de Caelen la satisfaction.

Il para vigoureusement son attaque. Sous la violence du choc, qu'elle sentit se répercuter dans tout son corps, Rionna craignit que ses dents ne se déchaussent.

Pendant plusieurs minutes, ils se battirent furieusement. Mais rapidement, ses forces l'abandonnèrent. Chaque mouvement qu'elle devait accomplir lui coûtait. Elle avait l'impression de se mouvoir dans de la boue.

Elle dut battre en retraite lorsque Caelen avança sur elle en effectuant des moulinets avec son épée. Elle parvint à bloquer l'attaque suivante, mais dut reculer encore, prise de vertige, son arme en équilibre précaire au bout de son bras.

La pointe s'abattit finalement dans la terre et s'y ficha. La vision de Rionna se troubla. Ses jambes se dérobèrent. Elle dut s'accrocher à deux mains à la poignée de l'arme pour ne pas tomber. Sur le visage de Caelen, l'étonnement céda bientôt la place à la panique.

Toujours accrochée à son épée, elle tomba à genoux, puis glissa sur le côté dans la neige, et perdit conscience.

Caelen rejoignit Rionna en même temps que Gannon. Il s'empressa de la soulever dans ses bras pour éviter que la neige ne transperce ses vêtements.

Son cœur battait à tout rompre. L'avait-il blessée, sans même s'en rendre compte ?

En serrant Rionna fort contre lui, il courut dans la neige et la ramena au château. Ignorant les cris qui s'élevèrent à son arrivée, il gravit l'escalier quatre à quatre, Gannon sur ses talons.

D'un coup de pied, il poussa la porte de leur chambre et alla déposer précautionneusement sa femme sur le lit. En hâte, il commença à l'examiner de la tête aux pieds, à la recherche d'une blessure.

Il n'y avait pas la moindre trace de sang, pas la plus petite égratignure, rien pour expliquer l'évanouissement. Était-elle malade ?

— Va chercher Sarah ! ordonna-t-il à Gannon.

Après le départ de son homme de confiance, Caelen caressa la joue pâle de Rionna et jura tout bas, songeant que jamais il n'aurait dû l'autoriser à s'entraîner.

— Rionna ! lança-t-il d'une voix blanche. Rionna, réveille-toi !

Elle ne réagit d'aucune manière à son injonction, ce qui décupla son inquiétude. Était-elle gravement malade ? Elle était plus têtue que lui encore. Elle aurait été parfaitement capable de ne rien lui en dire.

Un bruit de pas se fit entendre dans le couloir. Sarah fit son entrée dans la pièce, suivie de Neda, qui faisait office de guérisseuse.

— Que s'est-il passé, laird ? s'enquit celle-ci.

Caelen recula afin que les deux femmes puissent avoir accès au lit.

— Je n'en sais rien. Nous étions en train de nous entraîner à l'épée… et elle s'est évanouie.

Sarah fit un geste de la main pour le chasser.

— Allez attendre dehors, laird. Laissez-nous entre femmes. Nous allons prendre soin d'elle. Je soupçonne que ce n'est pas grand-chose. Elle était très fatiguée, ces derniers temps.

À cette nouvelle, le visage de Caelen s'assombrit. Il laissa Gannon l'entraîner hors de la chambre. Comment avait-il pu ne pas remarquer que Rionna était fatiguée ? La culpabilité l'assaillit.

Chaque matin, il la tirait du sommeil alors que le soleil n'était pas levé, et tard dans la nuit, il cherchait encore ses caresses. Pas un instant il n'avait envisagé que cela pourrait à la longue l'épuiser.

Il se réveillait à côté de sa femme, tenaillé par une envie impérieuse de la posséder que le seul désir ne suffisait pas à expliquer. C'était tout son être qui l'y poussait, comme pour imprimer sa marque sur elle.

Caelen se savait d'un naturel possessif, mais Rionna ne l'était pas moins. Ce qui était loin de lui déplaire...

— Qu'est-ce qui peut leur prendre tant de temps ? s'impatienta-t-il en faisant les cent pas.

— Il n'y a que quelques instants qu'elles ont fermé la porte, tempéra Gannon. Ne te mets pas martel en tête. Je suis sûr qu'elle va bien. Elle est indisposée, c'est tout. Peut-être quelque chose qu'elle a mangé ce midi ?

— Sarah dit qu'elle était fatiguée dernièrement. Comment ai-je pu ne pas le remarquer ?

— Tu as été très occupé avec l'entraînement. Cela ne te laisse pas beaucoup de temps pour te soucier d'autre chose. Rionna est une femme solide. Je ne doute pas qu'elle sera sur pied pour recommencer à te botter les fesses dans les plus brefs délais.

Caelen fit la grimace et secoua la tête. Enfin, Sarah les rejoignit et ferma soigneusement la porte derrière elle.

— J'ai deux mots à vous dire, laird. Ici, de préférence, puisque la petite a repris ses esprits.

— Est-ce qu'elle va bien ? s'enquit-il précipitamment. Laisse-moi vérifier par moi-même…

Sarah le retint en posant la main sur son torse.

— Ne recommencez pas à vous exciter ! lui ordonna-t-elle sèchement. Je vous dis qu'elle va bien. Elle n'a rien qu'un peu de sommeil ne puisse réparer. Je suppose que vous ignorez qu'elle est enceinte ?

La foudre tombant sur sa tête ne lui aurait pas fait davantage d'effet. Caelen demeura interdit, s'efforçant d'assimiler le sens de ces paroles. Quand ce fut fait, la fureur – une fureur incandescente – s'empara de lui. Sarah songea probablement que c'était une bien étrange manière d'accueillir une heureuse nouvelle, mais il n'en avait cure. Cette fois, sa femme allait l'entendre, dès qu'elle aurait suffisamment récupéré de son accès de faiblesse !

Se tournant vers Gannon, Caelen désigna la porte :

— Elle ne doit pas sortir de cette chambre de la journée. Débrouille-toi également pour qu'elle garde le lit.

Sur ce, il pivota sur ses talons et remonta à grands pas le corridor en direction de l'escalier. Un besoin irrépressible de se battre le tenaillait. Cela tombait bien, car les McDonald, avec leur réticence à se laisser transformer en une armée décente, allaient lui donner l'opportunité de le faire. Et dire que le membre le plus courageux de leur clan était une femme !

24

— Normalement, je ne devrais pas t'encourager à agir contre la volonté de ton mari. Mais les hommes croient que c'est lui qui t'a blessée, et c'est peu de dire que ça ne les ravit pas. Si tu ne fais pas une apparition, le laird va se retrouver face à une foule déchaînée.

Rionna regarda Sarah, puis d'un discret coup d'œil désigna Gannon qui épiait leur conversation, les bras croisés, dans un coin de la pièce.

Sarah, moins discrète, le toisa d'un air exaspéré.

— Tu disais qu'il n'a pas très bien pris la nouvelle ? reprit Rionna pour revenir au sujet initial.

— Non, je n'ai rien dit de tel !

— N'empêche qu'il l'a mal prise, insista-t-elle.

— Je suis incapable de dire de quelle manière il a réagi. Il a ordonné à son cerbère de veiller à ce que tu ne sortes pas de ton lit, puis il s'est précipité dans l'escalier comme un possédé.

Rionna éclata d'un rire sarcastique.

— Et tu ne trouves rien d'anormal à ce qu'un homme qui apprend qu'il va être père réagisse ainsi ?

— Donne-lui un peu de temps. Manifestement, il ne s'attendait pas à ça.

— Je n'y étais pas davantage préparée, maugréa Rionna.

Sarah secoua la tête et marmonna quelque chose par-devers elle. Puis, se dressant d'un bond sur ses jambes, elle leva les bras au plafond :

— Vous êtes formidables, tous les deux ! Moi, ce qui m'étonne, c'est que vous découvriez la nouvelle avec stupéfaction. Ce n'est pas comme si vous n'aviez pas fait tout ce qu'il faut pour en arriver là !

Sur la défensive, Rionna répliqua :

— Je n'étais pas prête…

— Et tu t'imagines qu'un enfant doit attendre que ses parents soient prêts pour arriver ?

Sarah secoua la tête et enchaîna :

— Tu vas avoir des mois devant toi pour t'y faire. Et crois-moi, tu t'y feras vite. Sois déjà satisfaite de ne pas avoir été malade. Il semblerait qu'un peu de fatigue ait été jusqu'à présent ton symptôme le plus inquiétant.

— Il ne faut jurer de rien, rétorqua Rionna avec une moue boudeuse. À présent que je sais que je suis enceinte, je serai peut-être atrocement malade dès demain.

Sarah se mit à rire.

— Ça se pourrait, en effet. L'esprit joue parfois de drôles de tours.

Rionna posa la main sur son ventre encore plat et sentit un frisson d'appréhension la secouer.

— Sarah… dit-elle. Et si je n'étais pas faite pour être mère ?

Le regard de la vieille servante s'adoucit. S'asseyant au bord du lit, elle fit comprendre d'un regard comminatoire à Gannon qu'il valait mieux déguerpir. Bien que manifestement peu enthousiaste, l'intéressé s'exécuta en leur faisant comprendre qu'il restait de garde derrière la porte.

Lorsqu'il fut sorti, Sarah prit la main de Rionna dans la sienne.

— Tu seras une mère fantastique, ma petite. Tu es loyale et farouchement protectrice envers ceux qui te sont chers. Comment pourrais-tu te conduire différemment avec ton propre enfant ? Tu t'inquiètes trop. Une fois que tu te seras faite à cette idée, tu trouveras que tout est très bien ainsi.

Rionna soupira longuement.

— J'espère que tu as raison. Mais jusqu'à présent, mon mari ne semble pas ravi à l'idée de devenir père. Dieu sait qu'il ne s'est pourtant pas privé de planter sa graine en moi ! Il s'est même vanté à notre mariage que je me retrouverais enceinte avant un an...

— Le laird a énormément de responsabilités. Il se reprendra. C'est pour le moment un choc pour lui, mais tu verras : il débordera de joie et se répandra en fanfaronnades sur sa virilité en un rien de temps.

— Mais tu m'as dit qu'il paraissait... en colère.

Sarah haussa les épaules.

— Ça lui passera. En revanche, les hommes du clan...

— Compris, l'interrompit Rionna. Je vais aller les rassurer et leur prouver que Caelen ne m'a pas assassinée. Il a eu assez de soucis avec eux dernièrement.

Elle s'abîma dans ses pensées un instant et poursuivit tristement :

— J'ignore ce qui se passe avec ce clan, Sarah... Seuls quelques-uns ont offert à Caelen leur loyauté et leur soutien. Je ne comprends pas ce qu'ils attendent ni ce qui les retient. Ils n'étaient tout de même pas plus satisfaits de leur sort sous la férule de mon père...

— Certains hommes n'aiment tout simplement pas le changement, expliqua la servante en prenant ses mains dans les siennes. Ils refusent de penser autre chose que ce qu'ils ont toujours pensé. Avoir un nouveau laird – et, qui plus est, venu d'un autre clan – les bouscule dans leurs habitudes. Leur orgueil n'arrange rien, car le laird ne se prive pas de souligner leurs faiblesses, ce qui les humilie.

— Aide-moi à me lever et à enfiler une robe, reprit Rionna. Cela apaisera peut-être mon mari de me voir habillée en femme. Avec un peu de chance, il ne hurlera pas trop en constatant que j'ai enfreint ses ordres.

— À ta place, je ne compterais pas trop là-dessus... commenta Sarah d'un air désabusé. Si tu arrives à rassurer les nôtres et à les convaincre qu'il ne s'est pas débarrassé de toi pour te faire enterrer dans un coin, ce sera déjà ça.

Rionna lança ses jambes sur le côté du lit. Quelques minutes plus tard, elle se retrouva habillée d'une robe couleur d'ambre brodée au fil d'or. C'était la première fois qu'elle la portait depuis que Sarah l'avait cousue pour elle. Elle avait voulu la préserver pour une occasion spéciale. Éviter à son mari d'avoir à faire face à une rébellion semblait tout indiqué.

— Tu es magnifique ! s'enthousiasma Sarah en la détaillant de la tête aux pieds. La maternité te donne déjà une certaine aura de douceur...

À mi-chemin de la porte, elle se figea et se retourna.

— Gannon... dit-elle dans un soupir.

Sarah haussa les épaules.

— Cela m'étonnerait qu'il porte la main sur toi. Oh ! Tu peux être sûre qu'il va faire son possible pour te barrer le passage, mais à nous deux, nous devrions pouvoir en venir à bout.

Rionna n'en était pas aussi sûre.

— Peut-être vaudrait-il mieux que tu l'attires ici, suggéra-t-elle. Je me tiendrai à côté de la porte et quand il rentrera, je me précipiterai à l'extérieur...

Sarah pouffa de rire.

— Tu es une petite rusée ! s'amusa-t-elle. Va te mettre en place, mais n'oublie pas de faire vite. Il ne va pas aimer ça.

Rionna prit ses jupes dans ses mains et se hâta d'aller se plaquer contre le mur, du côté où se rabattait la porte. Sarah se positionna à l'autre bout de la pièce et se mit à crier pour appeler Gannon à l'aide.

Aussitôt qu'il se fut rué comme un fou à l'intérieur, Rionna mit son plan à exécution. Alors qu'elle s'enfuyait en courant, elle entendit derrière elle le rugissement d'indignation de Gannon qui s'était lancé à sa poursuite.

Galvanisée par le bruit de ses pas derrière elle dans l'escalier, elle courut sans se retourner jusqu'à la porte et fonça dans la cour tête baissée. Si grande était sa précipitation qu'elle faillit s'étaler dans la neige.

Son mari lui tournait le dos. Il ne l'avait pas vue arriver, mais les hommes qu'il entraînait baissèrent leurs épées et la regardèrent avec étonnement aller se réfugier en hâte derrière lui.

Leurs regards couraient de Caelen à elle et témoignaient d'une certaine prudence, et lorsqu'il se retourna et qu'elle put voir son visage, elle comprit pourquoi.

Une fureur glaciale déformait ses traits. Elle ne put s'empêcher de reculer d'un pas, le cœur battant. Gannon l'avait rejointe.

— Tu étais censé l'empêcher de quitter sa chambre ! hurla Caelen.

Rionna prit aussitôt sa défense.

— Il n'y est pour rien. Nous avons triché, Sarah et moi, pour tromper sa vigilance.

— Et en matière de tricherie, on peut dire que tu as une certaine expérience !

Le ton sur lequel il avait dit cela la prit au dépourvu. Elle n'était pas certaine de ce qu'elle devait comprendre, mais quoi qu'il ait pu vouloir dire, cela s'annonçait mal.

— Je voulais juste que chacun ici puisse constater que je vais bien ! répliqua-t-elle, le menton fièrement pointé.

D'un grand geste, Caelen engloba l'assemblée.

— Eh bien, comme tout le monde peut le voir, reprit-il, la femme du laird est en pleine santé, malgré sa sottise !

— Ma sottise ? répéta-t-elle, le cœur serré. Mais… de quoi veux-tu parler ?

Il fit un pas pour la rejoindre et lui lança un regard si noir qu'elle frissonna.

— Nous verrons cela plus tard, quand j'aurai surmonté ma colère. Jusque-là, femme, tu retournes dans ta chambre et tu n'en bouges plus ! Est-ce bien compris ?

Rionna en resta bouche bée. Que diable avait-elle bien pu faire pour mériter un tel traitement ?

La tentation fut grande pour elle de lui décocher un coup de genou dans les parties et de le laisser se tordre de douleur sur le sol. Les lèvres serrées, elle lui rendit son regard impitoyable sans ciller.

Et lorsque Gannon essaya, un instant plus tard, de lui prendre le bras en la voyant se retourner, elle se libéra d'un geste sec et le foudroya du regard à son tour.

De retour au château, elle se lança à la recherche de Sarah, sans cesser de remâcher sa rancœur. Caelen allait être père. Il aurait dû être fou de joie.

À présent, les McCabe et les McDonald seraient unis par les liens du sang. Et c'était précisément ce moment où elle lui offrait le plus beau des cadeaux qu'il choisissait pour l'humilier et l'accuser de l'avoir trahi ?

— Tu ne vas pas pouvoir éviter le laird éternellement, prévint Sarah.

Rionna lui adressa un regard maussade.

— Il ne s'agit pas tant pour moi de l'éviter que de ne pas obéir à ses ordres idiots. Il peut aller au diable ! Et dire que j'avais fait l'effort de m'habiller pour lui faire honneur...

Dépitée, elle baissa les yeux sur la belle robe couleur ambre, un peu froissée désormais.

Sarah la regarda faire en souriant, puis reporta son attention sur son tricot. Toutes deux s'étaient installées dans le petit cottage de celle-ci, bien au chaud devant la cheminée. L'heure du dîner étant passée, Sarah avait insisté pour lui préparer quelque chose à manger.

Tu ne peux plus te permettre de sauter des repas, l'avait-elle mise en garde en réchauffant un peu de ragoût. Sans doute est-ce pour cela que tu t'es évanouie. Tu n'avais rien mangé le matin, et tu t'es épuisée avec cet entraînement.

Rionna avait cédé et s'était forcée à avaler sans appétit le contenu du bol qu'elle lui avait tendu. Une seule chose lui occupait l'esprit : la fureur de son mari et son attitude glaciale. Elle ne comprenait pas ce qu'il lui reprochait. Certes, la méfiance des hommes du clan à son égard l'avait rendu de très mauvaise humeur, mais cela ne suffisait pas à expliquer sa réaction. Était-il vraiment hors de lui parce qu'elle était enceinte ? Cela n'avait aucun sens, alors que sur la conception d'un héritier reposait l'avenir de l'alliance entre les McDonald et les McCabe. Le bébé qui allait naître ferait bien mieux accepter le nouveau laird au sein du clan que toutes ses vitupérations.

— Je crois que je ne comprendrai jamais les hommes... soupira-t-elle.

Sarah dodelina de la tête.

— C'est une bonne chose que tu apprennes cette leçon tout de suite. C'est folie que d'espérer y parvenir. Un homme change d'humeur au jour le jour, et une femme ne peut jamais être sûre de l'état d'esprit dans lequel elle va le trouver. Voilà pourquoi il vaut mieux les laisser s'imaginer qu'ils sont les maîtres en continuant à n'en faire qu'à sa tête.

Rionna se mit à rire.

— Tu es une femme avisée, Sarah !

— Pour avoir survécu à deux maris, j'en sais beaucoup sur les hommes, dit-elle en haussant les épaules. Ce n'est pas difficile quand tu as fini par comprendre qu'ils ont la vanité des paons et l'amabilité des ours. Si tu peux supporter ça et ignorer leurs incartades, ils ne sont pas difficiles à vivre. Il suffit pour les satisfaire de les cajoler un peu et de les brosser dans le sens du poil.

— Oui, j'aimerais croire que c'est aussi simple, reprit Rionna en fixant les flammes. Mais mon mari va finir par me rendre folle. Un instant, il est avec moi aussi tendre et prévenant qu'un homme peut l'être ; l'instant d'après, le voilà glacial et mordant comme un vent d'hiver...

— C'est parce qu'il n'a pas encore décidé ce qu'il doit penser de toi, assura Sarah en souriant. Tu lui fais un tel effet qu'il ne sait plus où il en est, mais il finira par se décider.

— Et bien sûr, s'insurgea Rionna, c'est moi qui dois attendre qu'il se décide pour que nous puissions faire la paix !

— Difficile de faire la paix alors que tu es ici et lui là-bas.

— Il fait trop froid, maugréa-t-elle. Je ne m'aventurerai pas dehors.

— Le véritable problème, c'est que vous êtes tous les deux aussi têtus que de vieilles mules ! Ni l'un ni l'autre ne veut bouger d'un pouce. Ce n'est pas comme ça qu'on rend un mariage heureux, ma petite, crois-moi...

— Si je prends l'habitude de céder devant lui, objecta Rionna, alors il prendra celle de ne jamais le faire...

— C'est vrai aussi.

— Alors que suis-je supposée faire ? demanda-t-elle, à bout de patience.

Sarah répondit en riant :

— Si je le savais... Il me semble que c'est quelque chose que tu dois découvrir par toi-même.

— Peut-être, admit-elle de mauvaise grâce. Mais ce ne sera pas pour ce soir. Je suis fatiguée.

— Et grognonne.

— À juste titre !

— Je te conseille d'aller te coucher. Ton mari partira à ta recherche bien assez tôt... et alors, tu risques de ne plus beaucoup dormir.

— Je ne me cacherai pas, promit Rionna, boudeuse.

— Ah bon ? s'étonna Sarah en arquant un sourcil. Dans ce cas, qu'es-tu exactement en train de faire ici ?

— Je désobéis à un ordre qu'il m'a donné.

— Et ce faisant, tu te caches.

— Non ! Je ne me cache pas. Mais il est vrai qu'il serait temps que je découvre pourquoi il est en colère...

Rionna se leva, les poings serrés.

— Sois prudente, dehors... conseilla Sarah sans détourner les yeux de son tricot. Ça doit glisser. Le temps hésite entre neige et pluie.

— Je ferai attention, ne t'inquiète pas. Merci, Sarah. Pour tout. C'est bon d'avoir quelqu'un à qui parler.

Sarah lui rendit son sourire.

— Oui, ma petite... C'est vrai. Va faire la paix avec ton mari, maintenant.

Rionna traversa en hâte la cour enneigée pour regagner le château. Quand elle y parvint, frissonnante, la neige fondue avait eu le temps de s'infiltrer dans son cou.

Avant de rentrer, elle débarrassa ses bottes de la neige qui s'y était accumulée, puis elle se dirigea vers la grande salle pour se réchauffer un peu devant la cheminée avant de se lancer à la recherche de son mari.

Elle n'eut pas à aller bien loin pour le trouver.

Caelen occupait la table principale en compagnie de Gannon et de quelques autres guerriers du clan. Lorsqu'il la vit, il se leva. Les yeux et les lèvres plissés, il croisa les bras et la toisa avec colère. Sans doute, comprit-elle, ne s'était-il pas aperçu qu'elle avait désobéi à son ordre de se retirer dans sa chambre. L'avait-il condamnée *aussi* à périr de faim, pour ne pas lui avoir fait porter de repas ?

Ignorant son air courroucé, elle lui tourna le dos et alla présenter ses mains aux flammes.

Plus elle y réfléchissait, plus sa fureur augmentait. Elle n'avait rien fait pour mériter sa colère. S'il n'était pas content qu'elle soit tombée enceinte, il ne pouvait s'en prendre qu'à lui-même. Il n'avait en tout cas pris aucune précaution pour empêcher cela...

Une fois suffisamment réchauffée, Rionna se dirigea tranquillement vers l'escalier sans même adresser un regard à Caelen.

— Ma patience sera bientôt à bout, femme ! lança-t-il à l'autre bout de la pièce.

Rionna se figea et se retourna lentement. Avant de lui répondre, elle lui jeta un regard noir qui n'avait rien à envier aux siens.

Les hommes observaient la scène avec une curiosité mal déguisée. Cela ne plaisait pas à Rionna de régler ses comptes en public, mais elle était suffisamment en colère pour passer outre.

— La mienne est également mise à rude épreuve ! répliqua t elle sèchement. Quand tu auras compris en quoi je t'ai déplu, tu pourras peut-être me le faire savoir ? En attendant, je vais me coucher. La journée a été... agitée.

25

Rionna tremblait comme une feuille quand elle atteignit sa chambre. Il lui avait fallu faire appel à tout son courage pour quitter calmement la grande salle en laissant Caelen fulminer derrière elle. Il n'était pas correct de sa part de lui manquer ainsi de respect devant ses hommes, mais il n'avait pas lui non plus à l'humilier en public.

Elle n'avait aucun désir de rester dans cette chambre, à attendre son bon plaisir, en se rongeant les sangs tant qu'il ne se serait pas décidé à se montrer. Mais il était hors de question qu'elle donne l'impression de se cacher en allant chercher refuge dans sa chambre de jeune fille.

Dieu lui était témoin qu'elle n'avait pourtant qu'une envie : être seule et pouvoir dormir en paix. Elle se sentait si faible qu'elle se serait volontiers effondrée dans son lit pour y demeurer une nuit et un jour. Pour ne rien arranger, elle sentait les prémices d'une migraine lui vriller le crâne.

Rionna commença à faire les cent pas devant le feu, avant de réaliser que Caelen semblait décidé à la faire attendre. Avec un soupir exaspéré, elle se déshabilla et remisa soigneusement sa robe pour ne pas la froisser davantage. Celle-ci méritait d'être portée à un autre moment, lorsqu'elle pourrait être appréciée à sa juste valeur...

Parce qu'elle avait un peu froid dans sa chemise de nuit, elle passa sa cape sur ses épaules et alla s'installer dans un fauteuil devant l'âtre. Un bain n'aurait pas été de refus, mais il était tard et elle préférait ne pas être nue dans l'eau quand son mari se déciderait à se montrer.

Tandis que la chaleur du feu la réchauffait peu à peu, elle sentit ses paupières s'alourdir. Si bien que lorsque le bruit des pas de Caelen retentit enfin dans le corridor, à moitié endormie, elle n'eut plus la force de s'offusquer de son arrivée tardive.

La porte s'ouvrit sans bruit et se referma de même. Rionna, trop fatiguée pour bouger, ne se retourna pas.

Un parfait silence se fit dans la pièce pendant de longues minutes. Puis, finalement, elle entendit Caelen s'approcher et faire halte dans son dos.

— J'ai tenté de me calmer toute la journée, dit-il d'une voix neutre. Pourtant, je me sens aussi en colère ce soir que je l'étais ce midi.

À cela, Rionna ne pouvait rester insensible. Vivement, elle se tourna dans le fauteuil en serrant sa cape contre elle.

— Peux-tu me dire quel horrible crime j'ai commis ? Cela te déplaît donc à ce point de devenir père ? Ce n'est pas toi qui te vantais de pouvoir me mettre enceinte dès la première année de notre mariage ?

Caelen fronça les sourcils et la dévisagea avec consternation.

— Tu t'imagines que je suis en colère parce que tu portes notre enfant ? s'étonna-t-il.

Rionna se dressa d'un bond sur ses jambes, faisant tourbillonner sa cape autour d'elle.

— Tu n'as rien fait pour me détromper ! s'insurgea-t-elle. Dès l'instant où tu as appris la nouvelle, tu es parti dans une rage froide ! Et bien que je ne le mérite en rien, tu n'as cessé de me tailler depuis en pièces, par le regard autant que par la parole !

— En rien ? répéta-t-il, abasourdi. Pour l'amour de Dieu, femme ! Tu ne m'as pas dit que tu étais enceinte ! À quel moment étais-tu décidée à m'en informer ? Quand j'aurais posé la pointe de mon épée sur ton ventre ? Ou peut-être simplement au moment d'accoucher ?

Rionna mit quelques secondes à comprendre de quoi il retournait.

— Tu t'imagines que je t'ai sciemment caché que j'étais enceinte ? demanda-t-elle enfin. Tu crois que j'aurais pu mettre volontairement notre bébé en danger ?

— Tu participais à des activités auxquelles nulle femme enceinte ne devrait se livrer, répondit-il entre ses dents. Tu devais te douter que je n'aurais jamais permis ça…

— Tu as donc une si basse opinion de moi, pour me croire capable d'user de tels subterfuges afin de continuer à m'entraîner, au mépris de la vie du prochain laird de mon clan ?

— Pourquoi me l'aurais-tu caché, sinon ?

Des larmes de déception brûlaient les paupières de Rionna.

— Mais je n'en savais rien ! protesta-t-elle d'une voix tremblante. Jusqu'à ce que Sarah me l'apprenne, j'ignorais que j'étais enceinte ! Si je l'avais su, je te l'aurais dit. Avec la plus grande joie, même !

Caelen demeura statufié sur place un moment, comme s'il n'avait jamais accordé à cette possibilité la moindre pensée.

— Doux Jésus... murmura-t-il enfin.

Passant une main tremblante dans ses cheveux, il se détourna d'elle. Sa main retomba lourdement contre son flanc. En serrant le poing, il ajouta tout bas :

— Quand je pense à ce qui aurait pu se produire... Lorsque tu es tombée, j'ai imaginé que je t'avais blessée. Mais à n'importe quel autre moment, j'aurais pu blesser notre enfant. J'aurais pu te blesser, *toi*...

Rionna comprit en un éclair le fin mot de l'histoire. Sa colère et sa souffrance se dissipèrent en un clin d'œil, et son cœur battit un peu plus fort. Rejoignant son mari, elle lui posa la main sur le bras et chercha son regard.

— Tu as eu peur... constata-t-elle. N'est-ce pas ?

Ses yeux lancèrent des éclairs.

— Peur ? Bon sang ! J'étais terrifié... Quand je t'ai portée ici, j'étais convaincu de t'avoir grièvement blessée. J'ai cherché du sang, un hématome, quelque chose...

Rionna entoura de ses bras la taille de Caelen et posa la joue contre sa poitrine. Pendant ce qui lui parut durer une éternité, il resta parfaitement rigide, tout contre elle. Finalement, il referma les bras autour d'elle et lui rendit farouchement son étreinte.

La joue posée au sommet de son crâne, il la serra si fort contre lui qu'elle eut du mal à respirer. Elle le sentait trembler comme une feuille. Cela lui paraissait inconcevable qu'un si farouche guerrier ait pu se laisser gagner par la peur. La peur de les perdre, elle et leur enfant... La honte la submergeait d'avoir imaginé qu'il ne voulait plus être père.

À présent, elle avait besoin de l'entendre lui confirmer de vive voix qu'il était heureux de la savoir enceinte.

— Donc... commença-t-elle d'une voix hésitante. Tu es... content que ce bébé arrive ?

— Content ? Le mot est trop faible ! « Émerveillé » conviendrait mieux. Je n'avais pas imaginé ce que cela voulait réellement dire de devenir père. Je n'ai pas tout de suite compris ce qui m'arrivait quand Sarah m'a appris la nouvelle. J'étais déboussolé.

Du bout de l'index, Caelen caressa la joue et le menton de Rionna avant de poursuivre :

— Une peur telle que je n'en avais jamais connu m'a envahi. La peur de ne pouvoir protéger notre enfant de Duncan Cameron. La peur que si nous avons une fille, elle connaisse le même sort que Mairin, toujours à se cacher, à craindre d'être découverte.

Rionna tendit la main et la posa tendrement sur sa joue. Caelen tourna la tête et plaqua un baiser dans sa paume.

— Mais j'ai aussi ressenti beaucoup de joie ! précisa-t-il. Une explosion de joie impossible à décrire. J'ai imaginé que notre fille aurait ta beauté, et que si c'est un garçon il hériterait de ta vivacité d'esprit et de ton entêtement.

Rionna se mit à rire.

Et de toi, cher mari ? Qu'imagines-tu que nos enfants hériteront de toi ?

— Je m'en fiche, du moment qu'ils sont en bonne santé et que tu les mets au monde sans complication.

Le serrant de plus belle dans ses bras, elle s'excusa.

— Je suis désolée de t'avoir donné de l'inquiétude. J'ignorais véritablement que j'étais enceinte. J'aurais pris davantage de précautions lors de nos entraînements.

Caelen posa les mains sur ses épaules et l'écarta légèrement afin de pouvoir la dévisager.

— Dorénavant, tu ne toucheras plus à une épée ! lança-t-il, le visage grave. C'en est fini de cette dangereuse lubie !

— Mais, Caelen... protesta-t-elle faiblement. Nous pouvons adapter nos entraînements afin que le bébé ne risque rien. Je *dois* m'entraîner pour pouvoir me protéger et protéger notre enfant.

— Je protège moi-même ce qui est mien ! rétorquat-il d'un air farouche. Je n'accepterai pas de faire courir le moindre risque à toi ou au bébé.

— Mais...

Une main dressée devant lui, Caelen l'interrompit.

— C'est mon dernier mot.

Rionna soupira, mais renonça à argumenter. Elle ne pouvait être fâchée contre lui alors que l'inquiétude se lisait encore dans ses yeux.

— À présent, viens contre moi, femme... reprit-il à mi-voix. J'ai grand besoin de te sentir dans mes bras.

Elle se coula contre lui et Caelen l'embrassa avec passion, tenant son visage entre ses mains tandis que leurs lèvres s'épousaient.

Elle sentit une de ses mains s'aventurer le long de son corps et s'arrêter à sa taille. Sous sa paume, il caressa son ventre encore plat à travers les plis de sa cape. Soudain à cours de patience, il repoussa celle-ci jusqu'à ce qu'elle tombe sur le sol, laissant Rionna nue dans sa chemise. Sa main revint se poser sur son ventre.

— Mon fils ou ma fille... dit-il d'une voix rauque. Je te dois des excuses, Rionna.

D'un index sur ses lèvres, elle le fit taire.

— Ce fut une journée affreuse pour nous deux. Sans doute vaudrait-il mieux aller au lit et reprendre demain tout à zéro.

— Tu es très généreuse avec moi.

— Mais je veux quelque chose en retour.

Et, pour bien se faire comprendre, elle plaqua la main sur son entrejambe. Une lueur de désir flamba dans les yeux de Caelen, mais il fit mine de s'étonner :

— Ah oui ? Quoi donc ?

— Un bon mari doit prendre soin de sa femme quand elle est enceinte, dit-elle sans cesser de le caresser. Elle a besoin de beaucoup d'attentions.

— Ah oui ?

— Naturellement ! Elle a surtout besoin de beaucoup de tendresse, et des mains caressantes de son mari.

— Je pense pouvoir te rendre ce service.

Sur ce, Caelen se pencha et la souleva dans ses bras, avant d'aller la déposer en douceur sur le lit.

— En fait, ajouta-t-il, je pense être en mesure de te donner bien plus que cela...

— Comme j'ai hâte ! gémit-elle, le souffle court.

Caelen se redressa et recula d'un pas. Il se déshabilla, puis fit glisser la chemise de nuit de Rionna par-dessus sa tête.

Pendant un long moment, il demeura simplement au-dessus d'elle, à l'admirer. Puis il plaça les deux mains sur son ventre et s'agenouilla sur le sol, devant elle. Retirant ses mains, il déposa un baiser si tendre et si doux qu'elle eut l'impression que son cœur allait exploser de joie.

— C'est notre avenir que tu abrites dans ton ventre, murmura-t-il contre sa peau. Le lien qui unifiera nos deux clans.

— Voilà une lourde responsabilité pour notre enfant.

Sans cesser de l'embrasser, Caelen descendit lentement jusqu'à son entrejambe. Rionna sentit ses doigts habiles jouer dans les plis de son intimité, puis sa langue titiller le bourgeon de chair qui se trouvait là. Il se montra patient à l'extrême, faisant naître en elle les vagues du plaisir.

Il ne la menait à l'extrême limite de la jouissance que pour laisser la pression retomber et tout recommencer. Les doigts crispés dans ses cheveux, Rionna perdait la tête, lui demandant alternativement d'arrêter de la torturer puis de ne surtout pas cesser.

Enfin, son sexe vint se positionner à l'entrée du sien et s'y fraya un passage en un seul et puissant coup de reins. Son corps s'abattit sur elle, sa peau brûlante la réchauffant jusqu'au creux de son être. Jamais elle n'avait éprouvé un tel sentiment de sécurité. Désormais, lui semblait-il, rien ne pouvait plus lui arriver.

Caelen était en elle. Pas seulement à cause de l'union de leurs corps, mais aussi et surtout par celle de leurs âmes, de leurs cœurs. Il disait qu'elle portait leur avenir dans son ventre, mais son avenir à elle, c'était lui. Son mari était tout ce qu'elle désirait, tout ce dont elle avait besoin.

Il n'y avait plus trace en lui de l'amant possessif et rude qu'elle avait connu. L'homme qui l'avait prise avec tant de fougue durant toutes ces nuits avait cédé la place à un tendre guerrier qui la traitait avec délicatesse, comme un fragile trésor à préserver à tout prix.

Il allait et venait entre ses cuisses avec aisance. Pas un instant il ne cessa de lui dispenser des baisers : sur la bouche, les joues, les paupières, les oreilles, et jusque dans le cou.

Jamais Rionna ne s'était sentie aimée par lui avec autant de passion et de respect. Jusqu'à présent, ils avaient certes fait l'amour, à de nombreuses reprises, et pour leur plus grande satisfaction, mais ce soir... la différence était notable.

Ce soir, elle avait l'impression que Caelen l'aimait avec son cœur tout autant qu'avec son corps. Et quant à elle, elle se sentait l'aimer jusqu'au tréfonds de son âme.

Lorsque finalement, dans un cri de délivrance, elle connut la jouissance, il la tint serrée contre lui de manière presque protectrice. Alors, et alors seulement, il s'autorisa à glisser dans l'extase à son tour.

Quand ils eurent l'un et l'autre récupéré leurs esprits, Rionna se lova amoureusement contre lui et posa la tête sur son épaule en lui caressant les cheveux. Elle entendit son souffle se faire plus profond, plus régulier. Le sachant endormi, elle se risqua à formuler à voix haute ce que lui dictait son cœur.

— Je t'aime, mon cher mari... Je ne m'attendais pas à te dire ça un jour. J'ignore même si c'est ce que tu attends de moi, mais c'est pourtant la vérité. Un jour... peut-être qu'un jour... j'aurai ton amour en retour.

Rompue et apaisée, Rionna poussa un soupir et ferma les yeux. La fatigue posait sur elle sa chape de plomb et, en quelques instants, elle s'endormit.

Caelen demeura dans le noir, les yeux ouverts, tenant Rionna endormie contre lui. Ses paroles résonnaient encore dans sa tête, s'y répétaient en boucle, si bien qu'il ne pouvait plus entretenir l'illusion qu'il avait mal entendu.

Sa femme l'aimait, et il ne savait que faire de cette nouvelle. Il lui était arrivé de tomber amoureux, et même si cela ne lui avait pas réussi, il savait que l'amour existait. Il avait pu le voir s'épanouir entre ses frères et les femmes qu'ils avaient épousées. Ewan et Alaric aimaient leurs épouses avec une intensité qui n'était pas le fait de la plupart des mariages.

L'amour requérait le sens du sacrifice. Il nécessitait également une grande confiance. En somme, l'être qui s'y risquait se plaçait à la merci de celui qu'il aimait...

Rien que d'y penser, Caelen sentit son estomac se nouer.

La dernière fois qu'il avait offert à une femme sa confiance et son amour, elle avait failli détruire son clan.

26

Lorsque Rionna s'éveilla le lendemain avant l'aube, la chambre n'était éclairée que par les dernières lueurs du feu dans l'âtre et par une bougie posée sur la petite table dont Caelen avait fait son bureau. Il y était assis, silencieux et concentré, occupé à faire courir une plume d'oie sur un rouleau de parchemin.

Sans bouger ni faire de bruit, elle l'observa longuement, fascinée par le spectacle qu'il offrait. Le front marqué de plis de concentration, il plongeait de temps à autre sa plume dans l'encrier avant d'en revenir bien vite à ses écritures.

C'était la première fois qu'elle le voyait écrire, mais elle se demanda s'il n'y consacrait pas un peu de son temps chaque matin lorsqu'elle dormait encore. Elle s'était maintes fois réveillée sous ses virils assauts, mais rien ne l'empêchait de se consacrer auparavant à d'autres activités.

C'était vraiment un bel homme. Il y avait en lui une rudesse qui séduisait tout ce qu'il y avait de féminin en elle. Il était grand, fort, et couturé de cicatrices qui altéraient quelque peu la perfection de sa beauté. Certaines femmes auraient pu en être déçues, mais pas elle. Son tempérament guerrier la poussait à voir en ces stigmates, davantage que des imperfections, les signes du courage et de l'honneur.

L'arête de son nez n'était pas droite, laissant à penser qu'il avait dû être brisé dans le passé. Autrement son visage, avec ses pommettes marquées et sa mâchoire volontaire, était sans défaut. Mais c'étaient ses yeux verts qui envoûtaient surtout Rionna. Ils possédaient une nuance de cette couleur particulière qu'il partageait avec ses deux frères.

Elle imaginait sans peine que son bébé aurait les mêmes. Et si c'était une fille, elle hériterait de lui ses cheveux noirs en plus de ses yeux. Rionna aurait sans doute besoin de tous ses talents pour tenir les soupirants éloignés de la chambre de sa fille...

En voyant Caelen reposer sa plume et enrouler le parchemin après l'avoir séché, Rionna retint son souffle. Son mari se leva et marcha tranquillement jusqu'au lit. Un frémissement la parcourut. C'est avec impatience qu'elle anticipait ce qui allait suivre.

Mais, au lieu de lui attraper les hanches et de la soulever jusqu'au bord du lit, il se pencha simplement et déposa un baiser sur son front, laissant ses lèvres s'attarder un instant avant de se redresser et de quitter la pièce en silence.

Rionna rouvrit les yeux et le regarda sortir avec stupeur et un certain désappointement. Elle reporta son attention sur les flammes dans l'âtre et sur la petite table qu'elles éclairaient. Que diable Caelen pouvait-il confier à ces rouleaux, quand il était seul avec ses pensées ?

Debout côte à côte sur le balcon surplombant la cour, Caelen et Rionna se tenaient devant le clan rassemblé en contrebas. Hommes, femmes et enfants étaient venus entendre leur laird, et lorsque celui-ci leur annonça que sa femme était enceinte, il y eut quelques hourras pour saluer la nouvelle... mais le silence du plus grand nombre n'en fut que davantage évident.

Simon et Arlen s'avancèrent, l'épée brandie, s'efforçant de galvaniser la foule, mais leurs efforts ne furent pas récompensés.

Hugh les rejoignit et considéra un instant les siens, avant de lever la tête pour demander en forçant la voix :

— L'enfant sera-t-il un McDonald ou un McCabe ?

Caelen se rembrunit et répondit sans hésiter :

— Un McCabe, bien sûr.

Sa réponse suscita des mouvements divers dans l'assemblée. Des murmures désapprobateurs s'élevèrent. Les plus mécontents tournèrent le dos et commencèrent à s'éloigner.

Rionna prit la main de Caelen, et il la sentit trembler. Pour la rassurer, il serra fort ses doigts entre les siens.

— Je ne permettrai pas qu'on manque de respect à ma femme ! lança-t-il d'un ton menaçant.

— Ce n'est pas à elle que nous manquons de respect ! rétorqua un homme avant de s'éloigner à son tour.

En découvrant le visage consterné de Rionna, la colère de Caelen redoubla. Il en avait plus qu'assez de l'animosité de ce clan qui était censé être le sien ! On aurait dit qu'ils ne cherchaient qu'à être conquis et décimés... Jamais la tentation de retourner sur les terres du clan McCabe avec sa femme, en les laissant pourrir dans leur médiocrité, n'avait été aussi grande.

Le temps était venu de passer à l'offensive, décida-t-il. Il les ménageait depuis trop longtemps. Il leur faudrait s'adapter ou partir.

L'expression de Rionna s'était assombrie et la tristesse avait envahi son regard lorsqu'elle avait vu les siens lui tourner le dos. Mais quand il l'eut reconduite à l'intérieur, ce fut la colère qui prit le relais.

— Comment peuvent-ils être aussi bêtes ! s'exclama-t-elle en lançant les bras en l'air. Si Cameron marchait sur nous demain, il nous vaincrait sans peine. Notre seule chance consiste à nous faire aider par un clan plus puissant. Jamais je n'ai eu honte de porter le nom des McDonald, mais aujourd'hui…

Caelen posa la main sur son épaule pour la réconforter. Ce n'était sûrement pas bon pour le bébé qu'elle s'énerve ainsi.

Mais il avait du mal à lui offrir du réconfort alors que lui-même bouillait intérieurement. Les mains croisées derrière le dos, Rionna commença à arpenter le palier sur lequel débouchait l'escalier.

— Je devrais peut-être m'adresser à eux, suggéra-t-elle. Je sais que tu es contre, mais je pourrais leur faire entendre raison.

Caelen attendit qu'elle se calme un peu pour répondre :

— Ce n'est pas toi qui commandes ces hommes, Rionna. Je suis leur laird, et nous n'aurons d'un clan que le nom tant qu'ils ne l'auront pas accepté.

— Je ne pourrais pas t'en vouloir si tu quittais cet endroit pour retourner chez les tiens, murmura-t-elle d'un ton abattu. Les McCabe trouveraient probablement meilleure alliance que celle qui les lie à mon clan.

Caelen l'attira dans ses bras, le menton posé sur sa tête.

— Nous avons encore un peu de temps devant nous, dit-il. Ewan ne partira pas en guerre au plus fort de l'hiver. Quant à moi, je ne renoncerai pas à ma charge. Il y va de l'avenir de notre fils ou de notre fille. C'est un devoir sacré pour moi.

— Que comptes-tu faire ?

Caelen s'écarta d'elle et la maintint à bout de bras.

— Je veux que tu restes à l'intérieur. Il fait froid aujourd'hui, et la tempête qui arrive du nord ne va rien arranger.

— Mais toi ? insista-t-elle.

— J'ai une affaire urgente à régler.

Dans le regard de sa femme, Caelen vit passer une certaine frayeur, mais il ne se laisserait pas fléchir. Il était plus que temps de mettre un peu de plomb sous le crâne des hommes du clan McDonald. La persuasion par la parole n'ayant pas donné de résultat, il ne restait que la persuasion par l'exemple pour les convaincre.

— Assemble les hommes ! ordonna Caelen à Gannon en le rejoignant dans la cour. Je veux que tout le monde soit là. Si certains refusent, emploie les moyens nécessaires. Il est temps de mettre un terme aux parlottes.

Un rictus de joie sauvage tordit la bouche de Gannon.

— Pas trop tôt... marmonna-t-il.

Sur ce, il s'éloigna en donnant à grands cris l'ordre d'un nouveau rassemblement.

Caelen alla se camper au milieu de la cour tandis que les hommes s'attroupaient autour de lui, la mine curieuse ou hostile. Le visage figé, le regard dur, il leur fit face en les dévisageant l'un après l'autre.

Lorsque Gannon lui eut indiqué d'un signe que tout le monde était là, Caelen dégaina son épée et la brandit vers la foule, tournant sur lui-même pour l'englober tout entière dans son geste.

— Le temps est venu de choisir ! lança-t-il d'une voix forte. Si vous êtes avec moi et si vous m'acceptez comme votre laird, avancez-vous, faites votre serment et jurez-moi allégeance. Si vous ne m'acceptez pas comme tel, alors venez me défier ! Au cas où l'un de vous parviendrait à me battre en combat singulier, je quitterai le clan McDonald pour n'y jamais revenir.

Une série d'éclats de rire et d'exclamations incrédules se fit entendre.

— Tu crois vraiment pouvoir nous battre tous ? railla l'un des hommes.

Un sourire féroce au coin des lèvres, Caelen répondit :

— Je vous démontrerai qu'un seul guerrier McCabe vaut mieux qu'une centaine d'entre vous !

— Je relève le défi ! s'écria Jamie McDonald en émergeant de la foule, le torse bombé.

Jamie ne manquait pas de courage, mais il sortait à peine de l'enfance et n'avait pas encore fait ses preuves en tant qu'homme. Caelen ne se priva pas de se moquer.

— Oh, oh ! Je constate que vous sortez tout de suite votre atout majeur...

Le visage du jeune homme vira au rouge pivoine. Sans laisser à Caelen le temps de dégainer son épée, il fonça sur lui en lâchant un grand cri. Caelen esquiva sans peine la charge grossière et, d'un simple coup de poing asséné sur la tempe, il envoya son adversaire rouler au sol, son arme allant valser dans l'autre direction.

— Aucune maîtrise… commenta Caelen d'un air dégoûté. Ma femme manie cent fois mieux l'épée que toi !

Jamie se redressa d'un bond, les poings serrés, prêt à en découdre. D'un coup de pied, Gannon envoya son arme loin de lui et lança :

— Difficile de se battre sans arme ! Mets-toi sur le côté, garçon. Tu as déjà été vaincu.

Au fur et à mesure que l'après-midi avançait, les épées des hommes qui partagèrent ensuite le sort de Jamie s'amoncelèrent sur le sol, jalousement gardées par Gannon. Les vaincus allaient s'asseoir à l'écart et regardaient leurs camarades les rejoindre l'un après l'autre.

Il était évident que les meilleurs guerriers avaient été préservés pour la fin, afin de profiter de la fatigue de Caelen. Il lui fallut plus de temps qu'il ne l'aurait souhaité pour venir à bout d'Oren McDonald, qui faillit le déséquilibrer avant qu'il ne parvienne à le désarmer.

En voyant s'avancer vers lui le candidat suivant, Caelen réprima un grognement. Il s'agissait de Seamus McDonald, une montagne de muscles dotée de jambes et de bras semblables à des troncs d'arbre et d'un torse aussi énorme qu'un rocher. Quant à son cou, ce n'était même pas la peine de le chercher…

Pas très habile à l'épée, Seamus était capable de fracasser un adversaire à mains nues.

Les McDonald, qui avaient senti l'hésitation de leur laird, bondirent sur leurs pieds, ragaillardis, afin d'encourager bruyamment leur champion.

Les deux hommes commencèrent à s'observer en décrivant un cercle. Seamus fut le premier à passer à l'attaque. Caelen para son coup d'épée dans un fracas métallique qui se répercuta à travers la cour.

Autour d'eux, les femmes s'étaient jointes aux hommes déjà battus par le laird. Il y avait même quelques enfants, et le nom de Seamus était scandé par tous.

À l'exception d'une seule voix de femme, qui clamait tout autre chose :

— Caelen ! Caelen ! Caelen !

Rionna s'était frayé un chemin à travers la foule et se tenait au premier rang. À la surprise de Caelen, elle n'était pas habillée en homme et ne portait même pas son épée. Vêtue de sa tenue de mariée, elle avait relevé ses cheveux en un élégant chignon dont quelques mèches s'échappaient de chaque côté.

Elle était si diablement belle qu'il en eut le souffle coupé. Mais il l'eut davantage encore – et au sens propre – quand Seamus profita de sa distraction pour lui foncer dessus et l'agripper à bras-le-corps.

Ils tombèrent à terre, et Caelen perdit son épée. Outre que Seamus lui était largement supérieur par la stature, il n'avait pas eu, comme lui, à combattre tous les autres guerriers du clan.

Seamus lui décocha un énorme coup de poing en plein visage qui lui fit voir trente-six chandelles. Caelen secoua la tête, sans parvenir totalement à s'éclaircir les idées.

Bien qu'un peu au jugé, il parvint à riposter et fit mouche deux fois, du poing droit, puis du gauche. Mais son adversaire parut ne pas sentir ses coups.

Après avoir été jeté au sol deux fois de suite, il devint évident pour Caelen que la méthode directe ne le mènerait à rien. Seamus n'était pas rapide, il manquait de finesse, mais sa force était herculéenne et il encaissait sans broncher. Avec cinquante guerriers de sa trempe, sans doute auraient-ils eu une chance contre Cameron.

Après s'être relevé, Caelen essuya d'un revers de main le sang qui coulait de sa bouche et opta pour une manœuvre de contournement. La vitesse serait pour lui un avantage décisif, s'il parvenait à ne pas s'effondrer de fatigue. Les combats avec les autres McDonald l'avaient affaibli.

Plus déterminé que jamais, il inspira à fond et se prépara à la contre-attaque. L'échec n'était pas une option.

Un coup d'œil à Rionna lui donna le courage qui lui manquait. Il lut dans ses yeux une ferveur et une supplique qui suffirent à rendre à ses muscles la force qu'ils n'avaient plus.

Puisant dans des réserves qu'il ignorait posséder, galvanisé par la foi que Rionna avait en lui, il se mit à danser autour de son adversaire d'un pas léger, jusqu'à ce que celui-ci, tournant la tête de droite et de gauche, ne sache plus où il se trouvait.

Dès que le géant lui présenta son dos, Caelen bondit et verrouilla son bras autour de son cou, serrant de toutes ses forces.

Seamus émit un rugissement qui n'avait rien à envier à celui d'une bête sauvage et commença à se secouer désespérément pour se débarrasser de lui. Puis, constatant qu'il n'arriverait à rien ainsi, il courut jusqu'à la muraille du château, entraînant Caelen toujours accroché à son cou. Arrivé à destination, il se retourna brusquement, l'envoyant valser violemment contre le mur.

Caelen poussa un cri de douleur mais ne relâcha pas sa prise. Il parvint même à la resserrer davantage. La montagne de chair fut parcourue d'un tremblement. Seamus haletait pour reprendre son souffle.

En désespoir de cause, celui-ci tenta une nouvelle fois de l'écraser contre la muraille, mais Caelen sentait la victoire à portée de main et rien n'aurait pu le faire céder.

Les deux mains accrochées à son bras, le géant essayait désespérément de se libérer. Il tituba en direction de la foule et ne fit que quelques pas avant de mettre un genou en terre.

— Tu te rends ? lança Caelen.

— Jamais !

Caelen serra plus fort encore et verrouilla sa prise avec son autre bras. Seamus mit le deuxième genou à terre et vacilla, avant de pencher irrésistiblement vers l'avant. Un instant plus tard, il s'effondra dans un bruit sourd.

Caelen retira son bras engourdi par l'effort et se dressa en époussetant sa tunique maculée de neige. Un grand silence s'était fait dans la cour du château. Les membres du clan regardaient, bouche bée, leur champion inconscient qui gisait sous leurs yeux. Puis tous les regards convergèrent vers Caelen qui les observait tranquillement, les bras croisés.

— Je repose ma question ! lança-t-il enfin. Qui est avec moi ?

Un long silence suivit, avant qu'un homme se décide à faire un pas en avant.

— Je suis derrière vous, laird ! s'exclama-t-il.

Un autre l'imita et s'écria :

— Moi aussi !

Un troisième les rejoignit et bientôt, tout le groupe se mit en mouvement, dans un tonnerre d'approbations et de cris assourdissants.

Avec un sourire radieux, Gannon rejoignit Caelen et lui donna une grande tape sur l'épaule. Mais c'était sa femme qu'il cherchait du regard dans la cohue.

Elle se tenait sur le côté, un peu en arrière. Un sourire aussi lumineux que le soleil éclairait son visage.

En signe de victoire, elle brandit vers lui son poing serré. Il fit un pas dans sa direction, soudain pressé de la retrouver.

Rionna le précéda en se lançant dans la foule pour le rejoindre, ses jupes tourbillonnant autour de ses jambes. Tous se poussaient devant elle pour la laisser passer. Certains lui tendirent même la main pour l'aider à traverser quelques passages glissants. D'autres encore lui criaient de faire attention et de ne pas prendre de risque, à présent qu'elle attendait un enfant.

Elle fit halte devant lui, plus magnifique que jamais. Puis elle leva une main pour essuyer le sang qui coulait au coin de sa bouche.

— Tu saignes, cher mari... dit-elle.

Caelen l'attira à lui, glissa une main derrière sa nuque et l'embrassa. Autour d'eux, un rugissement d'allégresse monta vers le ciel. Enfin, les McDonald avaient décidé qu'il y avait lieu pour eux de se réjouir...

27

— Les hommes font des progrès, constata Sarah.

En compagnie de Rionna, elle observait le travail des guerriers depuis le balcon surplombant la cour.

— Oui, c'est vrai, reconnut Rionna. Ils s'appliquent, maintenant. C'est une bonne chose, car le temps sera bientôt venu de combattre.

Elle caressait la légère éminence de son ventre tout en parlant. La bataille qui se préparait était inévitable, mais elle la troublait néanmoins beaucoup. Elle s'inquiétait pour Caelen, pour son clan, pour la famille de son mari. Et pour l'avenir de son bébé.

— Tu fais grise mine, petite… constata Sarah avec inquiétude. Tu ne te sens pas bien ? Tu devrais peut-être t'allonger et dormir un peu.

Rionna secoua négativement la tête. Son mari était aux petits soins avec elle. Il se faisait un devoir de s'assurer qu'elle se reposait correctement et n'entreprenait rien qui aurait pu dépasser ses forces. Malheureusement, son obsession avait déteint sur Sarah.

— Dis-moi, Sarah… est-ce que tu te reposais sans cesse quand tu attendais tes enfants ?

— Il y avait de la besogne à accomplir ! répondit-elle en fronçant les sourcils. Personne ne l'aurait faite à ma place.

Réalisant où Rionna voulait en venir, Sarah fronça les sourcils et la toisa sans aménité.

— Je n'étais pas enceinte du prochain laird ! protesta-t-elle. Et je n'étais pas aussi fluette que toi. Ton mari s'inquiète. Tu devrais le rassurer en consentant à te reposer.

— C'est ridicule ! Je suis en bonne santé. Je n'ai même pas été malade depuis le début de ma grossesse : pas une seule fois ! Et j'ai cessé d'être fatiguée dès la fin du troisième mois.

— Le laird est un homme déterminé. Ce n'est pas moi qui me risquerais à aller contre ses ordres. Tout le clan est au courant de ce qu'il désire pour toi. Alors tu peux être sûre que je ne serai pas la seule à te rappeler ton devoir...

— Si je n'ai pas quelque chose à faire, je vais devenir folle ! Je ne peux tout de même pas rester enfermée dans le château jour après jour, passant d'un fauteuil à un autre... Je deviendrai grasse et paresseuse, et que se passera-t-il ? Caelen me délaissera pour une autre, plus jolie.

Sarah se mit à rire.

— Du calme, petite... Tu ne resteras pas enceinte toute ta vie.

Caelen marqua une pause dans son entraînement et leva les yeux, comme s'il avait perçu le regard de sa femme sur lui. Avec un petit sourire, il hocha la tête pour la saluer. Elle se sentait ridicule, chaque fois qu'il la regardait, de ressentir un petit frisson de plaisir. Même si sa tendance à trop la protéger la mettait sur des charbons ardents, qu'il se préoccupe autant de son bien-être était aussi pour elle une source de joie.

Il pouvait refuser d'admettre les sentiments qu'il lui portait, elle n'était pas dupe.

— Bientôt, tu m'offriras les paroles que j'attends, cher mari... murmura-t-elle pour elle-même.

— Tu disais, petite ? demanda Sarah.

— Rien. Je parle toute seule.

— Viens, rentrons. Il commence à neiger.

Toutes deux regagnèrent la grande salle, afin de s'y réchauffer près du feu.

En dépit de ses résistances initiales, Rionna avait décidé de reprendre avec Sarah ses leçons d'étiquette et d'économie domestique. Bien des journées avaient ainsi été passées près de l'âtre, à l'écouter faire la liste de ses devoirs en tant que maîtresse de maison.

Mais, comme souvent lorsqu'elle restait inactive et seule avec ses pensées, Rionna laissa ce jour-là son esprit dériver. En tant que femme de laird, l'un de ses principaux devoirs consistait à veiller au confort de son mari et de répondre à ses besoins.

Or, dernièrement, c'était plutôt lui qui n'avait cessé de remplir cette fonction pour elle. Si c'était le moyen qu'il avait trouvé pour la convaincre d'avoir d'autres enfants, songea-t-elle en souriant, il n'aurait pas dû se donner cette peine...

Ce n'était que justice qu'elle lui rende un peu la pareille.

Décidée à passer à l'action, Rionna fit monter dans leur chambre la plus grande cuve disponible et ordonna aux femmes de cuisine de tenir prêts des seaux d'eau chaude pour la remplir quand son mari rentrerait.

Cela fait, elle choisit un savon simple, non parfumé, et s'assura qu'elle disposait de grands linges propres pour le sécher. Ensuite, elle demanda à Gannon de monter du bois. Il ne lui resta plus qu'à entretenir le feu dans l'âtre et à ordonner que le repas du laird et sa bière soient servis dans leur chambre.

Satisfaite de ses efforts, elle descendit attendre le retour de Caelen. Une petite heure plus tard, les hommes firent leur entrée pour le repas du soir. Aussitôt que le laird apparut, elle se porta à sa rencontre.

— J'ai demandé qu'on nous serve notre repas dans notre chambre, lui dit-elle d'un ton de conspiratrice. Suis-moi là-haut, que je puisse m'occuper de toi.

Caelen lui adressa un regard étonné mais la suivit dans l'escalier sans protester. Ils croisèrent des servantes munies de seaux.

— Qu'as-tu donc en tête, femme ? s'enquit-il quand elle le fit asseoir près du feu.

D'un air amusé, il la regarda lui ôter une botte et demanda :

— On fête quelque chose ?

Souriante, Rionna passa à l'autre pied.

— Rien de spécial.

En entendant frapper à la porte, elle répondit d'entrer. Deux servantes vinrent ajouter le contenu de leurs seaux dans la cuve fumante. Tandis qu'elles s'éclipsaient, Rionna vérifia la température en plongeant les doigts dans l'eau.

— Je pense que c'est prêt, annonça-t-elle.

Voyant Caelen commencer à se déshabiller lui-même, elle lui posa la main sur le bras pour l'arrêter. Puis elle lui enleva ses vêtements un à un, jusqu'à ce qu'il se retrouve nu devant elle. Elle lui prit la main et le guida jusqu'à la cuve. Il enjamba le rebord et poussa un soupir d'aise en se laissant glisser dans l'eau chaude.

Elle le laissa profiter un instant du bain, les yeux clos, s'empara d'un bout de toile, du pain de savon, et s'agenouilla devant la cuve. Il ouvrit les yeux et la regarda faire lorsqu'elle entreprit de lui nettoyer le torse.

— J'ignore ce que j'ai fait pour mériter ça, dit-il. Mais tu n'entendras pas une plainte sortir de mes lèvres.

— Voilà des semaines que tu travailles comme un damné en ne prenant pas suffisamment de repos, répliqua-t-elle doucement. Tu te préoccupes davantage de mon repos que du tien. Tu prends soin de moi et me dorlotes, mais personne ne fait de même pour toi.

Caelen se mit à rire.

— Je suis un guerrier, Rionna ! Personne ne se charge de dorloter les guerriers.

— La femme que tu vois devant toi est décidée à s'en charger. Une soirée à te laisser dorloter te fera du bien.

Rionna se mit à lui laver le dos en longs effleurements sensuels. Sous sa peau, elle sentait ses muscles jouer. Elle entendit son souffle s'accélérer.

— Il me semble que tu pourrais bien avoir raison, murmura-t-il. J'aime beaucoup l'idée que ma femme veille à mes moindres besoins dans l'intimité de notre chambre. Cela laisse la porte ouverte à… un tas de possibilités réjouissantes.

Rionna se pencha et le fit taire d'un baiser. Plongeant la main dans l'eau, elle laissa ses doigts courir le long de son ventre, jusqu'à son sexe bandé, qu'elle caressa de bas en haut en précisant :

— Je dois m'assurer de bien laver partout.

— Je t'en prie, susurra-t-il en lui mordillant la lèvre. Surtout, n'oublie rien…

Rionna saisit un broc d'eau chaude sur le sol.

— Penche-toi en avant, ordonna-t-elle. Je vais te laver les cheveux.

Elle adorait laisser courir ses doigts dans l'épaisse chevelure de son mari. Elle savonna et rinça soigneusement les longues mèches noires, sans se priver de lui masser le cuir chevelu.

— Tes mains sont magiques, femme… approuva-t-il.

Rionna se redressa et alla chercher de quoi le sécher.

— Si tu veux bien aller te placer près du feu, suggéra-t-elle, je vais te sécher.

— Je ne manquerais pour rien au monde l'opportunité de sentir encore tes mains sur mon corps.

Caelen se leva et l'eau ruissela le long de son dos puissant, de ses fesses fermes, de ses jambes. Il sortit de la cuve et se retourna pour lui faire face. Rionna ne pouvait détacher les yeux de son corps. Il lui semblait qu'elle ne se lasserait jamais d'admirer cet homme, même lorsqu'ils seraient vieux tous les deux. Il la fascinait et séduisait tout ce qu'il y avait de féminin en elle.

— Si tu continues à me regarder comme ça, prévint-il d'une voix sourde, tu vas te retrouver sur le dos et moi entre tes jambes en un rien de temps.

En lui souriant, elle le rejoignit et entreprit de le sécher. Debout sur la pointe des pieds, elle frictionna ses cheveux dans la toile, et lorsqu'ils furent secs, elle passa à la poitrine.

Elle était sincère en affirmant que ce soir elle voulait le dorloter, mais elle en éprouvait elle-même tant de plaisir qu'elle se sentait presque coupable.

Le haut du corps étant sec, elle se mit à genoux et commença à essuyer ses hanches, ses cuisses et le bas de ses jambes. Sciemment, elle laissa de côté son entrejambe, préférant faire durer cette forme de torture particulière.

Puis, cela fait, elle se redressa, de telle sorte que ses lèvres n'étaient plus qu'à un souffle du sexe dressé de Caelen. Elle chercha son regard :

— Dis-moi… es-tu trop affamé pour attendre ton repas plus longtemps, ou préfères-tu que je m'occupe de toi dès maintenant ?

Sa petite provocation fit briller le regard de Caelen, qui glissa les doigts dans ses cheveux et l'attira vivement vers lui, amenant la pointe de son sexe au contact de ses lèvres.

— Je pourrai survivre à la faim, répondit-il.

Rionna referma ses lèvres autour de lui et le prit profondément en elle.

Caelen poussa un râle.

— Ah, femme… Ta bouche est le plus doux des plaisirs qu'il m'ait été donné de connaître.

Ses doigts se crispèrent dans ses cheveux, mais aussitôt il lâcha prise, comme s'il s'inquiétait de la brusquer. Rionna, cette fois, n'était pas décidée à prendre son temps. S'aidant de ses doigts, elle s'acharna à le rendre fou de plaisir jusqu'à ce que, n'y tenant plus, son mari explose dans sa bouche dans un grand cri.

Quand tout fut terminé, il se pencha et l'aida à se relever. Elle lui tendit son pantalon :

— Viens jusqu'au lit, je vais te brosser les cheveux. Notre repas ne va pas tarder à arriver.

Perchée au bord du lit, Rionna positionna son mari, assis par terre, entre ses genoux. Patiemment et avec la plus grande douceur, elle entreprit de lui démêler les cheveux.

— Qu'est-ce qui me vaut cette démonstration d'affection, femme ? demanda-t-il.

— Ne m'as-tu pas fait comprendre que de telles démonstrations devaient être réservées à l'intimité de notre chambre ? répliqua-t-elle d'un air pincé.

Caelen éclata de rire.

— J'espère bien ! s'amusa-t-il. J'adore te voir, à genoux devant moi, prendre mon membre dans ta bouche, mais un tel spectacle aurait de quoi soulever une émeute parmi mes hommes.

Quelques coups frappés à la porte empêchèrent Rionna de lui répondre.

— Ce doit être Sarah avec notre repas, annonça-t-elle en se levant pour aller ouvrir. Ne bouge pas.

Elle laissa Sarah dans le corridor et fit plusieurs voyages pour apporter la nourriture dans la chambre.

Une fois la porte refermée et Sarah repartie, elle emplit un gobelet de bière et le lui tendit. Caelen le dégusta tout en la regardant lui préparer un tranchoir. En revenant se blottir contre lui, Rionna fut secouée par un frisson. Elle avait mouillé ses vêtements, ce que vérifia Caelen en posant sa main sur sa manche.

— Tu as froid. Et tu es mouillée.

— Juste un frisson, ne t'inquiète pas. Le feu m'aura bien vite réchauffée.

Sans tenir compte de sa réponse, Caelen se débarrassa du tranchoir en le posant sur le lit. Puis il se redressa et tendit les mains pour l'aider à faire de même. Inversant les rôles, il la déshabilla sans cesser de la dévorer des yeux.

— Ta peau brille d'un éclat merveilleux à la lumière de l'âtre... chuchota-t-il. J'aimerais te garder ainsi pour le reste de la soirée, mais il ne fait pas assez chaud.

Après avoir été chercher la cape de Rionna posée sur un coffre, il la lui passa autour des épaules et se rassit au pied du lit. Mais plutôt que de laisser sa femme prendre place à son côté, il la fit s'asseoir face à lui, dans son giron, en expliquant :

— Il fait trop froid par terre. Tu seras mieux ici.

Sous la cape, Caelen posa la main sur le ventre renflé de Rionna et demanda :

— Comment se porte notre enfant, aujourd'hui ?

— Je ne l'ai pas encore senti bouger, mais d'après Sarah cela ne saurait tarder. Elle dit qu'étant donné ma faible corpulence, cela se produira plus vite.

— Pas trop faible, j'espère… répliqua-t-il en fronçant les sourcils. Il est vrai que tu parais bien frêle pour pouvoir porter un enfant.

— Tu t'inquiètes trop, protesta-t-elle. Tout ira bien.

Rionna récupéra le tranchoir garni de pain, de fromage et de viande, et le posa sur le sol. Elle y choisit une petite tranche de rôti qu'elle présenta devant la bouche de son mari. En sentant ses lèvres effleurer ses doigts, un nouveau frisson la secoua.

— Peut-on rêver meilleur repas ? demanda-t-il d'une voix rauque de désir. Offert de la main d'une déesse nue qui me chevauche… Je dois être arrivé au paradis.

Il était tentant pour Rionna de céder à l'envie de se pencher vers lui et l'embrasser tout son soûl, mais elle l'avait déjà suffisamment privé de son repas. Alternant entre le pain, la viande et le fromage, elle continua de le nourrir ainsi.

Caelen ne lui facilita pas la tâche en ne cessant de laisser courir sous la cape ses mains sur sa peau. Il lui caressa les épaules, le dos, puis titilla ses seins l'un après l'autre.

— Je dois te prévenir d'une chose, susurra-t-il. Quand ce petit numéro de séduction sera terminé, je ne pourrai me retenir très longtemps. Il faudra que tu sois mienne, femme, mais je crains de répandre ma semence au premier coup de reins…

Rionna partit d'un grand rire.

— Cette soirée t'appartient, cher mari. Je suis toute à toi, comme il te plaira.

— Alors enlève ce pantalon tout de suite. S'il faut que tu me chevauches, que ce soit empalée sur moi !

Rionna s'empressa de lui donner satisfaction, car ses paroles avaient allumé un incendie ravageur en elle. Caelen empoigna ses hanches pour la guider et tous deux exprimèrent leur contentement quand il la pénétra. La voyant s'apprêter à aller et venir au-dessus de lui, il la retint fermement.

— Ne bouge pas ! Donne-moi le reste de mon repas.

Chaque fois qu'elle tendait le bras pour prendre sur le tranchoir un morceau de nourriture, Rionna sentait ses muscles internes serrer plus étroitement ce pieu de chair fiché en elle, qui semblait grossir au fur et à mesure.

— Tu m'enserres comme un poing de velours... lâcha-t-il dans un souffle.

Elle se débarrassa du dernier bout de pain qu'elle comptait lui offrir quand il se précipita sur sa bouche.

Elle sentit ses paumes venir caresser ses hanches, avant de s'ancrer à ses fesses. Sans effort, il la souleva et la laissa redescendre lentement.

— C'est trop bon ! gémit-il. Impossible de me retenir plus longtemps...

Avec urgence, il souleva une dernière fois son bassin. Rionna sentit sa semence se répandre et son sexe se cabrer en elle. Puis ses mains quittèrent ses fesses et il la serra dans ses bras, lui caressant le dos.

Quelques instants plus tard, quand il eut repris ses esprits, Caelen souleva Rionna et se leva pour la déposer sur le lit. Ils se blottirent confortablement dans les fourrures, les membres emmêlés. Après lui avoir embrassé le sommet du crâne, il soupira d'aise.

Rionna sourit en savourant cette juste récompense de ses efforts.

— J'ignore ce qui m'a valu un tel traitement, fit-il d'un ton léger, mais n'hésite pas à me le dire, pour que je puisse recommencer à l'avenir.

Rionna le serra fort dans ses bras et déposa un baiser à la naissance de son cou. Puis, jouant paresseusement avec ses mèches brunes, l'envie soudaine lui vint d'en savoir plus sur lui.

— Qu'écris-tu donc, dans tous ces rouleaux ?

Caelen s'écarta d'elle et la dévisagea, manifestement surpris par sa question. Il paraissait même un peu... embarrassé.

— Mes pensées, répondit-il enfin. Cela m'aide à mieux les ordonner, quand je les écris.

— C'est donc un peu l'histoire de ta vie, au jour le jour.

— D'une certaine manière, oui. Je m'exprime mieux à travers l'écriture que par la parole. Je n'ai pas beaucoup d'éloquence. Je n'aime pas trop parler...

— Pas possible... plaisanta-t-elle. Je n'avais pas remarqué.

Caelen lui donna une petite tape sur les fesses et ajouta :

— Je fais ça depuis que, tout petit, j'ai appris à lire et à écrire. Mon père était un lettré, et il a tenu à ce que ses fils le soient aussi. Il disait souvent que l'intelligence sert davantage un guerrier que son épée.

— C'était un sage, commenta Rionna.

— En effet, approuva Caelen. Et c'était un grand laird, très aimé de son clan.

Rionna regarda son mari dans les yeux et comprit que les démons de son passé revenaient le hanter.

Elle regretta aussitôt de l'avoir incité à évoquer le souvenir de son père, car il ne pouvait qu'être lié à celui de la trahison d'Elsepeth. Mais, d'un autre côté, peut-être le fait d'en parler l'apaiserait-il.

— Parle-moi d'Elsepeth…

Caelen se raidit entre ses bras.

— Il n'y a rien à en dire, maugréa-t-il.

— Pas d'accord. Elle t'a rendu plus amer, plus dur. Et ce faisant, elle m'a volé quelque chose.

Une certaine confusion embruma son regard.

— De quoi est-ce que tu parles ?

Rionna lui caressa la joue.

— De ton cœur. Il ne peut être à moi tant que cette femme y occupe encore une place.

— C'est faux ! protesta-t-il vivement.

— C'est vrai ! rétorqua-t-elle. Quand elle t'a trahi, tu as préféré condamner cette part de ton cœur que tu lui avais offerte et tu t'es juré de ne plus jamais l'offrir à personne. Ce qui est injuste pour moi, mon cher mari. Elle m'a privée de ce qui me revient légitimement, et j'en ai assez d'attendre.

Caelen paraissait plus estomaqué qu'en colère.

— Tes attentes sont déraisonnables, marmonna-t-il.

Rionna fit claquer sa langue.

— Est-il déraisonnable pour une femme d'espérer avoir une place dans le cœur de son mari ? Accepterais-tu, toi, qu'une part de mon cœur soit occupée par un autre homme et que tu ne puisses y avoir accès ?

Caelen grimaça.

— Tu t'en fais trop pour ça, Rionna. Elsepeth fait partie de mon passé. Toi, tu es mon avenir. L'un et l'autre n'ont rien à voir.

— Alors parle-moi d'elle… le provoqua-t-elle. Si elle ne représente aucune menace pour toi, qu'est-ce qui t'empêche d'en parler ?

Caelen soupira et passa une main nerveuse dans ses cheveux, avant de rouler sur le dos et de s'abîmer dans la contemplation du plafond. Rionna attendit, immobile.

— J'étais un jeune fou, confia-t-il enfin à mi-voix. Elle était de quelques années plus vieille que moi. Et elle était beaucoup plus expérimentée. Avant elle... je n'avais connu aucune femme. Je me suis convaincu que j'étais amoureux. Je voyais notre avenir tout tracé. J'avais l'intention de l'épouser, même si je n'avais rien à offrir à une femme. J'étais le troisième fils du laird. Notre clan n'était pas pauvre, mais il n'était pas riche non plus. J'étais décidé à aller demander sa main à son cousin, Duncan Cameron.

Rionna sentit son cœur se serrer. L'histoire lui était déjà en grande partie connue, mais elle n'en appréhendait pas moins le dénouement inéluctable.

— Mon père nous a envoyés, mes deux frères et moi, négocier un marché avec un clan voisin. En notre absence, Elsepeth a drogué la bière de la garde et a ouvert les portes du château pour que les hommes de Cameron puissent s'y glisser au cœur de la nuit. Ce fut un bain de sang. Notre clan a été écrasé sous le nombre. Il est vrai que nous n'étions pas alors aussi bien entraînés qu'aujourd'hui.

Caelen déglutit péniblement avant de poursuivre :

— À notre retour, nous avons retrouvé le cadavre de notre père. La femme d'Ewan avait été violée, puis égorgée. Son fils n'a dû la vie sauve qu'à la présence d'esprit de quelques servantes qui l'ont caché. La traîtrise d'Elsepeth m'a été révélée par les survivants... mais je n'ai pas voulu y croire.

La honte et le dégoût de lui-même submergeaient à présent Caelen.

— On m'a pourtant donné des preuves irréfutables de sa culpabilité, poursuivit-il en baissant les yeux. Mon cœur me soufflait qu'elle ne pouvait m'avoir trahi. Je me suis lancé à sa recherche, décidé à entendre sa version des faits.

Rionna laissa son souffle fuser lentement de ses lèvres. Cette partie-là de l'histoire, elle ne l'avait pas entendue.

— Quand je l'ai retrouvée, elle s'est mise à rire. Elle n'a même pas cherché à nier. Elle s'est moquée de ma crédulité, et quand je lui ai tourné le dos pour m'en aller... elle m'a poignardé.

— De là te vient ta cicatrice sous l'omoplate, conclut Rionna.

— Oui. Cette marque-là, je ne la porte pas fièrement. Elle me rappelle comment j'ai pu laisser une femme que je croyais aimer détruire mon clan.

— Qu'est-elle devenue ?

— Je l'ignore. Et je m'en fiche. Le jour venu, elle paiera pour tous ses péchés, comme je paierai pour les miens.

— Ne penses-tu pas que tu as largement racheté tes fautes ? plaida Rionna. Ton clan s'est reconstruit, il est prospère. Vous avez conclu une alliance qui va permettre de mettre un frein à l'ambition démesurée de Duncan Cameron.

— Rien de ce que je pourrai faire ne me rendra mon père. J'ai appris une grande leçon, ce jour-là. Une leçon que je ne risque pas d'oublier. J'ai laissé mon cœur ignorer des preuves que ma raison me dictait de prendre en considération. Plus jamais je ne laisserai la passion me masquer l'évidence.

Rionna se rembrunit et laissa sa main glisser le long du torse de Caelen. Il paraissait si froid, si détaché de tout... À cet instant, il ne ressemblait en rien au guerrier bourru mais chaleureux qu'elle avait appris à aimer.

Pour la première fois depuis leur mariage, elle se demanda si Elsepeth n'avait pas réussi à détruire de manière irrémédiable le cœur de son mari.

Caelen prit sa main dans la sienne et la serra. Un silence pesant était retombé. Plus elle réfléchissait à ce qu'il venait de dire, plus lui apparaissait une faille dans son récit.

— Caelen ?

— Oui.

— Pour quelle raison Cameron déteste-t-il votre clan au point de s'en être pris ainsi à lui ? Quel but poursuivait-il ? Il ne s'est pas emparé de vos terres. Après l'attaque, il est parti en ne laissant que ruines derrière lui.

Caelen inspira longuement. Rionna vit sa poitrine se soulever progressivement, puis redescendre d'un coup quand il vida ses poumons.

— Je n'en sais rien, répondit-il. C'est quelque chose que je n'ai jamais compris. C'est comme s'il avait voulu délivrer un message, mais je ne vois pas de quoi il peut s'agir. Nous étions un clan pacifique. Nous n'étions en guerre contre personne. Mon père n'était pas homme à organiser des raids. Cela me rend malade de savoir qu'il est mort alors qu'il n'a jamais fait de mal à personne.

Rionna se dressa sur un coude de manière à pouvoir fixer son mari droit dans les yeux.

— Je ne suis pas Elsepeth, Caelen. J'ai besoin que tu en prennes bien conscience. Jamais je ne te trahirai. Tu m'entends ? Jamais !

Un long moment, il soutint son regard sans un mot, puis il l'attira vers lui pour un baiser.

— Je le sais, Rionna... dit-il. Oui, je le sais.

28

Le mois de mai venu, le temps demeura exécrable. On aurait dit que l'hiver voulait se rattraper pour le beau temps qu'il avait fait en janvier en mordant sur le printemps.

Les réserves de nourriture du clan McDonald avaient fondu, et les hommes ne purent se mettre en chasse durant quinze jours à cause d'une interminable tempête de neige.

Tout le monde était contraint de rester à l'intérieur, où l'on entretenait de grands feux pour combattre le froid. Caelen bouillait d'impatience. Il attendait tout autant le retour d'un temps plus clément que des nouvelles d'Ewan.

À la fin de la troisième semaine de mai, l'accalmie vint enfin. Un messager d'Ewan arriva au château. Le retour à Neamh Alainn s'était parfaitement passé et des plans pour lancer la bataille contre Cameron étaient en bonne voie.

En dépit de ces nouvelles, Caelen demeura agité. Au fur et à mesure que les jours passèrent, il devint renfermé, silencieux. Finalement, lorsque le reste du stock de viande eut été distribué, le laird réunit son groupe de chasseurs et leur annonça qu'ils allaient rapporter le maximum de gibier dans le court laps de temps qu'il leur restait avant la bataille.

La nervosité du chef ayant gagné ses hommes, une chasse était exactement ce qu'il fallait à chacun pour retrouver la paix de l'esprit avant d'aller au combat.

Le jour venu, Caelen fit ses adieux dans la grande salle. Gannon se trouvait à sa gauche. De l'autre côté, Rionna avait entremêlé ses doigts aux siens et les serrait fort.

— Je te confie la sécurité du château, dit-il à Gannon. Je n'attends pas de nouvelles d'Ewan avant quelques jours, mais si son messager arrive, envoie tout de suite quelqu'un me chercher. Nous ne nous éloignerons pas trop, cette fois. Et surtout, veille bien sur ma femme.

Gannon acquiesça d'un hochement de tête.

— Naturellement, laird… répondit-il. Que la chasse soit bonne !

Le bras droit de Caelen s'écarta, le laissant seul avec Rionna. Elle l'enlaça et le serra fort contre elle, sans se soucier qu'on puisse les voir. Pour une fois, son mari aurait à supporter quelques démonstrations d'affection en dehors de leur chambre à coucher…

Mais à sa grande surprise, loin de mettre un terme à leur étreinte, il la prolongea en l'embrassant avec passion. Et quand leurs lèvres se séparèrent, il laissa ses doigts effleurer tendrement sa joue.

— Je vois de l'inquiétude dans tes yeux, femme. Ce n'est bon ni pour toi ni pour le bébé. Tout ira bien, je te le jure. Ce jour qui approche, nous l'attendons depuis si longtemps qu'il me tarde à présent qu'il arrive.

— Oui, je le sais bien, répondit-elle. J'ai toute confiance que toi et tes frères reviendrez victorieux de cette guerre contre Cameron.

À ces mots, une lueur de satisfaction brilla dans les yeux de Caelen. Après lui avoir donné un dernier baiser, il tourna les talons pour rejoindre dans la cour le groupe de chasseurs qui l'attendait.

Rionna le regarda sortir en soupirant. Les semaines à venir mettraient son courage à rude épreuve. À l'abri des murailles du château, elle en serait réduite à guetter l'horizon en se rongeant les sangs dans l'attente d'un messager.

Le lendemain, Jamie revint au château porteur d'une belle prise de chasse. Il salua Gannon, avant de rejoindre Rionna qui l'attendait impatiemment à l'entrée du château.

— Le laird m'a demandé de vous transmettre un message, milady... annonça-t-il. Il m'a dit de vous dire que la chasse est très fructueuse et qu'il sera de retour dès demain soir.

Rionna le remercia d'un grand sourire.

— Voilà des nouvelles qui font plaisir à entendre, Jamie.

Puisque Ewan ne s'était toujours pas manifesté, elle pouvait s'attendre à passer quelques jours supplémentaires avec son mari avant qu'il parte à la guerre. Cette nouvelle lui réjouit le cœur et atténua grandement la migraine qui lui vrillait le crâne depuis le départ de Caelen.

L'après-midi fut occupé à débiter et préparer la viande apportée par Jamie, ce qui amena Rionna à découvrir un aspect déplaisant de sa condition. À part un peu de fatigue en début de grossesse, elle n'avait souffert jusque-là d'aucun de ces petits tracas que connaissent les femmes enceintes. Pourtant, dès qu'elle se fut approchée de la carcasse du cerf, l'odeur du sang et de la viande crue lui retourna violemment l'estomac.

Elle vomit devant tout le monde dans la neige. Gannon la conduisit avec prévenance à l'extrémité de la cour, là où elle pouvait apercevoir le loch et s'emplir les poumons d'air frais.

— C'est tellement humiliant... gémit-elle.

— Absolument pas, assura Gannon en souriant. Je crois me souvenir que lady McCabe a vomi depuis l'instant où elle a appris qu'elle était enceinte jusqu'au jour de sa délivrance. Cormac et moi devions sans cesse lui trouver des coins discrets pour...

Un cri poussé par le guetteur l'interrompit. Ils se retournèrent au moment où Simon, le visage ensanglanté, accroché à sa monture, pénétrait dans la cour. La bête, couverte d'écume, donnait l'impression d'avoir été poussée à fond de train.

Dès que l'étalon eut stoppé sa course, Simon glissa de sa selle et s'étala dans la neige.

Submergée par la peur, Rionna s'élança. Elle fut la première à rejoindre Simon et à s'agenouiller à côté de lui. Gannon l'aida à le retourner sur le dos.

Le vieil homme était à peine conscient. Son sang en s'écoulant déposait sur la neige une tache écarlate. Une plaie profonde lui barrait le cou. Son épaule semblait si profondément entaillée que c'était à peine si son bras tenait encore.

Il cligna ses yeux gonflés et ses lèvres s'entrouvrirent à peine quand il essaya de parler.

— Non, protesta Rionna en retenant ses larmes. Ne parle pas, Simon. Reste tranquille, le temps que nous arrêtions l'hémorragie.

— Trop tard, milady... parvint-il à murmurer. Je dois vous dire... c'est important. Une embuscade. Une flèche a atteint le laird dans le dos. Ils ont

attendu que nous soyons passés... pour nous attaquer par-derrière.

— Oh, Seigneur, non ! gémit-elle. Caelen ? Est-il
toujours vivant ? Où est-il ? Où sont les autres ?

— Arlen est mort, annonça Simon.

— Père ! s'écria Jamie en les rejoignant.

Il tomba à genoux et souleva la tête de Simon pour
la reposer contre ses jambes jointes avant d'ajouter :

— Qu'est-ce qui s'est passé ?

— Du calme, mon garçon... intervint Gannon. Il
est en train de nous le dire.

Simon passa la langue sur ses lèvres sèches.

— Le laird est tombé de cheval, précisa-t-il. Sonné,
mais vivant. Ils l'ont... emporté.

— Qui ça ? le pressa Rionna. Qui vous a attaqués ?

Simon posa les yeux sur elle, et dans leurs profondeurs elle vit flamber une étincelle de colère.

— Votre père... milady. Il était avec des hommes...
de Duncan Cameron. C'est à lui qu'ils vont le livrer.

29

— Si vous imaginez que je vais vous permettre de quitter ce château, vous vous trompez ! prévint Gannon en regardant Rionna faire les cent pas dans la grande salle.

Elle tenait à la main le rouleau revêtu du sceau d'Ewan McCabe et de celui du roi. Le message était arrivé une heure à peine après que Simon fut revenu, grièvement blessé, leur annoncer la capture de Caelen.

Elle se tourna vers Gannon et argumenta avec ferveur :

— Je te demande d'y réfléchir sereinement. C'est la meilleure solution. Nous ne pouvons pas attendre. Cameron va tuer Caelen. Et si lui ne le fait pas, mon père s'en chargera. Car c'est lui, après s'être allié au diable, qui est derrière tout cela. Il m'a fait part de ses plans, mais je l'ai pris pour un vieux fou. Après mon mariage, il a voulu que je me joigne à lui de manière à débarrasser notre clan de Caelen. Je suis persuadée qu'il n'avait même pas l'intention de céder son titre à Alaric lorsqu'il était prévu que je l'épouse. Il l'aurait fait assassiner, en faisant passer cela pour un accident. Ewan n'aurait rien pu faire pour briser l'alliance du moment que j'étais enceinte. Il n'aurait pas été en mesure de prouver que mon père avait ordonné la mort de son frère.

— C'est un plan bien compliqué que vous évoquez là, fit valoir Gannon en fronçant les sourcils.

— Si tu y réfléchis bien, cela tombe sous le sens, connaissant mon père. Nous ne pouvons attendre qu'Ewan soit en mesure de lancer son attaque contre Cameron. Il faut que tu rejoignes Neamh Alainn aussi vite que possible et que tu lui fasses part de mon projet. J'ignore la teneur de ce message. Je ne peux en briser les sceaux pour me le faire lire sans ruiner mon plan. Mais quelles que soient les instructions qu'il contient, Ewan doit changer de tactique si nous voulons garder l'avantage de la surprise.

Gannon secoua la tête avec véhémence.

— Je ne peux pas vous laisser y aller seule, milady... s'entêta-t-il. Caelen m'ouvrirait le ventre et offrirait mes tripes aux loups si je vous laissais faire.

Un cri de rage monta des lèvres de Rionna. Elle seule pouvait à présent sauver la vie de son mari.

— Vas-tu le laisser mourir parce que tu préfères attendre que ses frères aient eu le temps de lancer leur assaut contre Cameron ? T'imagines-tu vraiment que Caelen sera encore en vie quand cela se produira ? *Réfléchis !* C'est un homme blessé que mon père et ses hommes ont emmené avec eux. Ce qui va ralentir leur allure. Si je pars maintenant et que je coupe à travers la campagne, je peux parvenir à la forteresse de Cameron peu après leur retour, avant qu'ils aient décidé du sort de Caelen.

Gannon passa une main nerveuse dans ses cheveux et se détourna pour protester d'une voix sourde :

— Ce que vous me demandez là est impossible, milady. Comment pourrais-je vous laisser vous livrer seule à l'ennemi et aller pendant ce temps quérir l'aide d'Ewan ? Comment pourrais-je me présenter devant Caelen s'il vous arrivait quoi que ce soit, à vous et à votre enfant ? Vous le sous-estimez. Il est plus fort et résistant que vous ne le pensez. Qu'il ait reçu une flèche dans le dos ne veut rien dire. Il survivra. Il a trop à perdre pour ne pas se battre.

Rionna rejoignit Gannon et le prit par le bras pour l'obliger à la regarder dans les yeux.

— Les guerriers de mon clan me suivront, dit-elle. Mais moi seule entrerai dans le château de Cameron. Il est important qu'il s'imagine que je suis venue seule. Tout repose sur ma capacité à lui faire croire ce que je veux lui faire croire. Je dois gagner du temps pour permettre qu'Ewan nous rejoigne. Je ne te demande pas ta permission, Gannon. Ce que je réclame, c'est ton aide. Il *faut* que tu ailles trouver Ewan. Si j'envoie un de mes hommes, il s'imaginera que c'est un piège. Toi, il te croira. Il a confiance en toi. Ne trahis pas cette confiance, Gannon. Mon enfant et moi comptons sur toi pour nous aider à sauver mon mari.

— Vous ne jouez pas franc-jeu ! protesta-t-il d'un air dégoûté.

— Rien ne peut m'arrêter quand il y va de la vie de mon mari ! répondit-elle d'un ton farouche. Je l'aime, et je ne le laisserai pas mourir si je peux faire quelque chose pour empêcher ça. Je suis prête à me battre contre mon père, et contre Cameron, et contre toute son armée s'il le faut.

L'expression de Gannon se radoucit. Il lui toucha le bras en un geste de réconfort.

— Caelen a bien de la chance. Il n'est pas si fréquent qu'un homme épouse une femme prête à sacrifier sa vie pour sauver la sienne.

— Alors tu es d'accord ? Tu es prêt à partir pour Neamh Alainn ?

Gannon signa sa reddition dans un soupir.

— Oui, je vais le faire.

À sa grande surprise, Rionna lui sauta au cou et déposa un baiser sur sa joue. Un peu gêné, il se libéra de son étreinte et ajouta, le visage sombre :

— J'espère que vous mettrez autant de fougue à me défendre... Car quand Caelen apprendra ce que je vous ai autorisée à faire, je ne donne pas cher de ma peau.

— Va, maintenant... lui dit-elle simplement. Je vais annoncer aux hommes ce que j'attends d'eux.

Rionna observait nerveusement les guerriers rassemblés devant elle. La lumière des torches éclairait leurs visages fermés, que l'on aurait dits taillés à la serpe. Gannon était déjà parti. Pendant que Sarah préparait le sac qu'elle allait emporter, il ne lui restait plus qu'à mettre les membres de son clan au courant de la situation.

— Simon survivra-t-il ?

Tout obnubilée qu'elle était par l'ampleur de la tâche qui l'attendait, elle n'aurait su dire qui avait posé la question.

— Je n'en sais rien, répondit-elle honnêtement. Il a reçu tous les soins nécessaires. Son sort est à présent entre les mains de Dieu.

— Qui a fait ça, milady ?

Rionna inspira à fond pour se donner du courage.

— C'est mon père, votre précédent laird, qui a fait cela. Il s'est allié avec Duncan Cameron et cherche à détruire mon mari pour regagner son pouvoir sur le clan.

Elle retint son souffle, dans l'attente de leur réaction. Il était tout à fait possible qu'un tel retournement de situation ne soit pas pour leur déplaire. Certes, Caelen avait réussi à gagner leur respect, mais elle n'aurait pas juré que si l'occasion leur en était offerte, ils n'iraient pas jusqu'à se détourner de lui.

— Qu'allons-nous faire ? demanda Seamus, ses bras énormes croisés sur son ventre. Nous n'allons tout de même pas laisser impunie une telle insulte à notre laird ?

Rionna dut se retenir de serrer le géant dans ses bras.

— Nous allons chevaucher le plus vite possible jusqu'aux terres de Cameron. Gannon est déjà parti pour Neamh Alainn afin d'informer Ewan McCabe de la situation. Quand nous aurons atteint la forteresse de Cameron, vous resterez cachés en attendant mon ordre d'attaquer.

Des murmures s'élevèrent. Seamus s'étonna :

— Que comptez-vous faire, milady ?

— Sauver mon mari ! répondit-elle d'un ton sans réplique. La question que je vous pose est celle-ci : êtes-vous prêts à me suivre pour sauver votre laird ?

Seamus s'éclaircit la voix.

— Moi, je vous suis, milady.

L'un après l'autre, les hommes s'avancèrent à leur tour en déclarant leur intention de faire de même et d'aider Rionna à réaliser son plan.

— Alors, nous devons nous mettre en selle sans tarder, conclut-elle.

30

Caelen poussa un juron en heurtant le sol. Une douleur atroce explosa dans son épaule, si forte qu'il dut
fermer les yeux et serrer les dents pour ne pas hurler.

Il avait les mains liées dans le dos, ce qui accentuait encore la souffrance. Gregor McDonald avait
arraché la flèche sans aucune précaution, et Caelen
avait saigné durant tout le voyage jusqu'à la forteresse de Cameron.

— Je vous ramène Caelen McCabe, laird Cameron !
lança Gregor d'une voix forte.

Caelen ouvrit les yeux et découvrit son ennemi à
quelques pas de là. Le goût de la bile lui inonda la
gorge, si forte était la haine qui l'assaillait. Dire qu'il
était si proche mais qu'il était incapable de lui faire le
moindre mal, affalé et blessé à ses pieds...

— Vous y êtes donc parvenu ! se réjouit Cameron.

Il rejoignit Caelen et décocha un coup de pied dans
son épaule blessée. Caelen grimaça, mais parvint à
ne pas gémir. En le fixant droit dans les yeux, il ne
cacha en rien le mépris qu'il avait pour son
tortionnaire.

— Tu aimerais bien me tuer, pas vrai ? commenta
celui-ci. Tu dois me haïr davantage encore qu'aucun
de tes frères. C'est ta sottise qui a causé la ruine de

ton clan. Ma cousine est bien belle, n'est-ce pas ? Voilà un moment que je ne l'ai pas revue. Elle doit être en train d'écarter les cuisses, quelque part, pour un autre idiot dans ton genre.

Pour toute réponse, Caelen soutint son regard sans ciller, si bien que Cameron finit par s'agiter nerveusement et par lui décocher un nouveau coup de pied.

— Je me demandais ce qu'Ewan McCabe ferait s'il devait choisir entre protéger sa fille chérie et sa femme adorée et venir sauver son frère. Dis-moi, Caelen... quel effet ça te fera, d'être une nouvelle fois la cause de la perte de tout ce qui lui est cher ?

Cameron s'agenouilla à son côté, lui empoigna les cheveux et lui souleva la tête de manière à être presque nez à nez avec lui.

— Rassure-toi, il n'aura pas à choisir, reprit-il. Parce que j'ai bien l'intention de lui prendre *et* sa famille *et* son frère. Tu n'as aucune importance à mes yeux. Ta mort me laissera totalement indifférent. Ensuite, je me ferai une joie de détruire ton clan et ce roi auquel vous êtes si loyaux.

En découvrant dans son regard la haine qui l'animait, la question que lui avait posée Rionna revint à l'esprit de Caelen.

— Pourquoi ? demanda-t-il. Pourquoi fais-tu tout ça ? Puisque tu as l'intention de me tuer, dis-moi pour quelle raison tu as failli détruire mon clan il y a huit ans de cela. Nous ne représentions aucune menace pour toi.

Cameron se redressa et recula d'un pas pour lui répondre.

— Tu n'avais jamais entendu parler de moi avant ce jour, pas vrai ?

Il secoua la tête d'un air dégoûté et enchaîna :

— Tu n'es pas le seul à être motivé par la haine, Caelen. Ton père a pris ce qui devait être à moi. Je lui ai rendu la faveur.

— Tu déraisonnes ! répliqua Caelen d'une voix rauque. Mon père était un homme pacifique. Il n'était en guerre contre personne. Il n'aurait pas usé de violence sans être provoqué.

Cameron écrasa la gorge de Caelen sous sa botte, le clouant au sol.

— Bien sûr... railla-t-il. Un homme pacifique. Veux-tu savoir pourquoi ? C'est après la mort de mon père qu'il l'est devenu, tellement il se sentait coupable. Il a fait le serment sur sa tombe de ne plus jamais brandir une arme. Je le sais : j'y étais... J'ai tout entendu : son vœu de ne plus faire usage de la violence, ses excuses embarrassées à ma mère. Et en repartant, il a été jusqu'à me caresser le crâne, comme si cela pouvait me consoler alors que mon père reposait par sa faute six pieds sous terre.

— Tu mens ! s'exclama Caelen. Mon père n'a jamais parlé de toi, ni de ton père.

— Ton père était un lâche. Il combattait aux côtés du mien, et lorsque mon père est tombé de cheval, il l'a abandonné derrière lui et l'a laissé mourir. Juste avant que ton père pousse son dernier souffle, je lui ai rappelé le gamin à qui il avait caressé les cheveux en quittant le cimetière. Sais-tu quelles ont été ses dernières paroles ?

Caelen déglutit péniblement, sans parvenir à faire passer la boule de rage qui lui bloquait la gorge.

Cameron se pencha et lui murmura à l'oreille :

— Il a répété qu'il était désolé, et puis il m'a supplié d'épargner la vie de son petit-fils.

— C'est pour cette raison qu'à la place, tu as violé et massacré sa mère !

— Si j'avais trouvé le mouflet, je l'aurais embroché sur mon épée. Mon seul regret, c'est que toi et tes frères n'ayez pas été présents ce jour-là. C'est avec la plus grande joie que j'aurais abattu jusqu'au dernier des McCabe !

— Je te retrouverai en enfer pour te faire payer ça ! jura Caelen entre ses dents.

Sans lui répondre, Cameron se releva et fit un signe de la main à ses hommes en leur ordonnant :

— Conduisez-le au cachot ! Sa vue m'insupporte. Le tuer tout de suite serait trop miséricordieux. Je veux qu'il souffre aussi longtemps que mon père a souffert quand il s'est vidé lentement de son sang sur ce champ de bataille.

Trois des hommes de Cameron ramassèrent Caelen sans douceur et l'entraînèrent jusqu'à un escalier en pierre s'enfonçant dans les ténèbres. Un quatrième les précédait, muni d'une torche.

Au bas des marches, un trou noir s'ouvrait dans le sol, dans lequel on le jeta sans ménagement. Il chuta lourdement sur son épaule blessée. Cette fois, il ne put retenir un cri tant la douleur lui paralysait le bras, jusqu'à sa main qu'il ne sentait plus.

Caelen inspira à fond plusieurs fois, luttant pour ne pas s'évanouir. Le goût du sang qui envahissait sa bouche lui fit comprendre qu'il s'était fendu la lèvre en la mordant.

Pour conjurer la souffrance, allongé dans le noir dans un trou humide et puant, il évoqua mentalement le visage souriant de Rionna.

— Puisses-tu la protéger, Ewan… murmura-t-il. Car j'ai manqué à tous mes devoirs envers elle. Et envers toi aussi.

Rionna ordonna aux guerriers de son clan d'encercler la forteresse de Duncan Cameron et de rester cachés jusqu'à ce qu'elle lance l'ordre d'attaquer. Si Dieu était de leur côté, Ewan McCabe arriverait avec de précieux renforts avant l'assaut. Dans le cas contraire, ils ne pourraient compter que sur eux-mêmes.

Mentalement, elle récita une prière pour avoir la force de faire ce qui devait être fait. Il allait lui falloir se montrer convaincante. Sans quoi, non seulement elle ne sauverait pas son mari, mais elle risquerait de mourir avec lui.

Guidant son cheval épuisé, elle le fit avancer, le cœur battant, hors du couvert de la forêt, sur le chemin menant au pont-levis.

La place forte était une imposante construction de pierre, de bois et de métal. En découvrant la hauteur de la muraille, Rionna se demanda si ses hommes seraient capables de l'escalader assez rapidement pour éviter de se faire repérer.

Il fallait à tout prix que son plan réussisse. Si Dieu était réellement du côté des justes, son clan l'emporterait ce jour-là et elle pourrait rentrer chez elle avec son mari.

Le guetteur lui ordonna de décliner son identité en la voyant s'arrêter devant la porte. Rionna repéra en haut de la muraille trois arbalètes pointées sur elle.

Après avoir baissé sa capuche, elle répondit :

— Je suis Rionna McDonald et je voudrais parler à mon père, Gregor McDonald.

Un long silence s'ensuivit, puis Duncan Cameron lui-même fit son apparition sur le poste de guet, le père de Rionna à son côté.

— Dites-moi, Rionna… lança le maître des lieux. Êtes-vous venue me supplier d'épargner la vie de votre mari ?

Elle prit soin de soutenir son regard avec morgue.

— Je suis venue vérifier si ce que m'ont dit mes hommes est vrai, répliqua-t-elle avec une moue dégoûtée. Et si c'est le cas, si mon père a bien réussi à causer la perte de Caelen McCabe, je réclame pour moi-même l'honneur de le mettre à mort, s'il n'est pas déjà passé de vie à trépas.

Cameron manifesta sa surprise en arquant un sourcil. Rionna retint son souffle. Se pouvait-il qu'il soit déjà trop tard ? Elle et ses hommes, après avoir chevauché à bride abattue, avaient pourtant réussi à trouver une piste fraîche qui les avait menés droit au château.

— Qu'on ouvre la porte ! ordonna enfin Cameron.

Quelques instants plus tard, dans un concert de craquements de bois et de grincements de métal, la lourde porte s'entrouvrit. Rionna attendit qu'on lui donne la permission d'entrer.

Bientôt, Cameron et Gregor McDonald la rejoignirent sur le pont-levis, accompagnés d'un homme qui aida Rionna à descendre de cheval. Quand ses pieds touchèrent terre, elle sentit ses jambes manquer se dérober sous elle. À l'homme qui l'avait aidée, elle remit les rênes de sa monture.

— C'est un conte intéressant que vous nous avez offert là, jeune dame ! lança Cameron en scrutant attentivement son visage. Vous avez réussi à capter mon attention.

Rionna jeta un coup d'œil à son père et se demanda s'il prendrait parti en sa faveur. Le visage de marbre, il soutint son regard sans ciller et sans chercher à dissimuler sa méfiance.

— Est-il déjà mort ? demanda-t-elle.

En voyant Cameron secouer négativement la tête, Rionna réprima un soupir de soulagement.

— Non. Pas encore. Il y a peu de temps qu'il est ici. Au fait... comment se fait-il que vous nous ayez si rapidement rejoints ?

— Lorsque mes hommes m'ont rapporté ce qui s'était passé, j'ai refusé de croire en ma bonne fortune tant que je n'aurais pas eu confirmation de mes propres yeux de la chute de mon mari. S'il est vrai que mon père a réussi à capturer Caelen McCabe, alors ce sont mes remerciements que je dois lui offrir.

Gregor sortit de sa réserve pour demander :

— Qu'est-ce que cette absurdité, fille ?

Cameron dressa une main devant lui.

— Il n'y a qu'un moyen de résoudre cette énigme, dit-il. Suivez-nous, Rionna. Il fait froid, et vous avez fait un long voyage.

Glissant son bras sous celui que lui offrait obligeamment Cameron, Rionna répondit en souriant :

— Je vous remercie, laird Cameron. Il est vrai que je suis un peu fatiguée, mais mon soulagement était si grand que je n'ai pu faire halte avant d'avoir trouvé asile chez vous.

— Asile ? répéta-t-il. Ma chère petite... qu'est-ce qui pourrait vous pousser à chercher asile chez moi ? s'enquit-il en lui faisant traverser la cour et gravir les marches du château.

À l'intérieur, Rionna se sentit assaillie par une vague d'air chaud et empuanti. Elle retint sa respiration et lutta désespérément contre la nausée qu'elle sentait monter.

Sa tunique masquait le renflement de son ventre. Elle n'était heureusement pas suffisamment avancée dans sa grossesse pour que celle-ci se remarque immanquablement. La dernière chose dont elle avait envie, c'était bien de révéler à ses ennemis qu'elle portait l'enfant de Caelen.

— Oui, l'asile... acquiesça-t-elle. Pensez-vous que je serai à l'abri de la vengeance d'Ewan McCabe, quand il saura qu'un McDonald a causé la perte de son frère ?

— Pourquoi souhaitez-vous tuer votre mari ? demanda Cameron tout à trac.

D'un geste, il l'invita à s'asseoir sur l'un des sièges disposés devant une énorme cheminée, et ce fut avec grand plaisir qu'elle le fit.

— Est-ce important ? répliqua-t-elle.

— Je trouve bizarre que vous ayez pu laisser en plein hiver la protection de votre clan à seule fin de pouvoir tuer un homme condamné par avance.

— Je le déteste ! déclara-t-elle sèchement. Je déteste tous les McCabe. Ils ont foulé aux pieds les droits de mon clan. Il est vrai que je n'étais pas satisfaite de l'attitude de mon père en tant que laird, mais au moins c'était un McDonald. J'ai été humiliée par les frères McCabe à la moindre occasion. Si vous ne m'autorisez pas à le mettre à mort, je demande au moins à pouvoir assister à l'exécution. Et je réclame également votre protection tant que le conflit avec le clan McCabe ne sera pas réglé.

Les yeux mi-clos, Cameron la dévisagea un moment, avant de hocher la tête.

— Vous êtes une drôle de femme, Rionna McDonald, murmura-t-il enfin. Ou devrais-je dire Rionna McCabe ?

Rionna se dressa d'un bond, dégaina son épée et la pointa sur Cameron, en une démonstration de bravoure dont elle espérait qu'elle achèverait de le convaincre de sa bonne foi.

— Je ne me laisserai pas appeler ainsi ! s'écria-t-elle.

Cameron repoussa la pointe de son épée comme s'il ne s'agissait que d'une mouche importune.

— Et moi, rétorqua-t-il, je ne tolérerai pas qu'une femme me menace de son épée sous mon propre toit.

D'un coup de menton, il l'invita sèchement à se rasseoir, puis il échangea un regard avec Gregor McDonald avant d'ajouter :

— Comme je vous le disais, vous m'avez rendu curieux, Rionna. Qu'a donc bien pu faire Caelen McCabe pour susciter un tel courroux ?

Elle jeta un coup d'œil à son père, sachant que de sa réponse dépendrait la crédibilité qu'il accorderait à son histoire.

— Il a insisté pour que je m'habille et me conduise comme une femme, répondit-elle d'un ton maussade. Il m'a confisqué mon épée. Il m'a humiliée à la moindre occasion. Il a... violemment abusé de moi.

Cameron ricana et lança au père de Rionna :

— Quel genre de femme avez-vous donc élevé là, Gregor ?

— Depuis qu'elle est toute petite, elle s'imagine être un garçon, répliqua-t-il avec une moue méprisante. Rien de ce que j'ai pu dire ou faire ne l'a convaincue de s'habiller et de se comporter comme elle le devrait. Elle n'en fait qu'à sa tête. Voilà des années que je m'en suis lavé les mains. Il est probable qu'elle n'a pas supporté que son mari couche avec elle.

Les yeux de Cameron s'attardèrent sur les formes de Rionna d'une manière qui lui fit se féliciter d'avoir bandé ses seins.

Néanmoins, elle vit flamber dans son regard une lueur de concupiscence qui lui arracha un frisson. Malgré – ou peut-être à cause de – son manque de féminité apparente, ce type la regardait comme s'il l'aurait volontiers bousculée sur le sol pour un rut aussi rapide que sauvage. Ou peut-être ne la convoitait-il que parce qu'elle était la femme de Caelen ?

Au lieu de cela, il appela un de ses hommes d'un geste de la main et ordonna :

— Que l'on aille tirer Caelen McCabe de son cachot. Sa femme désire une petite réunion de famille.

À ces mots, Rionna sentit la peur la paralyser. Elle allait devoir improviser pour prouver sa sincérité aux deux hommes. Il lui en coûterait énormément, mais elle n'avait pas le choix. Jamais elle n'avait été confrontée à un tel défi. Car elle allait également devoir convaincre Caelen qu'elle le haïssait et voulait sa mort…

En attendant la confrontation redoutée, elle fit de son mieux pour se préparer à la vision que lui offrirait son mari. Elle savait qu'il était blessé. Il était peut-être même à l'article de la mort. Mais, quel que fût son état, elle ne devait pas réagir comme une femme aimante.

Au point où elle en était, même si elle parvenait à donner le change, Rionna se serait volontiers laissée aller à pleurer. Outre qu'elle était au-delà de l'épuisement physique, elle se sentait terrifiée comme elle ne l'avait jamais été.

Lorsque enfin Caelen fut introduit dans la pièce, il tomba à genoux, tête basse, les mains entravées dans le dos. Elle se leva vivement et traversa la pièce. Mais avant qu'elle ait eu le temps de le rejoindre, il leva la tête et leurs regards se croisèrent.

La surprise et l'incompréhension le disputèrent sur son visage. Il entrouvrit la bouche, comme s'il allait se mettre à parler, aussi dut-elle se résoudre à le faire taire.

Prenant son élan, elle le gifla aussi fort qu'elle le put.

31

La violence de la gifle fut telle que la tête de Caelen partit sur le côté. Lentement, il la tourna pour faire de nouveau face à sa femme. *Sa femme ?* Elle se tenait devant lui, les yeux emplis de haine. Cameron et Gregor, sur le côté, la regardaient faire, vaguement amusés.

— Tu es devenue folle ? demanda-t-il. Qu'est-ce que tu fais ?

— Je suis venue te voir crever ! lança-t-elle avec rage. Si Dieu le permet, et avec l'autorisation de laird Cameron, je te donnerai moi-même le coup de grâce. Rien ne me fera plus plaisir que d'être enfin débarrassée de toi, Caelen McCabe !

Caelen comprenait parfaitement ce qu'elle lui disait. La fureur qui étincelait dans son regard était bien réelle. Pourtant, tout cela n'avait aucun sens. Une sourde appréhension naquit en lui, et se fit bientôt plus douloureuse que sa blessure au dos.

Était-il possible que tout recommence ? L'histoire pouvait-elle bégayer de manière aussi grossière ?

Duncan Cameron se glissa derrière Rionna et lui posa une main sur l'épaule.

— Ta femme est venue te rendre visite, dit-il. N'est-ce pas attentionné de sa part ? Elle affirme n'avoir d'autre envie que de devenir ton bourreau. Qu'en penses-tu ?

Sans lui laisser le temps de répondre – qu'aurait-il pu répondre à cela ? – Cameron fit pivoter Rionna sur elle-même, la prit dans ses bras et l'embrassa sauvagement.

Une rage froide anesthésia aussitôt Caelen. Il ne sentait plus sa blessure. Intérieurement, il n'était plus que fureur. Son esprit encore embrouillé l'empêchait de saisir tous les détails, mais indéniablement, le tableau qu'il avait devant lui était celui de la trahison.

Encore une fois.

Rionna se détourna vivement de Cameron, le frappa au visage aussi violemment qu'elle l'avait fait pour lui et tendit la main vers la poignée de son épée. Cameron l'empêcha de la dégainer en lui saisissant le poignet.

— J'ai déjà dû laisser un homme abuser de moi ! s'écria-t-elle. Je ne laisserai pas un autre faire de même !

— Quoi ! s'exclama Caelen, incrédule. C'est ainsi que...

Il ne put achever sa phrase. Sa femme posa sur lui ses beaux yeux d'ambre, qui crachaient des éclairs. Elle reporta son attention sur Cameron et lui décocha un petit coup de poing dans le bras.

— Vous avez voulu me tester ! lança-t-elle d'un ton accusateur. Vous doutiez de moi. Vous doutiez que j'étais bien ici pour réclamer la tête de ce McCabe !

Rionna se libéra de sa poigne et tira des plis de sa cape un rouleau de parchemin. De là où il était, Caelen reconnut parfaitement les deux sceaux dont il était paré. Le premier était celui de son frère. Le second, celui du roi.

— En témoignage de ma loyauté, je vous ai apporté ceci, dit-elle. C'est un message d'Ewan McCabe destiné à mon mari, qui est arrivé avant mon départ. Il doit contenir tous leurs plans de bataille. Vous le donnerais-je, si je n'étais pas de bonne foi ?

— Non ! hurla Caelen.

Il tenta de bondir pour se saisir du document, mais deux hommes de Cameron l'en empêchèrent. Il se tordit et lutta pour leur échapper, en vain.

Cameron prit le rouleau et l'examina en détail. Sans un mot, il brisa les sceaux et déroula le parchemin. Il lui fallut plusieurs minutes pour lire entièrement le document. Quand ce fut fait, il l'enroula de nouveau et considéra Caelen froidement.

— Il semble bien que ta femme et ton clan ne veulent plus de toi, McCabe !

Les narines de Caelen palpitèrent. Une moue méprisante retroussa ses lèvres.

— Je n'ai plus de femme ni de clan, annonça-t-il. Je suis et resterai un McCabe !

— Je n'ai aucun désir d'être plus longtemps en présence de ce triste sire, déclara Rionna d'une voix tout aussi glaciale. Vous pouvez le ramener dans le trou d'où vous l'avez tiré.

— Il y a encore le sujet de son exécution à discuter... protesta Cameron. S'il faut en croire le message que vous m'avez remis, la guerre est imminente. J'avais espéré un peu plus d'originalité de la part d'Ewan McCabe et du roi, mais il semble bien qu'ils préfèrent l'attaque frontale. Je vous laisse la journée pour vous préparer, milady. Il mourra au petit matin. Ensuite, je devrai dresser mes propres plans pour contrecarrer ceux de McCabe.

Rionna dégaina son épée et rejoignit lentement Caelen. Il refusa de croiser son regard. Son esprit était une telle masse de rage et de confusion qu'il ne pouvait s'y résoudre.

Quand elle fut devant lui, elle lui souleva le menton de la pointe de son arme.

— Je pourrais te tuer sur-le-champ, dit-elle d'une voix dénuée d'émotion. Mais ce serait trop rapide.

Aucune expression sur son visage. Rien qui aurait pu trahir ses pensées. Elle aurait parlé de la pluie et du beau temps avec le même détachement. Son attitude lui glaçait le sang. Jamais il ne l'avait vue sous ce jour.

— Pourquoi ? demanda-t-il d'une voix rauque. Ce n'est pas seulement moi que tu trahis, c'est aussi celles que tu appelais tes amies. Tu trahis Keeley, tu trahis Mairin, qui n'a été que bonté avec toi, et sa fille, qui n'est qu'innocence.

Rionna dirigea sa lame vers l'entrejambe de Caelen et rétorqua sèchement :

— Silence, ou je te coupe les bourses pour en nourrir les chiens !

Comme s'il lui était impossible de supporter sa vue une seconde de plus, elle se détourna brusquement. À sa grande honte, Caelen eut envie de la rappeler. Il ferma les yeux. Manifestement, il était certaines leçons qu'il n'apprendrait jamais...

— Qu'on le brûle à la première heure du jour ! lança-t-elle d'un ton négligent. C'est une fin digne de lui.

Même Cameron parut ébranlé par tant d'inhumanité. Mais, sitôt après, une lueur d'admiration flamba au fond de ses yeux. Caelen aurait pu en rire, s'il n'avait été plongé dans un tel désarroi. Manifestement, ces deux-là faisaient la paire...

— Fort bien, milady... conclut-il benoîtement. Qu'il en soit fait ainsi.

D'un geste, il ordonna à ses hommes d'emmener Caelen, puis il se tourna vers Rionna.

— Voudriez-vous vous rafraîchir, ma chère ? Vous avez fait un long voyage pour nous rejoindre.

Tandis qu'on l'entraînait sans ménagement, Caelen vit sa femme sourire aimablement à l'homme qu'il détestait le plus au monde.

Rionna releva la tête au dernier moment. Leurs regards se croisèrent. Dans le sien, il eut le temps d'apercevoir une ombre qui obscurcissait ses beaux yeux.

Debout devant la fenêtre de sa chambre, Rionna observait sans le voir le paysage couvert de neige. Elle était morte de fatigue, mais certaine de ne pouvoir fermer l'œil de la nuit. Comment aurait-elle pu y parvenir, alors que son mari croupissait au fond de quelque cachot de ce château ?

Fermant les yeux, elle revit clairement son visage tordu par la haine. Il était passé par l'incompréhension, puis par la colère, avant de se résigner à l'idée qu'elle ait pu le trahir. Plus que jamais, elle se sentait condamnée à réussir. Elle n'accepterait pas que Caelen puisse quitter ce monde en emportant d'elle cette image.

À deux mains, elle massa doucement son ventre. Soudain, elle sursauta en percevant un tressaillement dans le creux de sa paume. En comprenant que son bébé venait de manifester sa présence, elle sentit des larmes lui monter aux yeux. Cet enfant à naître – leur enfant – lui signifiait-il ainsi que son père devait être sauvé à tout prix ?

— Tu es mon avenir, Caelen McCabe… murmura-t-elle avec ferveur. L'avenir de tout mon clan. L'avenir de notre fils, ou de notre fille. Je ne te laisserai pas mourir.

Rionna alla s'asseoir au bord de son lit. Cameron avait pris des dispositions pour qu'on l'accueille dignement. Il avait même demandé qu'on allume un feu dans la cheminée. Dès qu'elle s'était retrouvée seule, cependant, elle avait barricadé sa porte avec une lourde chaise.

Elle ne voulait prendre aucun risque. Cameron était un sinistre individu, ayant pour habitude de prendre de force tout ce qui lui plaisait. Elle n'imaginait pas une seconde que c'était sa beauté qui l'intéressait en elle. Elle avait pris la précaution de paraître aussi peu désirable que possible en endossant son apparence de garçon manqué, mais elle n'en avait pas moins surpris dans son regard une lueur d'intérêt.

Tout habillée, elle se força à s'allonger sur le lit et à fermer les yeux pour quelques minutes de repos.

À l'instant même, ses hommes devaient être en train de prendre position autour de la muraille. Ils n'attendaient plus qu'un signal de sa part pour entrer en action.

Ainsi Rionna passa-t-elle la nuit, alternant moments de repos et déambulation anxieuse dans la chambre. Enfin, quand on vint au petit matin cogner à sa porte, elle prit garde de faire comme si elle se réveillait.

— Un instant ! cria-t-elle. Je finis de m'habiller.

Rionna dérangea les fourrures sur le lit et rejeta ses cheveux sur une épaule. En allant ouvrir, elle commença à les tresser.

Sans bruit, elle déplaça la chaise. Ouvrant sa porte, elle découvrit son père, dans le couloir.

— Le laird te demande de descendre, annonça-t-il froidement.

Elle lui répondit d'un hochement de tête et attendit qu'il la précède dans le couloir, mais il paraissait hésiter. Enfin, il se décida à demander :

— Qu'a réellement fait McCabe pour te faire changer d'avis ? Tu t'es détournée de moi pour te ranger derrière lui et, d'un seul coup, te voilà décidée à m'accepter pour laird ?

Plutôt que de prendre le risque de lui mentir, Rionna opta pour une demi-vérité.

— Je ne t'accepte pas plus pour laird que lui. Choisir entre toi et lui, c'est choisir entre le moindre de deux maux.

Une soudaine fureur fit étinceler le regard de Gregor McDonald.

— Tu n'as pas changé ! lança-t-il sèchement. Tu n'as toujours pas appris à surveiller ta langue et à t'adresser de manière policée à ceux qui te sont supérieurs.

— Je ne vois ici personne qui me soit supérieur. Et si tu penses pouvoir me frapper de nouveau, je te conseille d'y réfléchir à deux fois. Les McDonald pourraient avoir à se chercher un nouveau laird dès aujourd'hui.

— Tu ne perds rien pour attendre.

Rionna haussa les épaules pour lui signifier le peu de cas qu'elle faisait de cette menace.

En pénétrant dans la cour à sa suite, elle serra étroitement les pans de sa cape pour se garder du froid matinal. Son cœur cogna plus fort dans sa poitrine quand elle découvrit Caelen, déjà attaché à un bûcher dressé au centre de la cour.

Il paraissait plus hagard et défait que la veille. De nouveaux bleus marquaient son visage, et le sang coulait en abondance de sa blessure.

Les dents serrées, Rionna lutta pour retenir des larmes de rage et de frustration. À cette minute, elle haïssait Cameron et son père. Il aurait été si simple de dégainer son épée et de mettre un terme à la misérable vie de l'auteur de ses jours... Mais il lui fallait se montrer patiente, sans quoi son mari serait tué avant même que son père ait touché le sol.

Cameron se tenait à quelques pas du bûcher, entouré de ses hommes, tous munis de torches. Quand elle l'eut rejoint, il en prit une et la lui tendit.

— À vous l'honneur, dit-il. Mais faites vite. Je déteste l'odeur de la chair brûlée.

Rionna saisit la torche d'une main tremblante et se tourna vers son mari. En s'avançant d'un pas vers lui, elle inspira à fond pour se préparer à ce qui l'attendait.

Leurs regards se rencontrèrent. Ses pâles yeux verts étaient absents. La douleur semblait l'égarer. Rionna se sentit gagnée par l'appréhension. S'il était un jour où elle avait besoin que Caelen ait tous ses esprits, c'était bien celui-ci...

32

Caelen regarda Rionna prendre la torche des mains de Cameron. Malgré tous ses efforts pour la combattre, la douleur était en train de l'anéantir. Des frissons le secouaient. Il était brûlant de fièvre. Pourtant, il parvint à soutenir sans ciller le regard que sa femme posait sur lui.

Quelque chose l'avait tracassé toute la nuit tandis qu'il gisait, roulé en boule, au fond de son cachot. Un doute qui le taraudait depuis qu'en la quittant, la veille au soir, il avait vu une ombre voiler ses yeux.

Et à présent, alors que sa dernière heure semblait venue, il ne pouvait se défaire de l'intuition que quelque chose clochait. Il ne parvenait pas à croire que Rionna l'ait trahi froidement.

En songeant aux quelques mois qu'ils avaient passés ensemble, il ne pouvait tout simplement accepter qu'elle ait pu se retourner contre lui. Cela n'avait aucun sens. Elle haïssait son père. Elle avait peur de lui. Pourquoi aurait-elle été se jeter dans ses bras et lui offrir son clan sur un plateau ?

Elle avait pris le parti des McCabe en se dressant contre Gregor McDonald, au risque de s'aliéner tous les siens. Une femme pouvait-elle mener à ce point un double jeu et mentir en tout et tout le temps avec autant d'aplomb ?

Non, cela lui paraissait impossible. Cette fois, son cœur ne lui mentait pas. Au risque de sa vie, il était prêt à en prendre le pari.

Ce qui signifiait que sa femme s'était mise dans une situation très dangereuse, et qu'il ne pouvait rien faire pour la protéger.

Quel but poursuivait-elle ? Qu'espérait-elle d'une telle mascarade ?

Après avoir pris la torche, elle glissa discrètement la main sous sa cape. Et, dans ses yeux, Caelen lut une supplique : elle lui réclamait son aide et espérait qu'il comprendrait. Son cœur se mit à battre plus fort, dans l'attente de ce qui allait suivre.

Il aurait voulu crier à Rionna de renoncer, de ne pas mettre sa vie et celle de leur enfant en danger pour sauver la sienne. Il n'en fit rien, car cela n'aurait fait que la condamner.

C'est alors que, vive comme l'éclair, Rionna se décida à frapper. Pivotant brusquement, elle jeta la torche à la figure de Cameron, qui hurla de douleur et d'épouvante. En même temps, Rionna lança un vibrant cri de guerre.

Puis, dégainant son épée, elle se débarrassa de sa cape et escalada le bûcher. Caelen vit alors, incrédule, les guerriers du clan McDonald se laisser descendre le long de la muraille. En prenant tous les risques, la femme et le clan qu'il venait de renier étaient venus le sauver.

— Es-tu en état de te battre ? lui demanda son épouse en tranchant rapidement ses liens.

— Oui ! assura-t-il, revigoré.

Caelen n'était pas encore à l'article de la mort, et il aurait préféré se damner plutôt que de laisser Rionna risquer sa vie pour lui sans rien faire.

Elle disparut avant qu'il ait achevé de se débarrasser des cordes qui l'entravaient. À quelque distance de là, il la vit engagée dans un duel. Mais avant qu'il ait pu bondir pour lui venir en aide, il évita de justesse une lame qui faillit lui trancher la tête.

L'urgence était pour lui de trouver une épée. De nouveau, il lui fallut feinter lorsqu'un homme de Cameron manqua de peu son visage. Plié en deux, il fonça dans les jambes de l'homme et le fit tomber avec lui à terre.

Son épée atterrit un peu plus loin. Caelen écrasa son poing dans la figure du soldat, dont le sang rougit la neige. Roulant sur lui-même, Caelen s'empara de l'arme et la brandit pour se protéger, à l'instant où un autre assaillant allait l'atteindre.

De nouveau, il roula sur lui-même, faisant décrire à son arme un arc de cercle qui lui permit de faucher les jambes de son adversaire. Libre de se redresser, Caelen bondit sur ses pieds. La douleur et la fièvre n'étaient plus que souvenirs. Rien d'autre n'occupait son esprit que retrouver sa femme pour la protéger, et Duncan Cameron pour le tuer.

Sans cesser de se battre, il se rapprocha de la muraille en observant autour de lui la tournure prise par les événements. Ce qu'il découvrit lui serra le cœur.

Les guerriers du clan McDonald, même s'ils se battaient habilement et avec courage, commençaient à céder sous le nombre.

Enfin, Caelen aperçut Rionna dans la mêlée. Plus déchaînée que jamais, elle acculait un de leurs ennemis contre le mur d'enceinte. Elle s'en débarrassa rapidement en lui plantant son épée dans la poitrine, et se retourna juste à temps pour parer le coup porté par un autre.

Le problème était bien là : pour chaque partisan de Cameron qui tombait, un autre prenait sa place.

Caelen manœuvrait pour rejoindre sa femme à travers la cohue lorsqu'un second cri de guerre à glacer le sang retentit. Celui-ci, il le connaissait si bien qu'il faillit tomber à genoux de soulagement.

Puisant dans ses dernières forces, il renversa la tête en arrière et poussa en réponse un cri identique. Puis il annonça aux McDonald qui l'entouraient :

— Les renforts arrivent ! Tenez bon !

Caelen pivota juste à temps pour voir ses deux frères franchir la porte d'accès de la forteresse à la tête de leurs troupes. Des centaines de guerriers McCabe lancèrent la charge. Jamais il n'avait rien vu d'aussi beau.

Ce revirement de situation fit basculer le rapport de forces en faveur des McDonald. Alors qu'ils paraissaient auparavant hagards et à deux doigts de succomber sous le nombre, ils retrouvèrent vigueur et courage.

Ewan, qui avait le premier fait son entrée dans la cour, glissa bientôt de son cheval à deux pas de Caelen, l'épée au poing. Peu après, Alaric le rejoignit, si bien qu'il se retrouva flanqué de ses deux frères.

— Comment ça va ? s'inquiéta Ewan en examinant avec inquiétude le sang qui poissait le flanc de Caelen.

— Je survivrai, répondit-il.

Ensemble, les frères McCabe se frayèrent à coups d'épée un chemin dans la masse des hommes de Cameron. Ils se battaient avec une détermination nourrie de la rage et de l'esprit de vengeance qui les animaient.

— Où est Rionna ? demanda Alaric lorsqu'ils parvinrent au centre de la cour.

Caelen balaya le champ de bataille du regard, avant de se débarrasser d'un adversaire qui cherchait à le transpercer de son épée.

— Je l'ignore, avoua-t-il. Je l'ai perdue de vue quand vous avez fait votre entrée.

— Ta femme est incroyable ! lança Ewan en pourfendant un nouvel ennemi. Elle doit être la plus folle, la plus exaspérante, la plus *courageuse* des femmes que j'aie jamais rencontrées...

— Oui, elle est tout cela ! reconnut fièrement Caelen. Et elle est à moi...

— Où est Cameron ? cria Ewan. Je ne laisserai pas ce bâtard m'échapper de nouveau.

— Rionna lui a lancé une torche en plein visage, raconta Caelen. Je n'ai plus vu ce salaud depuis qu'elle m'a libéré.

Une nouvelle vague d'assaillants les réduisit au silence. Ils arrivaient de partout à la fois. Caelen devait mobiliser toute sa force de caractère pour ignorer la douleur et se concentrer sur le combat.

Ce n'était pas le sort de Duncan Cameron qui le souciait, mais plutôt celui de son épouse.

— Ils détalent ! annonça soudain Hugh McDonald. Serrez les rangs ! Ne les laissez pas s'enfuir !

La cour était jonchée de cadavres et le manteau neigeux, d'une blancheur virginale à l'origine, était maculé de rouge.

Les rangs ennemis s'étaient suffisamment éclaircis pour offrir à Caelen une vue plus dégagée. Désespérément, il cherchait sa femme du regard. Et lorsqu'il finit par la trouver, son sang se figea dans ses veines.

Elle affrontait son père, et celui-ci se défendait avec la fougue d'un homme qui sent la mort proche. Contre sa propre fille, il se battait avec l'énergie du désespoir.

Rionna, elle aussi, se battait vaillamment, contrant chaque attaque de son adversaire. Il paraissait pourtant évident que plus le combat durait, plus ses forces allaient en s'amenuisant.

Caelen se mit à courir dans sa direction, au mépris de la douleur qui l'assaillait. Il avait franchi la moitié de la distance qui les séparait quand il repéra Duncan Cameron.

Comme le couard qu'il était, celui-ci était allé chercher refuge derrière un cordon de ses hommes. Mais désormais, nombre d'entre eux avaient péri et il se retrouvait vulnérable.

Le côté gauche de son visage n'était plus qu'un amas de chairs boursouflées, noircies et sanguinolentes. Avec sa torche, Rionna avait fait mouche... Armé d'une dague dans une main, il brandissait une épée dans l'autre.

Sans laisser le temps à Caelen de réagir, Cameron visa Rionna et lança sa dague sur elle.

— Non ! hurla Caelen.

Trop tard. Cameron savait viser, et son arme se ficha dans l'omoplate droite de Rionna. Elle vacilla, parvint à parer une nouvelle attaque de son père, puis elle dut mettre un genou à terre.

Profitant de la situation, Gregor brandissait son épée à deux mains pour le coup de grâce lorsqu'une flèche vint le frapper en pleine poitrine. Caelen ne se retourna même pas pour voir qui l'avait décochée. Seul lui importait le sort de Rionna.

Une rage telle qu'il n'en avait jamais connu décupla ses forces. Hurlant le nom de Cameron, il s'élança pour le rejoindre.

Leurs épées s'abattirent l'une contre l'autre dans un choc retentissant.

Caelen se battait comme un possédé mais Cameron, tel Gregor avant lui, se démenait comme un beau diable, sentant sa fin prochaine. Il n'y avait plus aucune trace d'arrogance en lui.

Affaibli par la fièvre, le sang perdu et la férocité de la bataille, Caelen dut reculer devant son adversaire. Le fracas métallique des épées s'entrechoquant emplissait ses oreilles. Autour de lui, l'odeur de la mort s'élevait, tenace et écœurante.

Malgré sa couardise, il devait reconnaître que Cameron était un guerrier entraîné. Une nouvelle fois, Caelen fut contraint de reculer sous ses assauts.

Son épaule lui faisait souffrir le martyre et l'épuisement le gagnait peu à peu. Il lui fallait en terminer rapidement, sous peine d'y rester. Ses frères étaient occupés avec leurs propres adversaires de leur côté. Nul ne pouvait l'aider.

Caelen chancela sur ses jambes après avoir paré de justesse un nouveau coup. En le voyant se préparer à contre-attaquer, Cameron éleva son arme au-dessus de sa tête, le visage tordu par un rictus haineux. Mais avant qu'il ait pu se mettre en marche... il se figea, transpercé par une épée.

Celle-ci lui avait été enfoncée dans le dos, ressortant par le ventre, la pointe rougie de son sang. Les yeux écarquillés par la surprise, Cameron sentit la mort venir, inscrite sur ses traits.

Ses jambes cédèrent. Il tomba à genoux sur le sol, avant de s'effondrer comme une masse, face en avant.

En s'écroulant, il avait révélé peu à peu, derrière lui, Rionna qui venait de lui ôter la vie. Pâle comme la mort, elle s'agrippait à la poignée de son épée à deux mains, comme si elle seule l'empêchait encore de tomber. Dans son regard, Caelen découvrit la même fixité vitreuse que celle qui avait gagné ceux de Cameron lors de son dernier souffle.

— Il ne méritait pas de mourir dans l'honneur, murmura-t-elle d'une voix à peine audible. Il n'en avait pas.

Elle fit un pas en avant, vacilla, en risqua un autre, puis s'effondra à genoux dans la neige. Épouvanté, Caelen ne parvenait pas à détacher les yeux du sang qui poissait sa tunique.

— Rionna ! s'écria-t-il.

Laissant tomber son épée, il se précipita vers elle et la rattrapa de justesse dans ses bras. Il la serra contre lui en l'inclinant sur le côté, de manière à ne pas heurter la dague qui saillait dans son dos.

— Dieu merci ! gémit-elle. Je... m'inquiétais tant. Je t'ai perdu de vue... pendant la bataille. J'avais peur que...

Elle ne put en dire davantage. Ses yeux, d'habitude si vifs et lumineux, paraissaient éteints. Leur belle couleur d'ambre s'était ternie. Une grimace de douleur passa sur son visage. Caelen vit avec épouvante ses paupières retomber.

D'une main tremblante, il lui caressa la joue, les lèvres.

— Ne meurs pas, Rionna ! gémit-il d'une voix brisée. Tu m'entends ? Ne t'avise pas de mourir dans mes bras ! Tu vas vivre, je te l'ordonne ! Oh, Seigneur ! S'il te plaît, ne meurs pas. Tu ne peux pas me quitter... j'ai tant besoin de toi !

Caelen commença à la bercer tendrement, en se balançant d'avant en arrière. Si grande était sa peine qu'il ne parvenait plus à reprendre son souffle.

— Je t'aime ! lança-t-il dans un cri. Ce n'est pas vrai que je t'ai privée d'une part de mon cœur qui t'était interdite. Tout mon cœur t'appartient, femme ! Il est tout à toi... Je ne te l'ai pas donné : c'est toi qui me l'as pris, dès le début.

Il lui caressa de nouveau la joue, priant pour qu'elle ouvre les yeux. Et comme si elle avait pu entendre sa prière muette, Rionna battit des paupières, même s'il était évident qu'il lui en coûtait beaucoup.

— Heureuse de l'apprendre... cher époux, dit-elle avec un pâle sourire. En vérité... je commençais à désespérer d'entendre un jour... ces mots que j'attendais tant.

— Si tu restes avec moi, tu les entendras chaque jour, jusqu'à notre dernier souffle ! promit-il avec ferveur. Ah, femme... Dieu m'est témoin que je ne te mérite pas, mais je t'aime à cause de cela davantage encore, et je ne veux plus passer un jour sans toi.

— Quel couple nous faisons ! eut-elle la force de s'amuser. Brisés, blessés, ensanglantés... trop faibles pour nous aider l'un l'autre. Nous allons devoir nous résoudre à mourir ensemble ici, car je ne pourrai pas te porter.

L'humour perceptible dans le ton de sa voix eut raison de la pudeur de Caelen. La gorge nouée, il sentit ses yeux s'embuer et ne put rien faire pour empêcher ses larmes de couler.

— Hélas, femme... tu pourrais bien être dans le vrai. Prions pour que mes frères se décident à arriver et nous transportent sur notre lit de souffrances. Car si tu t'imagines que tu auras le tien pour toi seule, laisse-moi te dire que tu te trompes !

— Je n'ai jamais rien vu d'aussi pitoyable... Qu'en dis-tu, Alaric ?

Caelen redressa la tête et découvrit ses deux frères debout devant eux. L'inquiétude se lisait sur leurs visages, même si Ewan avait préféré plaisanter plutôt que de laisser sa crainte transparaître dans ses paroles.

— M'est avis que le mariage a quelque peu ramolli notre frère, renchérit Alaric. Il a fallu qu'une faible femme vienne lui sauver la mise.

— Viens donc ici, et tu verras si je suis faible ! maugréa Rionna.

Caelen ne sut s'il devait en rire ou en pleurer. Faute de pouvoir se décider, il enfouit son visage dans les cheveux de sa femme. Des tremblements irrépressibles secouaient son corps. Il venait seulement de réaliser à quel point il avait été proche de la perdre, et combien tout risque n'était pas encore écarté.

— Comment va-t-elle ? s'enquit Gannon, qui venait de les rejoindre en courant.

— Gannon ! s'exclama Rionna faiblement. Si heureuse… que vous ayez réussi. Je vous dois… toute ma gratitude. Nous n'y serions pas arrivés sans vous.

Tout comme Caelen, Gannon semblait éperdu d'admiration, de frayeur, et d'étonnement.

— Non, milady… répondit-il. Je ne doute pas que vous et vos hommes seriez parvenus à vaincre seuls la garnison de Cameron et à ramener le laird chez nous.

Il s'accroupit à côté d'elle et poursuivit :

— En vérité, milady, je dois avouer que je n'ai jamais rencontré de femme aussi téméraire et courageuse que vous. Je vous suis reconnaissant d'avoir sauvé la vie de notre laird, car je me suis habitué aux grognements de cet ours grincheux.

— Ours grincheux… répéta Rionna en souriant. C'est tout à fait lui. Mais à présent, je vais travailler à changer ça.

Une nouvelle grimace de douleur tordit son visage. Ewan posa la main sur l'épaule de son frère :

— Tu vas devoir la lâcher, Caelen. Laisse Alaric la porter à l'intérieur. La bataille est terminée. Cameron est mort, et les quelques hommes qui lui sont restés fidèles sont en fuite. Il faut à présent que nous nous occupions de vos blessures.

— Caelen ? murmura Rionna.

Il baissa la tête pour la regarder, éloignant une mèche de cheveux de son visage.

— Oui, femme ?

Ses yeux vagues rencontrèrent les siens. Elle s'humecta les lèvres.

— Il semble que j'aie une dague plantée dans le dos. Pourrais-tu l'enlever pour moi ?

33

— Si tu ne me laisses pas te soigner, tu vas mourir, et alors tu ne seras plus d'aucune utilité à Rionna ! s'exclama Ewan, au comble de l'exaspération.

Caelen rendit à son frère le regard noir que celui-ci lui lançait. L'impatience le faisait écumer de rage.

— Tu devrais plutôt t'occuper d'elle ! fulmina-t-il. C'est *elle* qui a besoin d'être soignée en priorité. Si elle meurt parce que nous restons là à nous disputer, je ferai de Mairin une veuve, tu peux me croire !

Ewan soupira longuement avant de décréter :

— Si je dois m'asseoir sur toi pour qu'Alaric puisse nettoyer ta plaie, je n'hésiterai pas à le faire ! Plus vite tu seras soigné, plus vite nous nous occuperons d'elle.

Caelen proféra une bordée de jurons.

— Et si tu étais à ma place ? reprit-il. Et si Mairin était à la place de Rionna ? Tu insisterais toi aussi pour que l'on s'occupe d'elle d'abord !

— Gannon tient compagnie à Rionna. Il me fera appeler s'il a besoin d'aide. Sa blessure à elle est toute fraîche. La tienne ne l'est pas et commence à suppurer. Bon sang ! Fais-toi une raison et nous pourrons enfin nous occuper de Rionna.

Ce dernier argument eut raison de la résistance de Caelen. Il lui tardait plus que tout de la retrouver. Le souvenir des paroles dures qu'il avait eues à son égard lorsqu'il s'était cru trahi le hantait. Il tenait à tenter de les effacer de la mémoire de sa femme.

— Tu es brûlant de fièvre, constata Ewan quand Caelen se fut allongé dans une des chambres du château. Tu te fais un sang d'encre pour Rionna, mais tu es plus sérieusement blessé qu'elle.

— Elle est enceinte, confia-t-il à mi-voix. Je ne pense pas que tu étais au courant ? Elle est venue me sauver au péril de sa vie alors qu'elle porte notre enfant dans son ventre... Elle a dû chevaucher à bride abattue pour arriver ici. Seigneur Dieu, Ewan... ça me donne envie de pleurer comme un bébé.

— Oui, je te comprends. Mais Rionna est une femme solide et elle sait ce qu'elle veut. Je ne la vois pas renoncer sans combattre. Elle a remué ciel et terre pour te sauver, et il ne s'agissait pas d'aller contre sa volonté ! Quand Gannon est arrivé à Neamh Alainn, c'est quasiment un ultimatum de sa part qu'il nous a délivré, à moi et au roi.

— Elle est incomparable... murmura Caelen. Et dire que je n'ai pas su l'apprécier pour le trésor qu'elle est ! Je n'avais qu'une chose en tête : la changer pour la modeler selon l'image que je me faisais d'une femme de laird.

Ewan pouffa de rire.

— J'imagine qu'elle ne s'est pas laissé faire.

Caelen lui répondit d'un sourire enjoué, qui se figea lorsque son frère commença à nettoyer sa plaie.

— Une louve en furie... commenta-t-il affectueusement. Cette femme a le feu dans le sang. Je...

Il se retint de conclure. Ces mots-là, c'était à elle qu'il devait les adresser. Elle avait tant combattu pour les entendre... Et, foi de Highlander, elle les entendrait !

— Parle-moi de Neamh Alainn... gémit Caelen, les dents serrées.

La douleur le submergeait.

— C'est l'endroit le plus merveilleux que j'aie jamais vu, répondit tranquillement Ewan. Le château a été construit il y a plus d'un siècle, mais il paraît comme neuf. Les hommes du roi s'en sont bien occupés depuis la mort d'Alexander. C'est un bel héritage, pour Mairin et pour notre fille.

— Les soupirants vont s'agglutiner autour d'Isabel comme des mouches, fit remarquer Caelen. Comme ils l'ont fait pour sa mère. Un bel héritage, certes, mais aussi une lourde charge pour cette petite.

— Elle bénéficiera d'une protection que sa mère n'a pas eue. Jusqu'à son mariage, Mairin a dû se débrouiller seule. Je veillerai jalousement sur elle jusqu'à ce qu'elle soit apte à décider qui elle veut épouser.

La farouche détermination de son frère fit sourire Caelen.

La voilà donc bien armée pour affronter l'existence.

— Oui. Elle aura tout ce que sa mère n'a pas eu. Jamais elle ne se sentira aussi désespérée que Mairin a pu l'être, ou forcée de choisir entre le moindre de deux maux.

Après y avoir réfléchi un instant, Caelen ajouta :

— Finalement, nous avons tous les trois amené des femmes exceptionnelles au sein du clan McCabe. Nul doute que nous élèverons de petits guerriers qui bénéficieront de la vivacité et de l'intelligence de leurs mères...

Ewan eut un rire amusé.

— Tu peux prendre le pari, en effet.

Caelen grimaça de douleur.

— Bon sang, Ewan ! gémit-il entre ses dents. Tu n'as pas bientôt fini ?

— Il faut recoudre, alors tu vas rester bien tranquillement allongé sans rien dire. Sinon, je me charge de te faire taire.

— Ferme-la et contente-toi d'en terminer au plus vite ! Je ne voudrais pas qu'elle s'imagine le pire en ne me voyant pas arriver.

— J'ai envoyé Alaric lui dire que tu menaces la terre entière, comme d'habitude. Si elle ne comprend pas avec ça que tout va bien pour toi...

— Méfie-toi... je pourrais me fâcher.

— Tu pourrais essayer. Tu es aussi faible qu'un chaton à l'heure qu'il est. Même avec une dague dans le dos, Rionna triompherait de toi.

Entendre mentionner le nom de sa femme suffit à ramener Caelen à de meilleures dispositions.

— Elle me stupéfie, Ewan ! confia-t-il dans un murmure. J'ignore même comment me conduire avec elle. Comment surmonter le fait qu'elle ait pu risquer sa vie pour moi ?

— Tu aurais fait la même chose pour elle, constata son frère. Mais cela n'enlève rien à ses mérites. Je n'en connais aucune qui lui ressemble. On a dû casser le moule quand elle est née. La bénédiction de Dieu est sur toi, Caelen. J'espère que tu t'en rends compte.

— Crois-moi, je ne risque pas de l'oublier...

— Voilà ! lança enfin Ewan en se redressant. La plaie est recousue et elle a cessé de saigner.

Caelen fit une tentative pour se redresser, mais retomba sur le flanc. Sa force semblait l'avoir quitté. Ses muscles ne répondaient plus. Il se sentait si faible qu'il pouvait à peine bouger le bras.

En proférant tout bas un juron, il fit une nouvelle tentative et s'emporta :

— Mais aide-moi, bon sang !

— Je t'aiderai à aller jusqu'à la chambre de Rionna si tu me promets de rester ensuite couché.

— Je ne marchande pas quand il s'agit de Rionna, répliqua-t-il sèchement. Et dorénavant, je ne la quitterai plus d'une semelle.

Sans s'énerver, Ewan argumenta patiemment :

— Tu es grièvement blessé. Si tu ne te soignes pas correctement, c'est ta vie qui est en jeu.

— Aide-moi à me lever ! lança Caelen pour toute réponse.

Ewan secoua la tête avec découragement et l'aida à se dresser sur son séant.

— Je jure n'avoir aucune idée de quelles bourses tu as pu jaillir ! s'emporta-t-il. On a dû te déposer devant le château alors que tu étais encore bébé…

Caelen se rembrunit en laissant son frère l'aider à se lever. Les révélations de Cameron concernant leur père flottaient dans son esprit embrumé. Sans doute ne saurait-il jamais s'il fallait leur accorder le moindre crédit. Quoi qu'il en soit, il n'était pas décidé à partager avec ses frères cette information. Inutile de planter la graine empoisonnée du doute dans leur esprit. Cameron n'avait vécu pendant des décennies qu'aiguillonné par le dard de la haine. Au final, cela ne lui avait rapporté que le déshonneur.

— C'est terminé, Ewan… constata-t-il tandis que celui-ci l'aidait à remonter un couloir. Enfin, après huit années, c'en est fini de la menace représentée

351

par Cameron. Il est mort, et aucun de nous trois n'est parvenu à lui donner le coup de grâce.

— C'est vrai, reconnut son frère. Notre père peut reposer en paix. Il a été vengé.

— Il ne s'agissait pas uniquement d'une vengeance, rectifia Caelen. Il s'agissait de rétablir la justice et l'équité.

Les sourcils froncés, Ewan lui jeta un coup d'œil.

— J'ai une dette énorme envers ta femme, dont je ne pourrai jamais m'acquitter. Elle n'a pas fait que te sauver la vie, elle a aussi tué l'homme qui a fait tant de mal à ma femme et qui menaçait la vie de ma fille.

— Il semble que nous soyons nombreux à lui devoir beaucoup.

Ewan s'était arrêté devant une porte à laquelle il frappa doucement. Sans attendre de réponse, Caelen l'ouvrit. Son cœur marqua une pause lorsqu'il découvrit Rionna à plat ventre sur un lit, la tête tournée sur le côté et les yeux clos.

Gannon, assis à son chevet, dressa la main devant lui.

— Elle s'est évanouie il y a quelques instants, expliqua-t-il. Mais elle respire. La douleur était devenue trop forte.

— On ne peut pas lui donner une potion ? demanda Caelen. Il n'y a pas de guérisseuse, dans ce clan ? Je ne supporte pas qu'elle souffre inutilement.

— Calme-toi, intervint Alaric. Tu ne voudrais pas l'effrayer si elle se réveille, n'est-ce pas ? Nous avons réussi à la convaincre que c'est une blessure mineure et qu'il n'y a pas à s'inquiéter. Elle est plus inquiète pour toi que pour elle, et il vaut mieux qu'il en soit ainsi. Cela lui donne un motif supplémentaire de se battre.

En luttant contre la douleur et la faiblesse due à la fièvre, Caelen marcha jusqu'au bord du lit.

— Cette dague est profondément enfoncée, Ewan...

— Oui, admit son frère. L'hémorragie risque d'être importante une fois que nous l'aurons retirée. Il nous faudra travailler vite pour la juguler et recoudre la plaie.

— C'est une battante ! constata fièrement Gannon. Elle survivra !

Caelen ne l'avait jamais vue aussi pâle. Penché au-dessus de Rionna, il serrait les poings comme pour conjurer son impuissance.

— Y a-t-il eu d'autres saignements ? demanda-t-il avec appréhension. Elle est enceinte...

Alaric secoua négativement la tête.

— Pas que je sache. Elle ne s'est pas plainte de douleurs au ventre. Juste dans le dos.

— Allonge-toi sur le lit avant de tomber par terre ! conseilla Ewan.

On frappa à la porte. Alaric et Gannon dégainèrent immédiatement leurs épées. Ce dernier s'empressa d'aller ouvrir. Quand il sut de qui il s'agissait, il laissa entrer dans la pièce une vieille femme aux cheveux blancs.

— Désolée de vous déranger, laird McCabe... dit-elle. On m'a dit que vous aviez besoin d'une guérisseuse.

Ewan la toisa sévèrement avant de demander :

— As-tu les capacités requises ?

Piquée au vif, la vieillarde se redressa.

— J'étais versée dans les arts de la guérison avant même que tu pousses ton premier cri, mon garçon !

— J'ai besoin d'une potion contre la douleur, reprit Ewan sans s'offusquer. Et d'un cataplasme cicatrisant à poser sur la plaie quand elle sera recousue.

— Oui, répondit-elle en hochant la tête. J'ai tout cela. Avez-vous besoin de moi pour recoudre ? Je suis vieille, mais ma main est sûre et n'a pas failli une seule fois en soixante années de service.

— Pas question ! intervint Caelen en se tournant vers son frère. C'est toi qui le feras.

Ewan acquiesça et congédia la vieille femme d'un geste de la main.

— Va me chercher ce que je t'ai demandé.

Elle s'éclipsa sans piper mot.

— Je vais avoir besoin d'aide pour retirer cette dague, reconnut Ewan en grimaçant. Il faudra agir vite et faire cesser l'écoulement de sang. Caelen, allonge-toi face à elle. Si elle se réveille, cela devrait la calmer de te découvrir là.

Caelen prit appui sur le lit et se laissa glisser doucement en position allongée. Il était plus que temps : ses dernières forces étaient en train de le trahir. Soulevant sa main, il la plaça derrière la nuque de Rionna et caressa des mèches de cheveux maculées de sang séché.

— Quand tu iras mieux, murmura-t-il tout près de son oreille, je te donnerai un bain, comme tu l'as fait pour moi. Nous prendrons place près du feu, et je te brosserai les cheveux après les avoir lavés. Ensuite, je te nourrirai de ma propre main. Et puis je te lirai le contenu de ces rouleaux qui t'intriguent : toutes les pensées qui me sont venues à l'esprit depuis la première fois que j'ai posé les yeux sur toi.

Sa main dériva jusqu'à la joue de Rionna, qu'il tenta en vain de réchauffer sous sa paume. Elle était si pâle...

354

— Ajoute du bois dans le feu, ordonna-t-il à Gannon. Je ne voudrais pas qu'en plus elle attrape froid.

— Tu vas placer tes mains de part et d'autre de la dague, expliqua Ewan à Alaric. Je veux que tu appuies très fort quand je tirerai sur le manche pour la déloger. Dès que ce sera fait, presse tes mains fermement en refermant les lèvres de la plaie.

Alaric lui fit comprendre d'un hochement de tête qu'il avait compris. Caelen se rapprocha encore, jusqu'à ce que ses lèvres ne soient plus qu'à un souffle de la tempe de Rionna.

— Sois brave, murmura-t-il. Aussi brave que tu l'as été ces dernières heures. Je suis là, près de toi. Je ne te laisserai pas.

Quand tous deux furent en place, Ewan fit un signe de tête à Alaric pour lui signifier le début des opérations. Puis, progressivement, il tira sur la dague, faisant sursauter Rionna. Ses yeux s'ouvrirent d'un coup, emplis de panique. Elle poussa un cri et tenta de se débattre.

Enfin, la lame se délogea de sa chair, maculée de sang. Alaric referma les mains sur la plaie en s'efforçant de ne pas se laisser désarçonner par les soubresauts de Rionna.

Caelen fit de son mieux pour l'apaiser.

— Tiens-toi tranquille, ma douce... Nous essayons seulement de t'aider. C'est Ewan, mon frère, qui vient de retirer cette dague dans ton dos.

Empoignant la tunique de Rionna à deux mains, Ewan la fendit afin de dénuder son dos. En voyant le sang sourdre en abondance entre les doigts d'Alaric, Caelen ferma brièvement les yeux. Son frère dut appuyer plus fort encore, car Rionna se mit à gémir douloureusement.

Ne sachant que faire d'autre, Caelen prit la main de sa femme dans la sienne. Il sentit ses ongles s'enfoncer dans sa chair.

— Ça brûle ! se plaignit-elle. Oh, Seigneur ! Ce que ça brûle !

— Je sais, femme... Ce sera bientôt fini, je te le jure. Respire fort. Regarde-moi et ne pense à rien d'autre.

Les yeux écarquillés, égarée par la douleur et la panique, Rionna lui obéit.

— Ewan est en train de recoudre la plaie, expliqua calmement Caelen. Je veux que tu te concentres sur moi. Ne pense plus à la douleur et imagine que tu tiens notre enfant dans tes bras.

Cela parut la calmer. Un peu de sérénité transparut brièvement sur son visage.

L'heure qui suivit fut pour Caelen une épreuve d'endurance. Affaibli par sa propre blessure autant que par la fièvre, lui-même en proie à de terribles douleurs, il dut calmer Rionna pour chaque point qu'Ewan lui fit à vif dans le dos. Quand elle paraissait ne pouvoir en supporter davantage, il lui embrassait fiévreusement le visage et lui parlait de leur enfant. Quand elle était sur le point de s'évanouir, il lui caressait la joue en lui disant qu'il l'aimait.

Lorsque enfin Ewan eut terminé, Caelen perdit lui-même connaissance.

En s'écartant du lit, Ewan soupira longuement et essuya d'un revers de main la sueur qui perlait à son front.

— C'est fini, annonça-t-il d'une voix lasse. J'ai fait de mon mieux. À présent, sa guérison est entre les mains de Dieu.

Caelen ne lui répondit pas.

— Caelen ?

Penché au-dessus de lui, Ewan constata que son frère s'était laissé glisser dans l'inconscience. En redressant la tête, il dévisagea alternativement Alaric et Gannon.

— Je suis inquiet pour eux deux. Leurs blessures sont graves et ils ont perdu beaucoup de sang. Mais c'est Caelen qui est resté le plus longtemps sans soins. Cette fièvre et cette suppuration ne me disent rien qui vaille.

— Qu'allons-nous faire ? demanda Gannon.

— Les ramener chez nous et prier pour que Dieu se montre miséricordieux.

34

Rionna s'éveilla en proie à une douleur intense. Tout son corps lui semblait meurtri. Elle s'y sentait à l'étroit, comme dans un vêtement trop petit. Sous sa langue, ses lèvres étaient sèches et craquelées. Elle aurait donné n'importe quoi pour un verre d'eau.

— Ah, tu es réveillée… constata une douce voix.

— Seigneur ! Je suis morte, n'est-ce pas ?

Un petit rire s'ensuivit, puis :

— Pourquoi t'imagines-tu une chose pareille ?

— Parce que vous avez une voix d'ange.

Rionna parvint à entrouvrir un œil. Comment se faisait-il qu'une chose aussi simple soit aussi douloureuse ?

— Keeley ? s'étonna t-elle en découvrant le visage de son amie penché sur elle.

Non sans une certaine confusion, elle constata qu'elle ignorait complètement où elle se trouvait. D'un coup d'œil, elle découvrit autour d'elle les murs de son ancienne chambre, dans la forteresse de son clan.

— Oui, je suis là, répondit Keeley. Comment pourrais-je ne pas y être, alors que ceux que j'aime ont besoin de mes talents ?

Keeley s'assit au bord du lit et lui tendit un gobelet.

— Veux-tu boire un peu ? reprit-elle.

— S'il me fallait choisir… je préférerais boire que respirer.

Rionna laissa avec délice l'eau fraîche humecter ses lèvres et dévaler sa gorge. Quand elle eut terminé, elle se renfonça dans l'oreiller et ferma les yeux pour lutter contre la nausée qui menaçait de lui faire rendre le peu qu'elle avait bu.

— Pourquoi suis-je ici ? demanda-t-elle.

Le fait de ne pas se trouver dans la chambre qu'elle partageait avec Caelen l'inquiétait.

Keeley posa sa main fraîche sur son front.

— Je voulais pour toi une pièce sans fenêtre. Tu es restée brûlante de fièvre pendant des jours et des jours. Je voulais t'éviter les courants d'air, mais il fallait aussi une pièce sans cheminée pour que tu n'aies pas trop chaud.

— Je ne comprends rien à ce que tu me racontes, avoua-t-elle d'une voix lasse. Mais je m'en fiche.

En rouvrant les yeux, Rionna vit que son amie lui souriait avec indulgence.

— Où est Caelen ? questionna-t-elle soudain.

C'était cela qui la tracassait depuis son réveil. Elle venait seulement de parvenir à le formuler.

— Il n'est pas encore réveillé, répondit Keeley.

Rionna lutta pour se redresser et faillit tourner de l'œil quand une douleur insupportable lui transperça le dos.

— Depuis combien de temps suis-je allongée là ? s'enquit-elle d'une voix rauque.

Keeley luttait en vain pour l'inciter à se recoucher.

— Le voyage jusqu'ici a duré deux jours, expliqua-t-elle. Et voilà une semaine que tu te débats avec cette fièvre qui ne veut pas tomber.

Rionna sentit la panique lui bloquer la gorge. Mobilisant toutes ses forces, elle parvint à repousser Keeley et à se lever.

— Où est-il ? demanda-t-elle en se précipitant vers la porte.

— Où est qui ? répliqua Keeley d'un air contrarié. Rionna, retourne immédiatement te coucher ! Tu es trop faible pour te lever et tu as encore de la fièvre.

— Caelen ! répondit Rionna en ouvrant la porte. Où est-il ?

— Dans sa chambre, naturellement. Reviens tout de suite, Rionna ! Tu n'as rien d'autre sur toi que ta chemise.

Sans tenir compte de l'avertissement, Rionna longea le corridor, à l'extrémité duquel elle tourna pour gagner celui dans lequel s'ouvrait la porte de leur chambre. Devant celle-ci, elle tomba sur Gannon qui montait la garde, et il ne parut pas ravi de la découvrir.

— Doux Jésus, milady ! s'écria-t-il en se précipitant pour la retenir avant que ses jambes ne cèdent sous elle. À quoi pensez-vous donc ? Que faites-vous ici ?

Voyant Rionna se débattre pour lui échapper, Keeley vint prêter main-forte à Gannon.

— Laissez-moi tranquille ! s'impatienta-t-elle en luttant de plus belle pour se libérer. Je veux voir mon mari !

Gannon se laissa attendrir et lui entoura les épaules d'un bras.

— Je vous laisse entrer un instant, dit-il. Mais il faut me promettre qu'ensuite, vous retournerez vous coucher. Sauf votre respect, vous avez l'air plus morte que vive, telle que je vous vois.

— Merci beaucoup, maugréa Rionna. On peut dire que tu sais parler aux femmes, Gannon.

Résignée à l'inévitable, Keeley ajouta :

— Je t'attends ici, Rionna. Mais si tu restes dans cette chambre trop longtemps, tu peux compter sur moi pour venir te chercher !

Sans demander son reste, Rionna s'empressa d'entrer et de refermer derrière elle.

Après s'être reposée un instant contre le vantail, elle eut à peine la force de se traîner jusqu'au lit. Avant que ses jambes ne la trahissent, elle se percha au bord et posa les yeux sur le visage de Caelen. Le front lisse, les lèvres détendues, le teint frais, il semblait dormir en paix.

Rionna sentit la colère fondre sur elle tel un rapace sur sa proie. Elle se pencha et lui glissa dans le creux de l'oreille :

— Écoute-moi, cher mari, et écoute-moi bien ! Je ne te permets pas de mourir ! Pas après tout ce que j'ai fait pour te sauver ! C'est ainsi que tu comptes me montrer ta gratitude ? En mourant malgré tout, alors que j'ai tout fait pour empêcher ça ? C'est une honte, m'entends-tu ? Une honte !

Entre ses mains, elle prit sa tête et ajouta, plus près de son oreille encore :

— Tu vas te battre ! Je t'interdis de renoncer si facilement. Dieu n'est pas prêt à t'accueillir, parce que je n'en ai pas terminé avec toi… Tu vas te réveiller et tu vas m'offrir les paroles que j'attends depuis si longtemps ! Me dire que tu m'aimes sur un champ de bataille alors que nous sommes tous les deux mourants, ça ne compte pas ! Tu vas donc me dire que tu m'aimes en y croyant vraiment, sinon je jure de t'enterrer en terre non consacrée pour t'obliger à hanter avec moi ce château pour l'éternité !

À sa grande stupeur, Caelen ouvrit les yeux et un merveilleux sourire se peignit sur ses lèvres. Dans ses beaux yeux verts qui la fixaient avec adoration, elle vit flamber une lueur de malice quand il chuchota :

— Je t'aime, Rionna...

La jeune femme sentit les larmes dévaler ses joues. Son soulagement était tel qu'il la suffoquait. Elle se sentit chanceler, et les mains fortes de Caelen lui agrippèrent les bras pour la retenir. Lentement, il la fit s'allonger près de lui et la serra dans ses bras.

— Est-ce pour ça que tu me réveilles si brutalement, femme ? s'enquit-il doucement. Pour m'extirper des paroles que je meurs d'envie de prononcer ? Voilà des jours que je te les répète, mais j'ai fini par me lasser de les dire à une femme qui ne les entend pas.

Rionna se recula pour le dévisager sévèrement.

— Quoi ! s'insurgea-t-elle. Mais... Keeley m'a dit que tu n'étais pas encore réveillé.

— Elle ne mentait pas, répondit-il d'un ton goguenard. Il est vrai que je n'ai accepté que tard cette nuit d'aller me coucher, et je ne l'ai fait que parce que Gannon a menacé de m'assommer. Autrement, crois-moi, je n'aurais pas quitté ton chevet.

Les larmes de Rionna redoublèrent. Elle se laissa glisser contre lui et se blottit amoureusement contre son torse.

— Tu n'étais donc pas à l'article de la mort, constata-t-elle avec soulagement. Tout va s'arranger. Tu ne vas pas mourir...

— Je n'ai aucune intention de te quitter si vite, femme.

Il s'écarta pour la dévisager avec inquiétude et reprit :

— Toi, en revanche, tu ne sembles pas être au meilleur de ta forme. Tu n'aurais pas dû quitter ton lit.

Il encadra son visage entre ses mains pour ajouter dans un murmure :

— Comme cela te ressemble bien de jaillir de ton lit de souffrance pour m'exhorter à vivre ! Tu m'as fait peur, femme. Voilà des jours que je me ronge les sangs pour toi. Je viens de vivre la semaine la plus longue de mon existence.

— Je ne retournerai pas dans cette chambre, décida-t-elle d'un ton boudeur. Quand je me suis réveillée, j'ai eu peur de t'avoir fâché, encore une fois, et d'avoir été bannie de ton lit. Je ne veux plus jamais vivre ça !

Le regard de Caelen se fit plus tendre. Il se poussa afin de lui faire de la place dans le lit. Après l'avoir installée plus confortablement contre lui, il referma les fourrures autour d'eux. Dans le dos de Rionna, la douleur qu'elle avait délibérément oubliée se manifestait de nouveau. Mais comment aurait-elle pu s'en soucier, alors que le mari qu'elle avait imaginé presque mort la couvait du regard, avec tout l'amour du monde dans les yeux ?

— Je jure que nous ne serons plus jamais séparés ! promit-il d'un ton ferme. Bon sang, Rionna ! Tu m'as fait vieillir de dix ans en une semaine. J'étais fou d'inquiétude, pour toi, pour le bébé...

Soudain rattrapée par la panique, Rionna écarquilla les yeux et porta les mains à son ventre. En les serrant sous les siennes, Caelen se chargea de la rassurer.

— Oui, notre enfant est toujours là, dit-il tout bas. Bien à l'abri dans le ventre de sa mère. Et je ne doute pas un instant qu'il ou elle aura autant de courage et de détermination qu'elle.

— Raconte-moi ce qui s'est passé, lui demanda-t-elle. Tout est si flou dans ma tête. Je ne me rappelle pas grand-chose de cette bataille. J'ai eu si peur...

Caelen repoussa ses cheveux et lui embrassa le front.

— Tu as été magnifique, répondit-il d'une voix chargée d'émotion. Tu m'as sauvé la vie. Jamais je ne pourrai oublier ça. Tu as mené notre clan à la bataille. Tu es devenue la plus farouche des princesses guerrières qui aient jamais existé.

Rionna fronça les sourcils et l'examina d'un air suspicieux.

— Où as-tu entendu parler de ça ? s'étonna-t-elle.

Caelen lui sourit.

— Pendant que nous attendions que tu te réveilles, Keeley m'a raconté vos jeux et vos rêves de petites filles. Oui, Rionna... tu es devenue ma princesse guerrière. J'ai honte, à présent, d'avoir si longtemps cherché à faire de toi quelqu'un d'autre.

Cette confession lui arracha une grimace de dépit, avant qu'il n'enchaîne :

— Mais cela ne m'a pas empêché de te désirer dès le premier jour, quand je t'ai découverte dans ces habits d'homme, en train de manier une épée avec autant d'habileté que n'importe quel guerrier.

— Ce qui signifie que tu vas me laisser combattre à tes côtés ? demanda-t-elle en haussant un sourcil.

Caelen se pencha pour l'embrasser. Elle sentit son souffle lui caresser les lèvres avant qu'il ne réponde enfin :

— Je ne te mentirai pas. Mon plus cher désir est de te garder ici, sous ma protection. Je suis mort mille fois en te regardant prendre part à cette bataille. Il y avait en moi deux hommes aux tempéraments opposés. Le premier était si fier de toi qu'il aurait crié au monde entier : « Regardez-la ! C'est ma femme ! » Le second aurait voulu t'extraire au plus vite de ce champ de bataille et te garder à l'écart de tout danger. Tout ce que je peux te promettre, c'est de ne plus me montrer aussi rigide à l'avenir. Mais je ne peux accepter non plus que tu mettes ta vie en péril comme tu l'as fait.

Rionna acquiesça d'un signe de tête.

— Il me suffit que tu m'aimes et m'acceptes telle que je suis, dit-elle en lui posant la main sur l'épaule.

— Je t'aimerai. C'est la seule promesse que je peux te faire. La seule que je pourrai tenir. Je t'aimerai jusqu'à mon dernier souffle, et sans doute même après. Tu m'étais destinée. Je ne peux imaginer meilleure épouse que toi.

La porte s'entrouvrit. Keeley se précipita dans la chambre, Gannon sur ses talons. Derrière eux, Alaric et Ewan entrèrent aussi.

— Tu es déjà restée trop longtemps ! tempêta Keeley. Il est plus que temps de regagner ton lit.

Caelen se tourna vers elle et lui dit dans un sourire :

— Elle restera ici, où est sa place. Sa fièvre est tombée.

Ewan traversa la pièce et s'arrêta au bord du lit.

— C'est un grand soulagement pour moi d'apprendre que vous êtes réveillée, Rionna. Je peux ainsi vous exprimer ma plus profonde gratitude avant d'aller rejoindre Mairin et Isabel.

Rionna fronça les sourcils sans comprendre.

— Elle ne réalise pas encore tout ce qu'elle a accompli, expliqua Caelen en riant. Dans son esprit, tout ce qui compte, c'est qu'elle a réussi à sauver d'une mort certaine son bon à rien de mari.

— Je dois également vous remercier d'avoir sauvé mon frère, ajouta l'aîné des McCabe. Il peut de temps à autre se conduire en ours mal léché, mais je n'ai jamais rencontré d'homme plus valeureux et plus loyal que lui.

Tout sourire, Rionna écouta Ewan poursuivre :

— Et même si j'aurais apprécié me charger moi-même de la besogne, je dois également vous remercier d'avoir débarrassé le monde de Duncan Cameron. La rébellion fomentée par Malcolm est à présent morte dans l'œuf. Il n'aura ni les ressources ni les soutiens nécessaires pour revendiquer la couronne. En fait, c'est toute l'Écosse qui vous est redevable aujourd'hui.

— J'aimerais pouvoir dire que j'étais motivée par tout cela en plongeant mon épée dans le corps de Cameron, répondit Rionna. Mais il est vrai que mon seul but était alors de l'empêcher de tuer mon mari.

Tous se mirent à rire. Caelen la serra contre lui de manière possessive et lui embrassa le front.

— Tu vas dormir, à présent… murmura-t-il. Ici, dans mes bras, où je vous saurai à l'abri, toi et notre bébé.

Rionna soupira de bonheur et ferma les yeux.

— D'accord, dit-elle dans un souffle. Cela tombe bien : il n'y a aucun autre endroit au monde où je préférerais me trouver.

Sans quitter sa femme des yeux, Caelen intima d'un geste à leurs visiteurs l'ordre de les laisser.

Le regard brouillé de larmes, Keeley recula lentement jusqu'à la porte. Alaric la rejoignit et la serra tendrement contre lui.

Ewan et Gannon s'attardèrent un instant pour jeter un dernier regard aux amoureux serrés l'un contre l'autre dans le lit. Un sourire attendri s'attardait sur leurs lèvres quand ils refermèrent finalement la porte derrière eux.

35

— Aïe ! s'écria Rionna.

En mettant en place une nouvelle aiguille dans ses cheveux, Mairin l'avait égratignée. Elle tendit la main pour masser son cuir chevelu, mais Keeley l'en empêcha en lui assenant une petite tape.

— Aujourd'hui, il est important que ton apparence soit parfaite ! assura Mairin.

— Je ne vois pas pourquoi, maugréa Rionna. Si le roi tient tant à me remercier, une audience privée aurait été suffisante. Tous ces chichis me rendent nerveuse.

Keeley et Mairin échangèrent un regard entendu que capta Rionna.

— Que se passe-t-il, ici ? s'agaça-t-elle. Quelle farce m'avez-vous encore préparée, toutes les deux ?

Keeley leva les yeux au plafond.

— Nous tenons juste à ce que tu paraisses à ton avantage devant le roi. Tu sors d'une longue convalescence. Il fait un temps magnifique aujourd'hui. Tu vas devoir rivaliser avec le soleil… Alors autant mettre tous les atouts de ton côté.

— Tu as la langue bien pendue, dis-moi, Keeley McCabe. Mais je vois où tu veux en venir : détourner mes soupçons par la flatterie.

Mairin se mit à rire.

— Rionna, laissez-vous faire ! la pria-t-elle en s'écartant d'un pas. Et laissez-nous vous admirer...

Sous le regard critique de ses deux amies, Rionna passa une main nerveuse sur son ventre. Keeley et Mairin avaient retouché la taille de sa robe afin de masquer autant que possible son état. Elle devait reconnaître qu'elles avaient bien travaillé.

Le tissu couleur ambre s'ornait de broderies au fil d'or. Jamais elle n'avait rien porté d'aussi élégant, et même si elle rouspétait un peu par principe, elle souhaitait elle aussi paraître aussi belle que possible. Elle voulait qu'en la découvrant, son mari ne puisse poser les yeux ailleurs que sur elle. Ce n'était ni la présence du roi qui l'intimidait, ni celle de son clan au grand complet, mais uniquement le regard de l'homme qu'elle aimait.

— C'est l'heure ! annonça Mairin avec un petit frisson d'excitation.

— L'heure de quoi ? grommela Rionna, exaspérée. Vous deux, vous me cachez décidément quelque chose !

Avec un sourire mystérieux, Keeley glissa son bras sous le sien et l'entraîna hors de la chambre en expliquant :

— Nous sommes censées te conduire jusqu'au balcon qui domine la cour du château.

Sans lui laisser le temps de réaliser ce qui lui arrivait, Mairin imita Keeley et toutes trois parcoururent en silence les corridors menant au balcon.

En débouchant sur celui-ci, Rionna dut fermer les yeux, tant le soleil éclatant l'éblouissait. Sa chaude caresse sur sa peau lui arracha un soupir de bien-être. Elle inspira à fond et se gorgea des douces odeurs du printemps. Celui-ci avait fini par s'imposer sur les

Highlands. La nature semblait pressée de rattraper son retard dans une explosion de végétation et de couleurs.

Ouvrant les yeux, elle laissa son regard courir sur tout le clan McDonald rassemblé en contrebas. Sur la droite, les deux frères de Caelen encadraient le roi, assis sur un trône de fortune, entouré de sa garde.

Afin de faire part de sa surprise à ses deux amies, Rionna se retourna mais vit que celles-ci l'avaient laissée seule. Elle reporta son attention sur ce qui se passait dans la cour, à temps pour voir son mari venir se positionner devant le groupe de ses hommes alignés.

Mais en s'immobilisant, ce ne fut ni vers eux ni vers le roi qu'il se tourna. Pivotant sur ses talons, il leva la tête et dès lors, il n'eut plus d'yeux que pour elle. Un grand silence se fit dans la cour. Les mains appuyées sur la rambarde, Rionna déglutit péniblement, soudain nerveuse, ne sachant ce qui allait se produire.

Alors, la voix claire et bien timbrée de son mari s'éleva.

— Rionna McDonald, je me tiens aujourd'hui devant toi parce que, en des heures dramatiques pour notre clan, tu as su rassembler ces hommes pour me sauver la vie dans une manœuvre folle et brillante à la fois. Tu as risqué ta vie par amour pour moi. Je ne peux te rendre la pareille pour te prouver à quel point je t'aime. Tu m'as dit plusieurs fois que tu attendais de moi que je prononce les mots qu'il te tarde d'entendre, et que je te donne cette partie de mon cœur dont tu assures que je t'ai privée. Mais à cet instant, femme, je peux t'assurer qu'aucune partie de mon cœur n'a jamais été à l'abri de toi.

Appuyée à la rambarde, Rionna se pencha pour ne rien rater du discours si bouleversant de son mari.

— Non, mon geste n'est pas aussi grand, reprit-il. Tu étais prête à sacrifier jusqu'à ta vie parce que tu me considérais comme tien. J'ai autrefois commis l'erreur de vouloir te changer. J'ai tenté de transformer une femme intrépide et courageuse en lady effacée et pourvue de bonnes manières. C'est une erreur que je ne commettrai plus. Et aujourd'hui, je t'offre solennellement ces paroles que tu attends depuis si longtemps.

Caelen marqua une pause. Le silence était si complet dans la cour qu'on aurait entendu une mouche voler.

— Je t'aime, ma femme adorée. Je t'aime, ma princesse guerrière ! Je le proclame en présence de mon roi, de mes frères, de mon clan, de *notre* clan... pour que tu saches à quel point l'homme que tu vois devant toi t'aime et à quel point il est fou de toi.

Un tonnerre de vivats et d'applaudissements monta de la foule. Les guerriers brandirent leurs épées. Des cris et des sifflets d'allégresse s'élevèrent jusqu'à Rionna. Les yeux embués, elle pressa son poing contre sa bouche, afin de ne pas se ridiculiser en fondant en larmes.

— Je t'aime moi aussi, mon guerrier de mari... murmura-t-elle tout bas.

Dans la cour en contrebas, Caelen réclama le silence en levant les bras.

— J'ai également tenu à ce que ma famille et mon roi soient présents pour rectifier un tort, déclara-t-il en se tournant cette fois vers les membres du clan. Les McDonald méritent que leur nom se perpétue. C'est une noble et courageuse action qu'ils ont accomplie en se lançant à la rescousse d'un laird qui ne portait pas leur nom, au service d'un roi qui avait divisé leur clan.

Lentement, il chercha de nouveau le regard de Rionna. Dans ses yeux, l'amour qu'il lui portait semblait un feu dévorant.

— Désormais, reprit-il en élevant la voix, je ne répondrai plus au nom de Caelen McCabe. À compter de ce jour, je prends avec joie et fierté celui de Caelen McDonald ! Puisse notre clan vivre longtemps, et puisse le souvenir de ce jour où une princesse guerrière l'a mené au combat se perpétuer dans toutes les mémoires !

Rionna en resta bouche bée. Un silence parfait était retombé dans la cour, où tous les guerriers observaient leur laird avec stupéfaction. Certaines femmes portèrent leurs mains à la bouche, les yeux écarquillés. D'autres pleuraient ouvertement et s'essuyaient les yeux avec leurs tabliers.

Ewan regardait son frère avec fierté. Mairin, qui l'avait rejoint, sécha ses larmes d'un revers de main.

Remise de sa stupeur, Rionna tourna les talons et empoigna ses jupes. Elle vola bien plus qu'elle ne courut à travers le château pour rejoindre son époux dans la cour. Avant de lui sauter au cou devant tout le monde, elle hésita un instant.

— Si tu attends une seconde de plus, la prévint Caelen à mi-voix, je te culbute sans hésiter sur le sol !

Avec un cri de joie, Rionna se jeta dans ses bras pour un baiser dont on parlerait au sein du clan McDonald pendant des années encore.

Sans que leurs lèvres se séparent, il la souleva de terre et la fit tournoyer. Autour d'eux, la foule s'était rassemblée et les applaudissait à tout rompre. Et lorsque enfin Caelen se décida à reposer Rionna à terre, il la garda serrée contre lui.

— Je t'aime, ma princesse guerrière, dit-il en la fixant au fond des yeux. Il n'y a pas une parcelle de mon cœur ou de mon âme qui ne t'appartienne pas.

— Je suis heureuse de l'entendre, Caelen McDonald, car je suis une femme possessive, et je ne me satisferais de rien d'autre que de la totalité de toi.

Avec un sourire radieux, Caelen se pencha vers elle pour l'embrasser de nouveau.

— Tu es une petite gourmande, susurra-t-il. J'aime ça.

Épilogue

Caelen pénétra dans la chambre, son fils nouveau-né dans les bras. À quelques pas de là, dans leur lit, Rionna dormait, épuisée par l'accouchement.

Prudemment, pour ne pas la réveiller, il déposa le bébé endormi près d'elle et se redressa pour admirer ce qu'il possédait de plus précieux au monde.

La fête, en bas, battait son plein. Ses frères et leurs femmes avaient fait le voyage pour se joindre à l'allégresse générale.

Caelen aurait pu les rejoindre sans tarder, mais il préféra aller s'installer à son bureau. Après avoir déroulé un parchemin, taillé une plume, trempé la pointe dans l'encrier, il s'apprêta à écrire.

Comme il l'avait affirmé à Rionna, il manquait d'éloquence et s'exprimait souvent mieux par écrit que par la parole. Et en ce jour où son cœur débordait d'allégresse, il n'aurait pu trouver meilleur moyen pour l'exprimer.

En haut de la feuille, il inscrivit l'année et le jour, car celui-ci était à marquer d'une pierre blanche.

Mais c'était surtout à sa femme qu'il pensait en contemplant la flamme de la chandelle pour chercher l'inspiration. Et lorsque celle-ci finit par le visiter, il commença à écrire comme un forcené.

Quand il eut déposé le dernier point au bas de la dernière phrase, il répandit un voile de sable pour sécher l'encre et relut une dernière fois ce qu'il venait d'écrire.

Ce jour restera à jamais dans ma mémoire. Je m'inquiétais un peu de savoir que Rionna luttait pour donner naissance à notre premier enfant, mais je n'aurais pas dû m'en faire. Ma princesse guerrière a livré combat et a triomphé, comme toujours... Je dois reconnaître que ce fils qu'elle m'a tendu fièrement est une merveille. Elle m'a informé que parce qu'elle l'avait décidé, il aurait mes yeux verts et mes cheveux noirs. Je n'ai pas osé la contredire, car chacun sait dans notre clan que je ne peux rien lui refuser.

Elle se repose à présent, et je ne peux m'empêcher de l'admirer en écrivant ces lignes et de m'émerveiller du miracle qu'elle représente. Je n'oublierai jamais ce jour où je l'ai vue pour la première fois : elle m'avait fasciné avec ses habits d'homme et cette épée qu'elle maniait avec la dextérité d'un guerrier expérimenté, une lueur de défi au fond de ses beaux yeux. Elle a cru longtemps que je l'avais privée d'une partie de mon cœur parce qu'une autre y avait planté ses griffes. J'espère être parvenu à la détromper car à la vérité, dès ce premier instant, mon cœur lui a tout entier appartenu.

Ah, femme... je pense que je t'ai toujours aimée. Pour te dire la vérité, aujourd'hui il m'est impossible de me souvenir d'un temps où je ne t'aimais pas.

Caelen McDonald, laird du clan McDonald

*Découvrez les prochaines nouveautés
des différentes collections J'ai lu pour elle*

AVENTURES
&PASSIONS

Le 3 juillet

Les Frazier - 2 - *Que serais-je sans ton amour ?*
୧୬ **Jade Lee**
Kit Frazier est un homme détruit et hanté par le passé. Il vient de
passer sept ans loin de son pays dans des conditions effroyables.
À son retour, il découvre que la femme qu'il aime vient de se
marier. Il va alors trouver du réconfort auprès de la splendide
Maddy Wilson...

La ronde des saisons - 5 - Retrouvailles
୧୬ **Lisa Kleypas**
Rafe Bowman vient de débarquer des États-Unis pour rencontrer
Christine, la très digne et jolie fille de lady et lord Blanford. Certes,
il a un physique agréable à regarder, mais pour pouvoir
impressionner la dame il doit apprendre les bonnes manières
londoniennes. Nos quatre anciennes célibataires endurcies jouent
alors les entremetteuses. Et convaincre la jeune femme de
l'épouser se révèle plus difficile que prévu...

Les célibataires - 3- *Secrets intimes*
୧୬ **Emma Wildes**
Michael Hepburn, espion pour la couronne britannique,
n'avait jamais pensé se marier. Et pourtant, lorsque son frère
aîné, le marquis Longhaven meurt, il va devoir le remplacer
dans ses fonctions de duc mais aussi auprès de sa jeune
fiancée Julianne Sutton. Dès lors, il va tout faire pour
dissimuler à sa femme ses activités.

Le 10 juillet

Comment conquérir son épouse ?

ରଷ **Ashley March**

Charlotte, duchesse de Rutheford fait tout pour provoquer son mari : elle joue, jure et flirte avec de nombreux hommes. Elle cherche à divorcer afin d'échapper à un mariage désastreux. Mais voilà, Philip l'aime encore et cherche à la reconquérir...

La saga des Bedwyn - 1 - Un mariage en blanc

ରଷ **Ashley March**

Aidan Bedwyn est colonel dans l'armée. Sur le champ de bataille il promet à un de ses soldats de prendre soin de sa soeur : Eve Morris. Cette dernière n'accepte sa protection que pour pouvoir garder son domaine. Un mariage qui va totalement bouleverser la vie d'Aidan.

Les trois grâces - 3 - Séduit par la grâce

ରଷ **Jennifer Blake**

Lady Marguerite, la plus jeune des sœurs Milton, cherche le grand amour. Jusqu'au jour ou elle est kidnappée par le Chevalier d'Or. Ce dernier se revèle être David, celui qui s'était engagé dix ans plus tôt à être son chaste chevalier servant. Mais la vie de David est menacée par les diaboliques plans du roi Henry VII...

La saga des Montgomery - 3 - Une mélodie de velours

ରଷ **Jude Deveraux**

Après avoir résisté à l'immonde Pagnell, Alyx est accusée de sorcellerie et doit s'enfuir pour échapper au bûcher. Elle se fait alors passer pour un garçon et rejoint la bande de hors-la-loi du noble renégat Raine Montgomery. Commence alors entre Raine et Alyx un jeu de séduction dont seul l'amour sera vainqueur.

Le 10 juillet

CRÉPUSCULE

Dans le monde des Dark-Hunters, il n'est de place pour le mélange des espèces. Chaque créature vit dans la communauté qui lui est propre et nul n'oserait défier cette règle fondamentale. Excepté deux êtres : Fang Kattalakis, membre du clan des loups, et Aimée Peltier, l'héritière du trône des ours. Tout les oppose et pourtant, ils vont braver les interdits...

Romantic Suspense

Le 3 juillet

Mister Perfect ⌘ **Linda Howard**

Un soir, Jaine dresse avec ses amies le portrait de l'homme idéal : honnête, fidèle, stable, drôle, friqué, beau gosse... Une liste qui, par une indiscrétion, se retrouve bientôt à la une de tous les journaux. Et voilà les quatre copines sous les feux des projecteurs ! Mais l'aventure tourne au cauchemar quand l'une d'elles est assassinée. Terrorisées mais en quête de vengeance, les trois autres enquêtent...

Le 10 juillet

Inédit   ### *Regards mortels* ⌘ **Allison Brennan**

Malgré des preuves évidentes, Julia Chandler, la substitut du procureur, ne peut croire que sa nièce est une criminelle. Comment imaginer qu'Emily a assassiné le juge Victor Montgomery, son beau-père ? Julia ne peut s'y résoudre, et elle veut prouver l'innocence de la jeune fille. Or pour l'aider à résoudre l'affaire, une seule personne peut l'aider : Connor Kincaid. Connor, détective privé hors-pair, qu'elle aurait souhaité de ne plus jamais revoir...

$\mathcal{P}$assion intense

Des romans légers et coquins

Le 3 juillet

Séduction en ligne ∝ **Erin McCarthy**

Kindra Hill et son collègue Mack, Jared Kincaid et la très sexy Candy Appleton, Halley Connors et son ami Evan...

Trois duos, un point commun : Internet. En amour comme en matière de sexe, le web recèle de mille et une promesses... Derrière leur écran, ils vont livrer leurs secrets les plus intimes et entamer le plus voluptueux des jeux, celui de la séduction en ligne.

Le 10 juillet

Inédit   **H.O.T. - 1 - Divins plaisirs**

∝ **Lacey Alexander**

Pour les habitants de Turnbridge, Carly Winters est une jeune femme des plus respectables. Or personne ne sait ce qu'elle fait à des kilomètres de là, lorsqu'elle devient Désirée... Une séductrice qui entraîne avec elle des hommes pour des nuits enflammées. Loin de Turnbridge, elle peut se livrer à des expériences inédites, à ses rêves les plus fous. Jusqu'à ce qu'elle rencontre Jake Lockhart...

PROMESSES

Le 3 juillet

L'amour par petite annonce ∞ **Debbie Macomber**
Débordé par ses trois neveux dont il a désormais la charge, Travis
Thompson n'a pas vraiment le choix : il lui faut trouver une
épouse. Alors sans trop y croire, il publie une annonce et finit par
sélectionner la lettre de la douce et solitaire Mary Warner. Mais
peut-on réellement trouver l'amour par petite annonce ?

Et toujours la reine du roman sentimental :

Barbara Cartland

« Les romans de Barbara Cartland nous transportent dans un monde
passé, mais si proche de nous en ce qui concerne les sentiments.
L'amour y est un protagoniste à part entière : un amour parfois
contrarié, qui souvent arrive de façon imprévue.
Grâce à son style, Barbara Cartland nous apprend que les rêves
peuvent toujours se réaliser et qu'il ne faut jamais désespérer. »
Angela Fracchiolla, lectrice, Italie

Le 3 juillet
Un duc à vendre

10410

Composition
FACOMPO

Achevé d'imprimer en Italie
Par Grafica Veneta
le 20 mai 2013

Dépôt légal : mai 2013
EAN 9782290056950
L21EPSN000945N001

ÉDITIONS J'AI LU
87, quai Panhard-et-Levassor, 75013 Paris

Diffusion France et étranger : Flammarion